COLLECTION FOLIO

James Joyce

Dublinois

*Traduit de l'anglais
par Jacques Aubert*
*Préface
de Valery Larbaud*

Gallimard

Titre original :

DUBLINERS

James Joyce est né en 1882 à Rathgar, dans la banlieue de Dublin. Son père, brillant, mais faible, est issu d'une vieille famille irlandaise prospère de Cork. James Joyce est d'abord pensionnaire au collège jésuite de Clongowes Wood, et il termine ses études à Belvedere College. Dès 1897, il commence à écrire. Il entre à University College, et c'est en 1900 qu'il fait un véritable début littéraire, avec un article sur Ibsen.

En 1902 il fait un séjour à Paris, rentre à Dublin l'année suivant et commence *Dubliners*. Par ailleurs, il travaille à une esquisse biographique, *Stephen le Héros*. En 1904, il rencontre Nora Barnacle, dont il tombe amoureux, et quitte Dublin avec elle. Après un bref séjour à Pola, ils s'installent à Trieste où Stanislaus vient les rejoindre. Il travaille quelques mois dans une banque à Rome. À son retour, en 1907, il publie les poèmes de *Musique de chambre*, achève *Dublinois* et commence à récrire *Stephen le Héros*, qui, devenu *Portrait de l'artiste en jeune homme*, sera finalement publié à partir de 1915. Il retourne à Trieste, réussit à faire imprimer *Dubliners* et une pièce, *Les exilés*, en 1914. Après un séjour à Zurich, James Joyce s'installe à Paris sur les conseils d'Ezra Pound. Il fait la connaissance d'Adrienne Monnier, de Sylvia Beach qui publie *Ulysse* en 1922 (le premier épisode d'*Ulysse* avait paru dans la *Little Review* en 1918). Il rencontre aussi Valery Larbaud, qui le présente au Tout-Paris littéraire. *Finnegans Wake* paraît en 1939. Devenu presque aveugle, James Joyce se réfugie en décembre 1940 à Zurich, où il meurt quelques semaines plus tard.

NOTE DE L'ÉDITEUR

La préface que Valery Larbaud écrivit pour la première édition de *Dublinois*, publié alors sous le titre
Gens de Dublin risque de paraître aujourd'hui quelque
peu simpliste, voire naïve. Tant d'essais et de commen-
taires sur l'œuvre de Joyce ont été écrits depuis qu'elle
fut composée ! Mais, en 1921, Joyce n'était connu que de
quelques écrivains à l'affût des nouveautés venues « du
monde entier ». Il s'agissait, pour Larbaud, de présenter
l'homme et d'ouvrir quelques perspectives sur ses
ouvrages. C'est ce qu'il fait simplement, mais avec une
divination admirable. Son portrait garde un intérêt pour
qui découvre l'auteur d'*Ulysse*. Nous avons donc main-
tenu cette préface utile, en hommage au grand écrivain
irlandais, mais aussi au grand découvreur que fut Larbaud.

La présente traduction prend pour base l'édition corri-
gée de *Dubliners* établie par Robert Scholes (Jonathan
Cape, 1967).

L'œuvre de James Joyce

Depuis deux ou trois ans, James Joyce a obtenu parmi les gens de lettres de sa génération une notoriété extraordinaire. Aucun critique ne s'est encore occupé de son œuvre et c'est à peine si la partie la plus lettrée du public anglais et américain commence à entendre parler de lui ; mais il n'y a pas d'exagération à dire que, parmi les gens du métier, son nom est aussi connu et ses ouvrages aussi discutés que peuvent l'être, parmi les scientifiques, les noms et les théories de Freud ou d'Einstein. Là, il est pour quelques-uns le plus grand des écrivains de langue anglaise actuellement vivants, l'égal de Swift, de Sterne et de Fielding, et tous ceux qui ont lu son Portrait de l'Artiste dans sa jeunesse s'accordent, même lorsqu'ils sont de tendances tout opposées à celles de Joyce, pour reconnaître l'importance de cet ouvrage ; tandis que ceux qui ont pu lire les fragments d'Ulysse publiés dans une revue de New York en 1919 et 1920 prévoient que la renommée et l'influence de James Joyce seront considérables. Cependant, si, d'autre part, vous allez demander à *un membre de la « Société (américaine) pour la Répression du Vice » : « Qui est James Joyce ? » vous recevrez la réponse suivante : « C'est un Irlandais qui a écrit un ouvrage pornographique intitulé* Ulysse *que nous avons poursuivi avec succès en police correctionnelle lorsqu'il paraissait dans la* Little Review *de New York. »*

Il s'est en effet passé pour Joyce aux États-Unis ce qui s'est passé chez nous pour Flaubert et pour Baudelaire. Il y a eu plusieurs procès intentés contre The Little Review *à propos d'*Ulysse. *Les débats ont été parfois dramatiques et plus souvent comiques, mais toujours à l'honneur de la directrice de* The Little Review, *Miss Margaret Anderson, qui a combattu vaillamment pour l'art méconnu et la pensée persécutée.*

Étant donné les précédents que je viens de citer (Flaubert et Baudelaire), auxquels il convient d'ajouter celui de Walt Whitman, dont les livres ont été, en leur temps, officiellement classés comme « matière obscène » et de ce fait déclarés intransportables par l'administration des postes aux États-Unis, nous ne pouvons pas hésiter un instant entre les jugements des membres de la Société pour la Répression du Vice et l'opinion des lettrés qui connaissent l'œuvre de James Joyce. Il est en effet bien invraisemblable que des gens assez cultivés pour goûter un auteur aussi difficile que celui-ci prennent un ouvrage pornographique pour un ouvrage littéraire.

Je vais maintenant essayer de décrire l'œuvre de

James Joyce aussi exactement que possible, et sans chercher à en faire une étude critique : j'aurai bien assez de dégager, ou d'essayer de dégager, pour la première fois, les grandes lignes de cette œuvre et d'en donner une idée un peu précise aux lecteurs pour lesquels elle n'est pas, ou pas encore, accessible, car, au moment où j'écris ces lignes, le plus récent et jusqu'ici le plus important des ouvrages de Joyce, Ulysse, *n'a pas encore paru en volume.*

D'abord, quelques mots sur l'auteur : l'indispensable notice biographique.

James Joyce est né en 1882, à Dublin, d'une très ancienne famille, originaire en partie du sud et en partie de l'ouest de l'Irlande. Il est ce qu'on appelle un pur « Milésien » : Irlandais et catholique de vieille souche ; de cette Irlande qui se sent quelques affinités avec l'Espagne, la France et l'Italie, mais pour qui l'Angleterre est un pays étranger dont rien, pas même la communauté de langue, ne la rapproche.

Il a été élevé dans un établissement d'éducation des pères jésuites, qui lui ont donné une solide culture classique, la même qu'ils donnaient chez nous à leurs élèves du XVIIIe siècle : le latin enseigné comme une langue vivante, et allant de pair avec la langue nationale, etc. Ses humanités finies, Joyce entreprit, d'abord à l'Université de Dublin, puis à celle de Paris, des études de médecine qu'il ne termina pas, mais qui ont certainement contribué à la formation de son esprit. En même temps, il étudiait, pour son propre compte et sans songer à une car-

rière, la philosophie, et en particulier la philosophie grecque et la scolastique. C'est ainsi que, pendant qu'il était à Paris, il passait plusieurs heures chaque soir à la Bibliothèque Sainte-Geneviève, lisant Aristote et saint Thomas d'Aquin, alors que la sagesse mondaine, peut-être, aurait voulu qu'il préparât avec plus de soin son P.C.N.

Revenu en Irlande, il s'y maria, et presque aussitôt après il s'expatria, et habita successivement Zurich, Trieste, Rome et de nouveau Trieste. Il s'était consacré à l'enseignement, sans toutefois abandonner ses études personnelles, qu'il poussa très loin dans plusieurs directions : philosophie et mathématiques surtout. En 1915, il quitta Trieste pour Zurich et depuis 1920 il habite de nouveau, avec sa famille, Paris. Tout compte fait, c'est en Italie ou en pays italien qu'il a vécu le plus longtemps (environ quatorze ans), et c'est en Italie que ses enfants sont nés.

Comme élève des jésuites, il serait également inexact de dire qu'il les sert ou qu'il les combat. Attitude bien différente de celle qu'ont eue ceux de nos propres écrivains du XIXe siècle qui sont sortis des établissements d'éducation des pères ; et c'est ce qu'il ne faudra pas perdre de vue lorsqu'on voudra porter un jugement sur son œuvre. Lui-même se plaît à reconnaître que son esprit porte l'empreinte de l'éducation que les pères jésuites lui ont donnée et il admet qu'au point de vue intellectuel il leur doit beaucoup. Du reste — je puis bien le dire dès à présent —, je crois que l'audace et la dureté avec lesquelles Joyce décrit et met en scène les instincts réputés les plus bas de la nature humaine lui viennent, non pas, comme l'ont dit quelques-uns des critiques de son Portrait de l'Artiste, *des natura-listes français*, mais bien de l'exemple que lui ont donné les grands casuistes de la Compagnie. *Qui-conque se souvient de certains passages des* Provin-ciales, *et notamment de ceux où il est question de l'adultère et de la fornication, comprendra ce que je veux dire ; et il semble bien qu'au fond, derrière James Joyce, c'est Escobar et le père Sanchez que la Société pour la Répression du Vice a poursuivis en police correctionnelle ! De ces grands casuistes, Joyce a la froideur intrépide et, à l'égard des fai-blesses de la chair, la même absence de tout respect humain.*

Comme Irlandais, James Joyce n'a pas pris effec-tivement parti dans le conflit qui a mis aux prises, de 1914 à ces derniers jours, l'Angleterre et l'Irlande. Il ne sert aucun parti, et il est possible que ses livres ne plaisent à aucun et qu'il soit également désavoué par les Nationalistes et les Unionistes. Quoi qu'il en soit, il ne fait pas figure de patriote militant, et n'a rien de commun avec ces écrivains du Risorgimento qui étaient surtout les serviteurs d'une cause et se pré-sentaient comme les citoyens d'une nation opprimée pour laquelle ils réclamaient l'autonomie, et en faveur de laquelle ils demandaient l'aide des patriotes et des révolutionnaires de tous les pays. Autant que nous en pouvons juger, James Joyce présente une peinture tout à fait impartiale, histo-

rique, de la situation politique de l'Irlande. Si, dans ses livres, les personnages anglais qu'il introduit sont traités en étrangers et quelquefois en ennemis par ses personnages irlandais, il ne fait nulle part un portrait idéalisé de l'Irlandais. En somme, il ne plaide pas. Cependant, il faut remarquer qu'en écrivant Gens de Dublin, Portrait de l'Artiste *et* Ulysse, *il a fait autant que tous les héros du nationalisme irlandais pour attirer le respect des intellectuels de tous les pays vers l'Irlande. Son œuvre redonne à l'Irlande, ou plutôt donne à la jeune Irlande, une physionomie artistique, une identité intellectuelle ; elle fait pour l'Irlande ce que l'œuvre d'Ibsen a fait en son temps pour la Norvège, celle de Strindberg pour la Suède, celle de Nietzsche pour l'Allemagne de la fin du* XIXᵉ *siècle, et ce que viennent de faire les livres de Gabriel Miró et de Ramón Gómez de la Serna pour l'Espagne contemporaine. Le fait qu'elle est écrite en anglais ne doit pas nous donner le change : l'anglais est la langue de l'Irlande moderne, comme il est la langue des États-Unis d'Amérique ; ce qui montre combien peu nationale peut être une langue littéraire. (Écrire de nos jours en irlandais, ce serait comme si un auteur français contemporain écrivait en vieux français.) Bref, on peut dire qu'avec l'œuvre de James Joyce, et en particulier avec cet* Ulysse *qui va bientôt paraître à Paris, l'Irlande fait une rentrée sensationnelle dans la haute littérature européenne.*

*Je voudrais pouvoir parler d'*Ulysse *dès maintenant, mais je crois qu'il vaut mieux suivre l'ordre* *chronologique, et du reste* Ulysse, *qui est par lui-même un livre difficile, serait presque inexplicable si on ne connaissait pas les ouvrages antérieurs de Joyce. Nous allons donc les examiner l'un après l'autre, dans l'ordre où ils ont été composés et publiés.*

I

« Musique de chambre. »

Son premier ouvrage est un recueil de trente-six poèmes, dont aucun ne remplit plus d'une page. Cette plaquette parut en mai 1907. À première vue, c'étaient de petits poèmes lyriques ayant l'amour pour thème principal. Cependant les connaisseurs, et notamment Arthur Symons, virent tout de suite de quoi il s'agissait. Ces courts poèmes présentés modestement sous le titre de Musique de chambre *continuaient, ou plus exactement renouvelaient une grande tradition : celle de la chanson élisabéthaine. Cet aspect de l'époque littéraire la plus glorieuse de l'Angleterre nous est trop souvent caché par l'éclat et le prestige des dramaturges, et nous ne savons pas assez que les chansons dont Shakespeare a orné quelques-unes de ses pièces sont des échantillons, et souvent des chefs-d'œuvre, d'un genre qui eut à la même époque une grande quantité d'adeptes, et quelques maîtres qui ont laissé des œuvres et des noms immortels à la fois dans l'histoire littéraire et dans l'histoire musicale de l'Angleterre : par exemple William Byrd, John Dowland, Thomas Campion, Robert Jones, Bateson, Rosseter (le collaborateur de Campion), Greeves, etc.*

De 1888 à 1898, plusieurs anthologies de ces chansons élisabéthaines avaient été publiées, notamment par A. H. Bullen, et les recueils de l'époque avaient paru si riches en pièces lyriques du plus haut mérite, que même les admirateurs les plus passionnés de l'époque shakespearienne en étaient surpris. Mais personne ne songeait sérieusement à une renaissance de ce genre. On ne pouvait guère espérer que d'habiles pastiches. Eh bien, ce que Joyce fit, dans ces trente-six poèmes, ce fut de renouveler le genre sans tomber dans le pastiche. Il obéit aux mêmes lois prosodiques que les Dowland et les Campion, et, comme eux, il chante, sous le nom d'amour, la joie de vivre, la santé, la grâce et la beauté. Et cependant il a su être moderne dans l'expression comme dans le sentiment. Le succès obtenu parmi les lettrés fut grand et cette mince plaquette suffit à classer Joyce parmi les meilleurs poètes irlandais de la génération de 1900 : deux ou trois des poèmes de Musique de chambre *furent insérés dans* The Dublin Book of Irish Verse, *une anthologie de la poésie irlandaise publiée à Dublin en 1909 ; et en 1914, lorsque le groupe des Imagistes publia son premier recueil, une des poésies de Joyce y figurait.*

Nous retrouverons le poète lyrique dans l'œuvre ultérieure de James Joyce, mais ce sera seulement par échappées et pour ainsi dire accessoirement. Il aura dépassé ce stade. D'autres aspects de la vie, d'autres formes de la pensée et de l'imagination l'attireront. Il prêtera, il abandonnera son don lyrique à ses personnages : c'est ce qu'il fait par exemple dans les trois dernières pages de la quatrième partie et dans certains passages de la cinquième partie de Portrait de l'Artiste, *et très souvent dans les monologues* d'Ulysse. *Mais déjà au moment où il composait les derniers de ces poèmes, dont quelques-uns ont été mis en musique, soit par Joyce lui-même, soit par ses amis, son imagination se tournait de plus en plus vers ces autres aspects de la vie, plus graves et plus humains que les sentiments qui peuvent servir de thème à la poésie lyrique. Je veux dire qu'il se sentait de plus en plus possédé par le désir d'exprimer et de peindre des caractères, des hommes, des femmes : en somme ce que ses maîtres les jésuites lui avaient appris à appeler des âmes.*

II

« Gens de Dublin. »

Et en effet, il avait commencé à écrire des nouvelles qui devaient paraître, après bien des retards et des difficultés, sous le titre de Gens de Dublin, *à Londres, en 1914. Je dirai quelques mots de ces difficultés. Ce recueil se compose de quinze nouvelles qui se trouvaient achevées et prêtes à paraître dès 1907, sinon plus tôt. La seconde, intitulée* Une Rencontre, *traite, d'une manière parfaitement décente et qui ne peut choquer aucun lecteur, un sujet assez délicat : en fait, elle raconte comment deux collégiens qui font l'école buissonnière rencontrent un homme dont les allures et les discours étranges — principalement sur les châtiments corporels et les petites intrigues amoureuses des écoliers et des écolières — les étonnent, puis les effraient. Dans une autre, la sixième, l'auteur met en scène deux Dublinois de position sociale indécise et de profession douteuse, et qui sont en somme des confrères irlandais de notre Bubu de Montparnasse. Ce sont là les deux seules nouvelles du recueil dont les sujets soient de ceux que semblent ou plutôt que semblaient, jusqu'à ces dernières années, éviter les romanciers et conteurs de langue anglaise. Cependant, elles pouvaient fournir aux éditeurs un prétexte pour refuser le manuscrit. Mais, à défaut de ce prétexte, les éditeurs irlandais pouvaient trouver quelques raisons plus sérieuses pour refuser de publier le livre tel qu'il était. D'abord, non seulement toute la topographie de Dublin y est exactement reproduite ; c'est-à-dire que les rues et les places y gardent leur vrai nom, mais encore les noms des commerçants n'ont pas été changés et certains notables habitants pouvaient se croire mis en scène et protester. Mais surtout, dans la nouvelle qui décrit l'anniversaire de la mort de Parnell dans la salle du comité électoral, des bourgeois de Dublin, des journalistes, des agents électoraux parlent librement de la politique, donnent leur opinion sur le problème de l'autonomie irlandaise et font quelques remarques assez peu respectueuses, ou plutôt très familières, sur la reine Victoria et sur la vie privée d'Édouard VII. C'est cela qui fit hésiter même l'éditeur le plus désireux de publier* Gens de Dublin. *En effet, étant donné les conditions politiques de l'Irlande, les exemplaires mis en vente auraient pu être saisis et confisqués par l'autorité. Devant les hésitations de son éditeur, Joyce écrivit à S. M. George V, soumettant à son appréciation les passages considérés comme dangereux. La réponse fut, par l'intermédiaire du secrétaire de Sa Majesté, qu'il était contraire à l'étiquette de la cour que le roi formulât une opinion sur une question de ce genre. Là-dessus l'éditeur irlandais consentit à imprimer le livre, à condition que l'auteur verserait une caution en prévision d'une action judiciaire de la part des autorités. Au reçu de cette nouvelle, Joyce, qui habitait alors Trieste, partit pour Dublin. Avec l'aide de quelques amis, il réunit la caution demandée. Et enfin, le livre fut imprimé. Mais le jour où il vint prendre livraison de l'édition, l'éditeur, à sa grande surprise, lui apprit que l'édition avait été achetée — par qui ? on ne l'a jamais su —, achetée en bloc et aussitôt après brûlée, dans l'imprimerie même, à l'exception d'un seul exemplaire, qui lui fut remis. Comme je l'ai dit,* Gens de Dublin *ne put paraître qu'en juin 1914, à Londres.*

La plupart des critiques qui se sont occupés de ce

livre parlent beaucoup de Flaubert, et de Maupassant, et des naturalistes français. Et en effet il semble bien que c'est de là que Joyce est parti et non pas des romanciers anglais et russes qui l'ont précédé, ni des romanciers français qui ont succédé aux grands maîtres du naturalisme. Cependant, avant de se prononcer sur cette question, il faudrait faire une recherche sérieuse des sources de chacune des nouvelles. Ce n'est qu'une hypothèse que je soumets au lecteur. En tout cas, c'est avec nos naturalistes que le Joyce de ce premier ouvrage en prose a le plus d'affinités. Toutefois, il faudrait bien se garder de le considérer comme un naturaliste attardé, comme un imitateur ou un vulgarisateur, en langue anglaise, des procédés de Flaubert, ou de Maupassant, ou du groupe de Médan. Ce serait aussi absurde que de voir en lui un pasticheur de Dowland et de Campion. Même l'épithète de néo-naturaliste ne lui conviendrait pas, car, alors, on serait tenté, sur une connaissance toute superficielle de son œuvre, de le prendre pour un Zola ou un Huysmans, ou encore pour un Jean Richepin aux audaces purement verbales. Car même en admettant qu'il soit parti du naturalisme, on est bien obligé de reconnaître qu'il n'a pas tardé, non pas à s'affranchir de cette discipline, mais à la perfectionner et à l'assouplir à tel point que dans Ulysse *on ne reconnaît plus l'influence du naturalisme et qu'on songerait plutôt à Rimbaud et à Lautréamont, que Joyce n'a pas lus.*

Le monde de Gens de Dublin *est déjà le monde du* Portrait de l'Artiste *et d'*Ulysse. *C'est Dublin et* *ce sont des hommes et des femmes de Dublin. Leurs figures se détachent avec un grand relief sur le fond des rues, des places, du port et de la baie de Dublin. Jamais peut-être l'atmosphère d'une ville n'a été mieux rendue, et dans chacune de ces nouvelles, les personnes qui connaissent Dublin retrouveront une quantité d'impressions qu'elles croyaient avoir oubliées. Mais ce n'est pas la ville qui est le personnage principal, et le livre n'a pas d'unité : chaque nouvelle est isolée ; c'est un portrait, ou un groupe, et ce sont des individualités bien marquées que Joyce se plaît à faire vivre. Nous en retrouverons du reste quelques-uns, que nous reconnaîtrons, autant à leurs paroles et à leurs traits de caractère qu'à leurs noms, dans ses livres suivants.*

La dernière des quinze nouvelles est peut-être, au point de vue technique, la plus intéressante ; comme dans les autres, Joyce se conforme à la discipline naturaliste : écrire sans faire appel au public, raconter une histoire en tournant le dos aux auditeurs ; mais en même temps, par la hardiesse de sa construction, par la disproportion qu'il y a entre la préparation et le dénouement, il prélude à ses futures innovations, lorsqu'il abandonnera à peu près complètement la narration et lui substituera des formes inusitées et quelquefois inconnues des romanciers qui l'ont précédé : le dialogue, la notation minutieuse et sans lien logique des faits, des couleurs, des odeurs et des sons, le monologue intérieur des personnages, et jusqu'à une forme empruntée au catéchisme : question, réponse ; question, réponse.

III

« Portrait de l'Artiste dans sa jeunesse. »

Portrait de l'Artiste dans sa jeunesse *parut, deux ans après* Gens de Dublin, *à New York, les imprimeurs anglais ayant refusé de l'imprimer ; mais il avait attendu beaucoup moins longtemps et il n'avait pas rencontré les mêmes difficultés que* Gens de Dublin.

Dans ce livre, qui a la forme d'un roman, Joyce s'est proposé de reconstituer l'enfance et l'adolescence d'un artiste dans un milieu et des circonstances donnés. En même temps, le titre nous indique que c'est aussi, en un certain sens, l'histoire de la jeunesse de l'artiste en général, c'est-à-dire de tout homme doué du tempérament artiste.

Le héros — l'artiste — s'appelle Stephen Dedalus : Étienne Dédale. Et ici, nous abordons une des difficultés de l'œuvre de Joyce : son symbolisme, que nous retrouverons dans Ulysse *et qui sera la trame même de ce livre extraordinaire.*

D'abord le nom de Stephen Dedalus est symbolique : son patron est saint Étienne, le protomartyr, et son nom de famille est Dédale, le nom de l'architecte du Labyrinthe et du père d'Icare. Mais dans l'esprit de l'auteur, il a aussi deux autres noms, il est le symbole de deux autres personnes. L'un de ces noms est James Joyce. L'enfance et l'adolescence de

Stephen Dedalus sont évidemment l'enfance et l'adolescence de James Joyce : c'est son milieu, ses souvenirs de famille, ses études chez les jésuites. Même, les armoiries de Stephen Dedalus sont les armoiries de la famille Joyce. Et, à la fin, Stephen part pour continuer ses études à Paris, exactement comme le fit Joyce lui-même. Mais il est aussi — nous le verrons dans Ulysse — *Télémaque, l'homme dont le nom signifie « loin de la guerre », l'artiste qui reste à l'écart de la mêlée des intérêts et des appétits qui mènent les hommes d'action ; l'homme de science et l'homme d'imagination qui reste sur la défensive, toutes ses forces absorbées par la tâche de connaître, de comprendre et d'exprimer.*

*Ainsi le héros de ce roman est à la fois un personnage réel, et un personnage symbolique, comme le seront tous les personnages d'*Ulysse. *C'est du reste la seule apparition que fait le symbolisme dans* Portrait de l'Artiste. *Tout le reste est purement historique, et le plan du livre est fondé sur l'ordre chronologique. Autour du héros, nous rencontrons une foule de personnages très réellement vivants et humains : des enfants, des prêtres, des « gens de Dublin », des étudiants, tous présentés avec un relief saisissant et une netteté extraordinaire. Il n'y a pas d'à-peu-près, pas de profils perdus dans les livres de Joyce : on peut faire le tour de ses personnages ; rien n'est en trompe-l'œil. Les livres de Joyce sont grouillants, animés, sans truquage, sans morceaux de bravoure.*

Les critiques anglais qui se sont occupés du Portrait de l'Artiste *ont encore une fois parlé de naturalisme et de réalisme, à peu près comme s'il se fût agi de tel ou tel roman de Mirbeau. Ce n'était pas cela. Ils auraient pu tout aussi bien, ou aussi mal, parler de Samuel Butler. En effet, et j'en parlais l'autre jour avec une amie qui était arrivée à la même conclusion que moi, il y a certaines ressemblances fortuites, commandées par la situation et par le génie des deux écrivains, entre la crise religieuse d'Ernest Pontifex[1] et celle de Stephen Dedalus ; comme aussi entre les longs monologues de Christina et la forme du monologue intérieur qui tient tant de place chez Joyce. Mais c'est tout au plus si on peut considérer Butler comme le précurseur de Joyce sur ces points-là.*

Non, ces critiques se sont fourvoyés. À partir du Portrait de l'Artiste, *Joyce est lui-même et rien que lui-même.*

Ils se sont trompés aussi, ceux qui n'ont voulu voir dans ce livre qu'une autobiographie : « l'auteur qui, sous un nom supposé, etc. ». Ce n'est pas cela. Joyce a tiré Stephen Dedalus de lui-même, mais en même temps l'a créé. Autant dire, alors, que Raskolnikov c'est Dostoïevsky.

Le succès de ce livre a été grand, et c'est à partir de sa publication que Joyce a été connu des lettrés. Ç'a été un succès de scandale. Les critiques, pour la plupart anglais et protestants, ont été choqués par la franchise et l'absence de respect humain dont témoi-

---

1. Cf. Samuel Butler, *Ainsi va toute chair.*

gnaient ces « confessions » (toujours l'autobiogra-
phie). Quelqu'un a même écrit que c'était un livre
« extraordinairement mal élevé » ! Il est certain
qu'en pays catholique, le ton de la presse aurait été
bien différent. Nous avons eu en France, dans ces
dix dernières années, plusieurs romans dans lesquels
un collégien se débat entre ses croyances ou ses
habitudes religieuses et les exigences de ses sens qui
le poussent à des visites furtives aux maisons closes.
En fait, le meilleur article de critique consacré au
Portrait de l'Artiste *fut celui de la* Dublin Review,
une des grandes revues du monde catholique, rédi-
gée ou du moins inspirée par des prêtres.

Le style du Portrait *est plus riche et plus souple*
que celui de Gens de Dublin. *Le monologue inté-*
rieur et la conversation se substituent de plus en plus
à la narration. Nous sommes de plus en plus
souvent transportés au sein de la pensée des person-
nages : nous voyons ces pensées se former, nous les
suivons, nous assistons à l'arrivée des sensations à la
conscience et c'est par ce que pense le personnage
que nous apprenons qui il est, ce qu'il fait, où il se
trouve et ce qui se passe autour de lui. Le nombre
des images, des analogies et des symboles augmente.
Sur la page où le collégien résout son problème, les
équations se développent comme des constellations
et puis se résolvent comme une poussière d'étoiles
qui tombent à travers l'infini. Nous ne sommes pas
prévenus, nous ne sommes pas préparés ; les choses
ne nous sont pas racontées ; elles arrivent ; elles
nous arrivent. Et déjà les symboles apparaissent :

tout le symbolisme de l'Église. Les différentes signi-fications de chaque objet employé dans le culte, de chaque geste fait par le prêtre, sans parler des préfi-gurations, des prophéties et des concordances. Comme dans les Bestiaires mystiques, comme dans le livre de Kells et dans la statuaire des cathédrales, les figures symboliques et la figuration des péchés, avec toutes les représentations obscènes, qui évidem-ment ne choquaient pas les chrétiens de ces siècles qui nous apparaissent comme des époques de grande ferveur religieuse. Tout cela, du reste, s'ap-plique encore mieux à Ulysse qu'au Portrait de l'Artiste.

Je laisse de côté, à mon grand regret, mais l'es-pace me manque ici pour en parler, le beau drame publié en 1918, et intitulé Exilés[1], et je passe à Ulysse.

IV

« Ulysse. »

Le lecteur qui, sans avoir L'Odyssée bien pré-sente à l'esprit, aborde ce livre, se trouve assez dérouté. Je suppose naturellement qu'il s'agit d'un

---

1. *Exilés* n'est pas un hors-d'œuvre dans l'ensemble de la pro-duction de James Joyce, et c'est beaucoup plus que l'essai hono-rable, dans le drame, d'un romancier et d'un poète : c'est un monument important du théâtre irlandais.

lecteur lettré, capable de lire sans rien en perdre des auteurs comme Rabelais, Montaigne et Descartes ; car un lecteur non lettré ou à demi lettré abandonnerait Ulysse *au bout de trois pages. Je dis qu'il est d'abord dérouté ; et en effet, il tombe au milieu d'une conversation qui lui paraît incohérente, entre des personnages qu'il ne distingue pas, dans un lieu qui n'est ni nommé ni décrit, et c'est par cette conversation qu'il doit apprendre peu à peu où il est et qui sont les interlocuteurs. Et puis, voici un livre qui a pour titre* Ulysse, *et aucun des personnages ne porte ce nom, et même le nom d' Ulysse n'y apparaît que quatre fois. Enfin, il commence à voir un peu clair. Incidemment, il apprendra qu'il est à Dublin. Il reconnaît le héros du* Portrait de l'Artiste, *Stephen Dedalus, revenu de Paris et vivant parmi les intellectuels de la capitale irlandaise. Il va le suivre pendant trois chapitres, le verra agir, l'écoutera penser. C'est le matin, et de huit heures à onze heures, le lecteur suit Stephen Dedalus ; puis au quatrième chapitre, il fait la connaissance d'un certain Léopold Bloom qu'il va suivre pas à pas toute la journée et une partie de la nuit, c'est-à-dire pendant les quinze chapitres qui, avec les trois premiers, constituent le livre entier, environ huit cents pages. Ainsi, cet énorme livre raconte une seule journée ou, plus exactement, commence à huit heures du matin et finit dans la nuit, vers trois heures.*

Donc, le lecteur va suivre Bloom à travers sa longue journée ; car même si, à une première lecture, beaucoup de choses lui échappent, assez

*d'autres le frappent pour que sa curiosité et son inté-
rêt demeurent constamment en éveil. Il s'aperçoit
qu'avec l'entrée en scène de Bloom, l'action reprend
à huit heures du matin, et que les trois premiers chapitres de la marche de Bloom à travers sa journée
coïncident, dans le temps, avec les trois premiers
chapitres du livre, ceux au cours desquels il a suivi
Stephen Dedalus. C'est ainsi qu'un nuage que Stephen a vu du haut de la tour à neuf heures moins le
quart, par exemple, est vu, soixante ou quatre-vingts
pages plus loin, mais à la même minute, par Léopold Bloom qui traverse une rue.*

*J'ai dit qu'on suit Bloom pas à pas ; et en effet, on
le prend dès son lever, on l'accompagne de la
chambre où il vient de laisser sa femme Molly
encore mal éveillée, jusqu'à la cuisine, puis dans
l'antichambre, puis aux cabinets où il lit un vieux
journal et fait des projets littéraires tout en se soula-
geant ; puis chez le boucher où il achète des rognons
pour son petit déjeuner, et en revenant il s'excite sur
les hanches d'une servante. Le voici de nouveau
dans sa cuisine où il met les rognons dans une poêle
et la poêle sur le feu ; puis il monte rejoindre sa
femme à laquelle il porte son déjeuner ; il s'attarde à
lui parler ; une odeur de viande qui brûle ; il redes-
cend précipitamment à la cuisine ; et ainsi de suite.
De nouveau dans la rue ; au bain ; à un enterrement ; à la salle de rédaction d'un journal ; au restaurant où il déjeune ; à la bibliothèque publique ;
dans le bar d'un hôtel où un concert est donné ; sur
la plage ; dans une maternité où il va prendre des*

*nouvelles d'une amie et où il rencontre des cama-
rades ; au quartier de la prostitution et dans un bor-
del où il reste très longtemps, perd le peu de dignité
qui pouvait lui rester, sombre dans un morne délire
provoqué par l'alcool et la fatigue, et, enfin, sort
accompagné de Stephen Dedalus qu'il a retrouvé et
avec qui il va passer les deux dernières heures de sa
journée, c'est-à-dire le seizième et le dix-septième
chapitre du livre, le dernier étant rempli par le long
monologue intérieur de sa femme qu'il a réveillée en
se couchant près d'elle.*

*Tout cela, comme je l'ai dit, ne nous est pas
raconté, et le livre n'est pas que l'histoire détaillée de
la journée de Stephen et de Bloom dans Dublin. Il
contient un grand nombre d'autres choses, personnages, incidents, descriptions, conversations,
visions. Mais pour nous, lecteurs, Bloom et Stephen
sont comme les véhicules dans lesquels nous pas-
sons à travers le livre. Installés dans l'intimité de
leur pensée, et quelquefois dans la pensée des autres
personnages, nous voyons à travers leurs yeux et
entendons à travers leurs oreilles ce qui se passe et
ce qui se dit autour d'eux. Ainsi, dans ce livre, tous
les éléments se fondent constamment les uns dans
les autres, et l'illusion de la vie, de la chose en train
d'avoir lieu, est complète, et le mouvement est partout.*

*Mais le lecteur lettré que j'ai supposé ne se laisse-
rait pas continuellement entraîner par ce mouvement. Ayant l'habitude de lire et une longue expérience des livres, il voudrait voir comment et de quoi*

est fait ce qu'il lit. Il analyserait Ulysse tout en conti-
nuant à le lire. Et voici quel serait, sans doute, après
une première lecture, le résultat de cette analyse. Il
dira : en somme, c'est encore une fois le monde de
Gens de Dublin *et les dix-huit parties d'Ulysse*
peuvent, provisoirement, s'assimiler à dix-huit nou-
velles ayant pour sujets différents aspects de la vie
de la capitale irlandaise. Toutefois, chacune de ces
dix-huit parties diffère de l'une quelconque des
quinze nouvelles de Gens de Dublin *par beaucoup*
de points, et en particulier par son étendue, par la
forme dans laquelle elle est écrite, et la qualité des
personnages qu'elle met en scène : ainsi, les gens qui
font figure de personnages principaux dans chacune
des nouvelles de Gens de Dublin *ne seraient dans*
Ulysse *que des comparses, de petites gens, ou, ce*
qui revient au même, des gens vus de l'extérieur par
l'écrivain. Ici, dans Ulysse, ceux qui sont au premier
plan sont tous, littérairement parlant, des princes,
des personnages sortis de la vie profonde de l'écri-
vain, faits avec son expérience et sa sensibilité et
auxquels il porte son intelligence, sa sensibilité et
son lyrisme. Les conversations ne sont plus seule-
ment typiques d'individus appartenant à telle ou
telle classe sociale : certaines constituent de véri-
tables essais philosophiques, théologiques, de cri-
tique littéraire, de satire politique, d'histoire. Des
théories scientifiques y sont exposées ou discutées.
Or, ces morceaux que nous pourrions considérer
comme des digressions ou plutôt comme des pièces
rapportées, des essais composés en dehors du livre

*et artificiellement insérés dans chacune des « nou-
velles », sont si bien adaptés à l'action, au mouvement et à l'atmosphère des différentes parties où ils
figurent, que nous sommes obligés de reconnaître
qu'ils appartiennent au livre, au même titre que les
personnages dans la bouche ou dans la pensée desquels ils ont été mis. Mais déjà même, nous ne pouvons plus considérer ces dix-huit parties comme des
nouvelles isolées : Bloom, Stephen, et quelques
autres personnages en restent, tantôt ensemble, tantôt séparément, les figures principales, et l'histoire,
le drame et la comédie de leur journée se poursuit à
travers elles. Il faut le reconnaître : bien que chacune
de ces dix-huit parties diffère de toutes les autres par
la forme et le langage, elles forment cependant un
tout organisé, un livre.*

*Et en même temps que nous arrivons à cette
conclusion, toutes sortes de concordances, d'analogies et de correspondances entre ces différentes parties nous apparaissent, comme la nuit, lorsqu'on
regarde un peu de temps le ciel, le nombre des
étoiles paraît augmenter. Nous commençons à
découvrir et à pressentir des symboles, un dessein,
un plan, derrière ce qui nous paraissait d'abord une
masse brillante mais confuse de notations, de
paroles, de faits, de pensées profondes, de cocasse-
ries, d'images splendides, d'absurdités, de situations
comiques ou dramatiques, et nous comprenons que
nous sommes en présence d'un livre beaucoup plus
compliqué que nous n'avions cru, que tout ce qui
paraissait arbitraire et parfois extravagant est en réa-*

lité voulu et prémédité ; et enfin, que nous sommes peut-être en présence d'un livre à clef.

Mais alors, où est la clef ? Eh bien, elle est, si j'ose dire, sur la porte, ou plutôt sur la couverture ! c'est le titre : Ulysse.

Se pourrait-il donc que ce Léopold Bloom, ce personnage que l'auteur traite avec si peu de ménagements, qu'il nous montre dans toutes sortes de postures ridicules ou humiliantes, fût le fils de Laërte, le subtil Ulysse ?

Nous le verrons tout à l'heure. En attendant, je reviens à ce lecteur non lettré qui a été rebuté dès les premières pages du livre, trop difficile pour lui, et je suppose qu'après lui avoir lu quelques passages pris dans différents épisodes, on lui dise : « Vous savez, Stephen Dedalus est Télémaque, et Bloom est Ulysse. » Il croira, cette fois, qu'il a compris : l'œuvre de Joyce ne lui paraîtra plus ni rebutante, ni choquante ; il dira : « Je vois : c'est une parodie de L'Odyssée. *» Et, en effet, pour lui* L'Odyssée *est une grande machine solennelle, et Ulysse et Télémaque sont des héros, des hommes de marbre inventés par la froide Antiquité pour servir de modèles moraux et de sujets de dissertations scolaires. Ce sont pour lui des personnages solennels et ennuyeux, inhumains, et il ne peut s'intéresser à eux que si on le fait rire à leurs dépens, — c'est-à-dire, en somme, quand on leur donne un peu de cette humanité dont il croit, de bonne foi, qu'ils manquent.*

Or, il y a des chances pour que le lecteur lettré n'ait pas une opinion bien différente de celle-là sur

L'Odyssée. *Il est resté sous l'impression qu'il en a reçue au collège : une impression d'ennui ; et comme il a oublié le grec, s'il a jamais été capable de le lire couramment, il lui est à peu près impossible de vérifier par la suite si cette impression était juste. La seule différence qui le sépare du lecteur non lettré, c'est que pour lui* L'Odyssée *est, non pas solennelle et pompeuse, mais simplement sans intérêt, et par conséquent il n'aura pas la naïveté de rire quand il la verra travestie : la parodie l'ennuiera autant que l'œuvre elle-même. Combien de lettrés sont dans ce cas, même parmi ceux qui pourraient lire* L'Odyssée *dans le texte ! Pour d'autres, elle sera une étude de grand luxe, surtout philologique, historique et ethnographique, une très noble manie, et ils ne sentiront qu'accidentellement la beauté de tel ou tel passage. Quant aux créateurs, aux poètes, ils n'ont pas le temps d'examiner la question et préfèrent la considérer comme réglée. L'Antiquité, l'Athènes intellectuelle, est trop loin, et le voyage coûte trop cher, et ils sont trop occupés pour y aller. Du reste, sa civilisation ne leur a-t-elle pas été transmise par héritage, de poète en poète, jusqu'à eux ? Pourtant, eux seuls pourraient comprendre les paroles de leur ancêtre commun. Certains finissent cependant par faire le voyage, mais ils s'y prennent trop tard, à une époque de leur vie où la puissance créatrice est éteinte en eux. Ils ne peuvent plus qu'admirer et parler aux autres de leur admiration ; quelques-uns essaient de la faire partager et de la justifier, et alors ils consument leurs dernières*

*années à faire une traduction, généralement mau-
vaise, et toujours insuffisante[1], de* L'Iliade *et de*
L'Odyssée.

*Le grand bonheur, la chance extraordinaire de
James Joyce, ç'a été de faire le voyage à l'époque où
la puissance créatrice commençait à s'éveiller en lui.*

*Encore enfant, chez les pères, il s'était senti attiré
vers Ulysse, tout juste entrevu dans une traduction de*
L'Odyssée, *et un jour que le professeur avait proposé à toute la classe ce thème : « Quel est votre héros
préféré ? » tandis que ses camarades répondaient en
citant les noms des différents héros nationaux de
l'Irlande ou de grands hommes tels que saint François d'Assise, Galilée ou Napoléon, il avait répondu :
« Ulysse » — réponse qui n'avait que médiocrement
plu au professeur qui, bon humaniste et connaissant
assez bien le héros d'Homère, devait le juger défavo-
rablement. Ce choix d'Ulysse pour héros favori ne
fut pas chez Joyce un caprice d'enfant. Il resta fidèle
au fils de Laërte, et au cours de son adolescence il lut
et relut* L'Odyssée, *non pas pour l'amour du grec ou
parce que la poésie d'Homère l'attirait alors particulièrement, mais pour l'amour d'Ulysse. Le travail
de création dut commencer dès cette époque-là.
Joyce tira Ulysse hors du texte et surtout hors des
énormes remparts que la critique et l'érudition ont
élevés autour de ce texte, et au lieu de chercher à le
rejoindre dans le temps, à remonter jusqu'à lui, il fit*

---

1. En disant cela, je songeais à S. Butler, aussi bien qu'à
V. Alfieri.

*de lui son contemporain, son compagnon idéal, son
père spirituel.*

Quelle est donc, dans L'Odyssée, *la figure morale
d'Ulysse ? Il me serait impossible de répondre brièvement à cette question, mais des gens compétents
l'ont étudiée et il existe plusieurs études sur ce sujet.
Je prends celle d'Émile Gebhart, qui a le mérite
d'être courte et dont la conclusion est précise. En
voici les points principaux :* homo est, *il est homme ;*
Ithacae, matris, nati, patris sociorumque amans : *il
est attaché à son pays, à sa femme, à son fils, à son
père et à ses amis ;* misericordia benevolentiaque
insignis : *il est sensible aux peines des autres et d'une
grande bonté... Mais, poursuit notre auteur :* huma-
nam fragilitatem non effugit : *il n'est pas exempt
des faiblesses humaines. Léopold Bloom non plus,
nous l'avons bien vu.* Mortem scilicet reformidat :
en effet, il craint la mort ; ac diutius in insula Circes
moratur : *et il reste trop longtemps dans l'île de
Circé ; oui — comme Bloom dans le bouge de
Dublin.*

*Il est homme, et le plus complètement humain de
tous les héros du cycle épique, et c'est ce caractère
qui lui a valu d'abord la sympathie du collégien ;
puis peu à peu, en le rapprochant toujours davan-
tage de lui-même, le poète adolescent a recréé cette
humanité, ce caractère humain, comique et pathé-
tique de son héros. Et en le recréant, il l'a placé dans
les conditions d'existence qu'il avait sous les yeux,
qui étaient les siennes : à Dublin, de nos jours, dans
la complication de la vie moderne, et au milieu des*

croyances, des connaissances et des problèmes de notre temps.

Du moment qu'il recréait Ulysse, il devait, logiquement, recréer tous les personnages qui, dans L'Odyssée, *tiennent de près ou de loin à Ulysse. De là à recréer une* Odyssée *à leur niveau, une* Odyssée *moderne, il n'y avait qu'un pas à franchir.*

Et de là le plan du poème. Dans L'Odyssée, *Ulysse n'apparaît qu'au chant V. Dans les quatre premiers, il est question de lui, mais le personnage qui est en scène est Télémaque ; c'est la partie de* L'Odyssée *qu'on appelle la Télémachie : elle décrit la situation presque désespérée dans laquelle les prétendants mettent l'héritier du roi d'Ithaque, et le départ de Télémaque pour Lacédémone, où il espère avoir des nouvelles de son père. Donc, dans* Ulysse, *les trois premiers épisodes correspondent à la Télémachie : Stephen Dedalus, le fils spirituel d'Ulysse et son héritier, est constamment en scène.*

Du chant V au chant XIII se déroulent les aventures d'Ulysse. Joyce en distingue douze principales, et c'est à elles que correspondent les douze chapitres ou épisodes centraux de son livre. Les derniers chants de L'Odyssée *racontent le retour d'Ulysse à Ithaque et toutes les péripéties qui aboutissent au massacre des prétendants et à sa reconnaissance par Pénélope. À cette partie de* L'Odyssée, *qu'on appelle le Retour,* Νόστος *correspondent, dans* Ulysse, *les trois derniers épisodes qui, dans l'*Ulysse *même, font pendant aux trois épisodes de la Télémachie.*

Voilà les grandes lignes du plan qu'on peut représenter graphiquement de la façon suivante : en haut, trois panneaux : la Télémachie ; au-dessous, les douze épisodes ; et, en bas, les trois épisodes du Retour. En tout : dix-huit panneaux, — les dix-huit nouvelles.

À partir de là, sans perdre complètement de vue L'Odyssée, *Joyce trace un plan particulier à l'intérieur de chacun de ses dix-huit panneaux, ou épisodes.*

Ainsi chaque épisode traitera d'une science ou d'un art particulier, contiendra un symbole particulier, représentera un organe donné du corps humain, aura sa couleur particulière (comme dans la liturgie catholique), aura sa technique propre, et, en tant qu'épisode, correspondra à une des heures de la journée.

Ce n'est pas tout, et dans chacun des panneaux ainsi divisés, l'auteur inscrit de nouveaux symboles plus particuliers, des correspondances.

Pour être plus clair, prenons un exemple : l'épisode IV des aventures. Son titre est « Éole » : le lieu où il se passe est la salle de rédaction d'un journal ; l'heure à laquelle il a lieu est midi ; l'organe auquel il correspond : le poumon ; l'art dont il traite : la rhétorique ; sa couleur : le rouge ; sa figure symbolique : le rédacteur en chef ; sa technique : l'enthymème ; ses correspondances : un personnage qui correspond à l'Éole d'Homère ; l'inceste comparé au journalisme ; l'île flottante d'Éole : la presse ; le personnage nommé Dignam, mort subitement trois

*jours avant et à l'enterrement duquel Léopold
Bloom est allé (ce qui constitue l'épisode de la descente au Hadès) : Elpénor.*

*Naturellement, ce plan si détaillé, ces dix-huit
grands panneaux tout quadrillés, cette trame serrée,
Joyce l'a tracée pour lui et non pour le lecteur ;
aucun titre ni sous-titre ne nous le révèle. C'est à
nous, si nous voulons nous en donner la peine, de le
retrouver.*

*Sur cette trame, ou plutôt dans les casiers ainsi
préparés, Joyce a distribué peu à peu son texte. C'est
un véritable travail de mosaïste. J'ai vu ses brouil-
lons. Ils sont entièrement composés de phrases en
abrégé, barrées de traits de crayon de différentes
couleurs. Ce sont des annotations destinées à lui
rappeler des phrases entières, et les traits de crayon
indiquent, selon leur couleur, que la phrase rayée a
été placée dans tel ou tel épisode. Cela fait penser
aux boîtes de petits cubes colorés des mosaïstes.*

*Ce plan, qui ne se distingue pas du livre, qui en
est la trame, en constitue un des aspects les plus
curieux et les plus absorbants, car on ne peut pas
manquer, si on lit* Ulysse *attentivement, de le découvrir peu à peu. Mais, quand on songe à sa rigidité et
à la discipline à laquelle l'auteur s'est soumis, on se
demande comment a pu sortir, de ce formidable travail d'agencement, une œuvre aussi vivante, aussi
émouvante, aussi humaine.*

*Évidemment, cela vient de ce fait que l'auteur n'a
jamais perdu de vue l'humanité de ses personnages,
tout ce mélange de qualités et de défauts, de bassesse*

et de grandeur dont ils sont faits : l'homme, la créature de chair, parcourant sa petite journée. Mais c'est ce qu'on verra en lisant Ulysse.

*Entre tous les points particuliers que je devrais peut-être et que je n'ai pas l'espace de traiter ici, il y en a deux sur lesquels il est indispensable de dire quelques mots. Le premier de ces points, c'est le caractère prétendu licencieux de certains passages d'*Ulysse, *ces passages qui ont provoqué, aux États-Unis, l'intervention de la Société pour la Répression du Vice. Le mot licencieux ne leur convient pas ; il est à la fois vague et faible ; c'est* obscènes *qu'il faudrait dire. Joyce a voulu, dans* Ulysse, *représenter l'homme moral, intellectuel et physiologique dans son intégrité, et pour cela, il était forcé de faire entrer en ligne de compte, dans le domaine moral, l'instinct sexuel et ses diverses manifestations et perversions, et dans le domaine physiologique, les organes de la reproduction et leurs fonctions. Pas plus que les grands casuistes, il n'hésite à traiter ce sujet, et il le traite en anglais de la même manière qu'ils l'ont fait en latin, sans aucun égard pour les conventions et les scrupules des laïcs. Son intention n'est ni grivoise ni sensuelle ; il décrit et représente, simplement ; et dans son livre, les manifestations de l'instinct sexuel ne tiennent ni plus ni moins de place, et n'ont ni plus ni moins d'importance, que la pitié par exemple ou la curiosité scientifique. C'est surtout, naturellement, dans les monologues intérieurs des personnages et non dans leurs conversations que l'instinct sexuel et la rêverie érotique appa-*

*raissent : par exemple, dans le grand monologue intérieur de Pénélope, c'est-à-dire de la femme de Bloom, qui est aussi le symbole de Gè, la Terre. La langue anglaise est très riche en mots et en expressions obscènes, et l'auteur d'*Ulysse *a puisé largement et hardiment dans ce vocabulaire.*

*L'autre point est celui-ci : pourquoi Bloom est-il juif ? C'est pour des raisons de symbolique, de mystique et d'ethnographie que je n'ai pas le temps d'indiquer ici, mais qui apparaîtront clairement aux lecteurs d'*Ulysse. *Ce que je peux dire, c'est que si Joyce a fait de son héros préféré, du père spirituel de ce Stephen Dedalus qui est un autre lui-même, un juif, ce n'est évidemment pas par antisémitisme.*

Depuis que ces pages ont été écrites, Ulysse *(le texte anglais, naturellement) a paru, édité par la maison Shakespeare and Cº (sous la direction de Mlle Sylvia Beach), 12, rue de l'Odéon, à Paris.*

*Une traduction française de quelques épisodes choisis d'*Ulysse *paraîtra ultérieurement. Voici, en attendant, la traduction de* Gens de Dublin, *qui constitue une excellente introduction à l'œuvre de James Joyce et qui est, par lui-même, un des livres les plus importants de la littérature d'imagination en langue anglaise publiés depuis 1900.*

Valery Larbaud.

Les sœurs

Cette fois-ci, il n'y avait plus d'espoir : c'était la troisième attaque. Soir après soir, j'étais passé devant la maison (nous étions en vacances), étudiant le carré de lumière de la fenêtre : et soir après soir je l'avais vu éclairé de la même lumière uniforme et douce. Je pensais : s'il était mort, je verrais le reflet des cierges sur le store assombri, car je savais qu'on doit mettre deux cierges au chevet d'un mort. Il m'avait souvent dit : *Je ne serai bientôt plus de ce monde,* et j'avais pris cela pour de vains mots. Maintenant, je savais qu'ils étaient vrais. Chaque soir, lorsque je levais les yeux vers la fenêtre, je me répétais à voix basse le mot de *paralysie*. C'est un mot qui avait toujours résonné étrangement à mes oreilles, comme *gnomon*[1] dans

---

1. C'est-à-dire la partie d'un parallélogramme qui reste après qu'un parallélogramme analogue a été retranché d'un de ses coins. Dans les *Éléments*, c'est la deuxième définition liminaire du deuxième livre : « Que dans tout parallélogramme, l'un quelconque des parallélogrammes décrits autour de la diagonale avec les deux compléments soit appelé *gnomon*. »

la géométrie d'Euclide et *simonie* dans le catéchisme. Mais maintenant il évoquait pour moi le
nom d'un être malfaisant et coupable. Il m'emplissait de terreur et pourtant j'étais impatient de
m'approcher et de regarder son œuvre de mort.

Le vieux Cotter était assis au coin du feu, en
train de fumer, quand je descendis pour le souper.
Pendant que ma tante me versait mon porridge à
pleines louches, il dit, comme reprenant une
remarque déjà faite :

— Non, je ne dirai pas qu'il était vraiment...
mais il avait quelque chose de bizarre... quelque
chose d'inquiétant... Voulez-vous que je vous
dise...

Il se mit à tirer sur sa pipe, le temps, sûrement,
d'arranger dans sa tête ce qu'il avait à dire. Vieux
radoteur ! Au début il était plutôt intéressant,
quand il nous parlait d'alcools de tête et de serpen-
tins, mais j'en eus vite assez de lui et de ses interminables histoires de distillerie.

— J'ai ma théorie là-dessus, dit-il. Pour moi,
c'est un de ces... cas particuliers... Mais je ne sais
pas comment dire...

Il se remit à tirer sur sa pipe sans nous exposer
sa théorie. Mon oncle vit que j'ouvrais de grands
yeux et me dit :

— Eh oui, c'est bien triste pour toi, ton vieil ami
nous a quittés.

— Qui donc ? dis-je.

— Le Père Flynn.

— Il est mort ?

— Mr Cotter, ici présent, vient de nous le dire. Il passait devant la maison.

Sachant qu'on m'observait, je continuai à manger comme si la nouvelle ne m'avait pas intéressé. Mon oncle expliqua au vieux Cotter :

— Le gamin et lui étaient grands amis. Il faut dire que le vieux lui a appris des tas de choses ; et on dit qu'il avait de grandes espérances pour lui.

— Que Dieu ait son âme, dit ma tante pieusement.

Le vieux Cotter me regarda un moment. Je sentais que ses petits yeux noirs en boutons de bottine m'examinaient, mais je ne voulus pas lui donner satisfaction et lever le nez de mon assiette. Il se remit à fumer et finit par cracher brusquement dans le feu.

— Ça ne me plairait pas que mes enfants aient trop affaire à un homme comme ça, dit-il.

— Qu'est-ce que vous voulez dire, Mr Cotter ? demanda ma tante.

— Ce que je veux dire, répondit le vieux Cotter, c'est que c'est pas bon pour les enfants. À mon idée, un gamin ça doit courir et jouer avec ceux de son âge au lieu de... Est-ce que j'ai pas raison, Jack ?

— C'est mon avis à moi aussi, dit mon oncle. Qu'il apprenne à se tirer d'affaire tout seul. C'est ce que je dis toujours à ce Rose-Croix-là : prends de l'exercice. Tenez, quand j'étais mioche, tous les jours que le Bon Dieu faisait, je prenais un bain froid, hiver comme été. Et je m'en suis bien trouvé.

L'éducation, c'est bien beau, mais... Monsieur Cotter pourrait peut-être prendre un peu de ce gigot, tu sais, ajouta-t-il à l'adresse de ma tante.

— Non, non, pas pour moi, dit le vieux Cotter.

Ma tante sortit le plat du garde-manger et l'apporta sur la table.

— Mais pourquoi pensez-vous que ce n'est pas bon pour les enfants, Mr Cotter ? demanda-t-elle.

— C'est mauvais pour les enfants, dit le vieux Cotter, parce qu'ils sont trop impressionnables. Quand des enfants voient des choses comme ça, vous savez, ça a un effet...

J'avalai cuillerée sur cuillerée, de peur de donner libre cours à ma colère. Espèce de vieux crétin à trogne rouge !

Je m'endormis tard. J'étais furieux que le vieux Cotter m'eût traité d'enfant, mais je me creusais la tête pour trouver du sens à ses phrases inachevées. Dans l'obscurité de ma chambre, je revoyais en imagination le visage lourd et gris du paralytique. Tirant les couvertures sur ma tête, j'essayai de penser à Noël. Mais le visage gris me poursuivait encore. Il murmurait : et je compris qu'il désirait confesser quelque chose. Je sentis mon âme faire retraite vers un pays agréable et plein de vices : et là, de nouveau, je le retrouvai qui m'attendait. Ce visage se mit à se confesser à moi dans un murmure, et je me demandai pourquoi il souriait continuellement et pourquoi ses lèvres étaient si mouillées de salive. Mais alors je me souvins qu'il était mort de paralysie et je sentis que moi aussi j'étais en train de sou-

rire faiblement, comme pour absoudre le simo-
niaque.

Le lendemain matin, après le petit déjeuner, je
descendis jeter un coup d'œil à la petite maison de
Great Britain Street. C'était une boutique sans
prétention, portant comme vague appellation : *Nouveautés*. Les nouveautés, c'étaient surtout des
chaussons pour enfants et des parapluies ; et en
temps ordinaire il y avait une pancarte accrochée
dans la vitrine, disant *On recouvre les parapluies.*
On ne voyait pas de pancarte maintenant : les
volets étaient mis. Un bouquet de deuil était attaché au heurtoir par un ruban. Deux pauvresses et
un petit télégraphiste lisaient la carte épinglée sur
le crêpe. Je m'approchai moi aussi et lus :

1er juillet 1895

Le Révérend James Flynn (ancien prêtre de la
paroisse de Sainte-Catherine, Meath Street)

âgé de soixante-cinq ans

R.I.P.

La lecture de la carte me persuada qu'il était
mort, et je fus troublé de me trouver ainsi arrêté
net. S'il n'avait pas été mort, je serais entré dans la
petite pièce sombre, au fond de la boutique, et je
l'aurais trouvé assis dans son fauteuil près du feu,
presque étouffé par sa houppelande. Je lui aurais
sans doute apporté un paquet de tabac à priser de
la part de ma tante, et ce cadeau l'aurait peut-être
fait sortir de son hébétude. C'était toujours moi qui
vidais le paquet dans sa tabatière noire : ses mains
tremblaient trop pour lui permettre de le faire sans

en répandre la moitié par terre. Et même, quand il levait sa grande main tremblante vers son nez, de petits nuages impalpables passaient entre ses doigts et tombaient sur le devant de la houppelande. C'était peut-être ces averses répétées de tabac à priser qui donnaient à ses vêtements ecclésiastiques démodés cet air passé et verdâtre, car le mouchoir rouge (toujours noirci et taché par les prises d'une semaine) avec lequel il essayait de balayer les brins de tabac était tout à fait inefficace.

J'avais envie d'entrer et de le regarder, mais je n'eus pas le courage de frapper à la porte. Je m'en allai lentement suivant la rue du côté ensoleillé, lisant au passage toutes les annonces de représentations théâtrales affichées aux devantures. C'était bizarre : ni cette journée ni moi-même n'étions d'humeur à prendre le deuil, et je fus même contrarié de découvrir que j'éprouvais une sensation de soulagement, comme si sa mort m'avait libéré de quelque chose. Je m'en étonnais, car, comme mon oncle l'avait dit le soir précédent, il m'avait beaucoup appris. Il avait fait ses études à Rome, au Collège Irlandais, et m'avait appris à prononcer le latin correctement. Il m'avait raconté des histoires sur les catacombes et sur Napoléon Bonaparte, et m'avait expliqué la signification des différentes cérémonies de la messe et des différents vêtements portés par le prêtre. Quelquefois il s'était amusé à me poser des questions difficiles, me demandant ce qu'il fallait faire dans certaines

circonstances ou si tels et tels péchés étaient mor-
tels ou véniels, ou n'étaient que de simples imper-
fections. Ses questions me montraient tout ce qu'a-
vaient de complexe et de mystérieux certaines
institutions de l'Église que j'avais toujours considérées comme les actes les plus simples. Les devoirs
du prêtre envers l'Eucharistie et le secret de la
confession me semblaient d'une telle gravité que je
me demandais comment quelqu'un avait jamais pu
trouver en lui-même le courage de les assumer ; et
je ne fus pas surpris d'apprendre de sa bouche que
les Pères de l'Église avaient écrit des ouvrages
épais comme l'annuaire du téléphone, imprimés
aussi serré que les annonces légales dans les journaux, pour élucider toutes ces questions compliquées. Souvent, quand je réfléchissais à cela, j'étais
incapable de donner une réponse, sinon pour dire
quelque chose d'inepte ou d'incohérent, ce qui le
faisait sourire et hocher la tête à une ou deux
reprises. D'autres fois il me mettait sur les répons
de la messe, qu'il m'avait fait apprendre par cœur ;
et tandis que je les dévidais, il souriait pensivement
et hochait la tête, poussant de temps en temps
d'énormes pincées de tabac dans une narine, puis
dans l'autre. Quand il souriait, il découvrait toujours ses grandes dents décolorées et laissait sa
langue sur sa lèvre inférieure — habitude qui
m'avait mis mal à l'aise au début de nos relations,
avant que je ne le connusse bien.

Tout en marchant au soleil, je me rappelai les
paroles du vieux Cotter et j'essayai de retrouver ce

qui avait suivi dans mon rêve. Je me souvenais
d'avoir remarqué de longs rideaux de velours et
une lampe de genre ancien qui se balançait. J'avais
l'impression d'être allé très loin, dans quelque
contrée aux coutumes étranges — en Perse, me
disais-je... Mais je n'arrivais pas à me rappeler la
fin du rêve.

Dans la soirée, j'accompagnai ma tante dans sa
visite de condoléances. C'était après le coucher du
soleil ; mais les vitres des maisons donnant au couchant réfléchissaient l'or fauve d'un grand banc de
nuages. Nannie nous reçut dans le vestibule ; et
comme il n'aurait pas été correct de se livrer à des
manifestations bruyantes, ma tante se contenta de
lui serrer la main. La vieille femme désigna d'un
geste interrogateur l'étage supérieur et, ma tante
ayant acquiescé en silence, se mit à monter péniblement l'étroit escalier qui s'élevait devant nous,
sa tête inclinée dépassant à peine le niveau de la
rampe. Au premier palier, elle s'arrêta, et d'un
signe nous encouragea à avancer vers la porte
ouverte de la chambre mortuaire. Ma tante entra
et la vieille femme, voyant que j'hésitais, se remit à
m'adresser à plusieurs reprises de petits signes de
la main.

J'entrai sur la pointe des pieds. La pièce était
inondée d'une lumière aux ors assombris qui fil-
trait à travers la frange de dentelle du store, faisant
ressembler les cierges à de minces flammes pâles.
On l'avait mis en bière. Suivant l'exemple de Nannie, nous nous agenouillâmes tous trois au pied du

lit. Je fis semblant de prier, mais, distrait par les marmonnements de la vieille femme, je ne pouvais rassembler mes idées. Je remarquai combien sa jupe était maladroitement agrafée dans le dos, et comme les talons usés de ses pantoufles s'affaissaient sur le côté. Il me vint l'idée biscornue que le vieux prêtre souriait, là, dans son cercueil.

Mais non. Quand, nous étant levés, nous nous approchâmes du chevet du lit, je vis qu'il ne souriait pas. Il était étendu là, solennel et volumineux, vêtu des ornements sacerdotaux, tenant de façon précaire un calice dans ses mains immenses. Son visage était féroce, gris et massif avec des narines noires, vastes comme des cavernes, et auréolé d'une maigre toison blanche. Il régnait dans la pièce une odeur lourde : les fleurs.

Nous nous signâmes et sortîmes. Dans la petite pièce au rez-de-chaussée, nous trouvâmes Eliza trônant dans le fauteuil qu'il occupait d'ordinaire. Je parvins à tâtons jusqu'à ma chaise habituelle, dans le coin, tandis que Nannie allait prendre dans le buffet une carafe de sherry et quelques verres. Les ayant posés sur la table, elle nous invita à prendre un petit verre de vin. Puis, à la requête de sa sœur, elle versa le sherry dans les verres et nous les passa. Elle m'offrit aussi avec insistance des biscuits, mais je refusai, craignant de faire trop de bruit en les mangeant. Elle parut un peu déçue par mon refus et revint sans bruit vers le sofa où elle s'assit derrière sa sœur. Personne ne parlait. Nous regardions tous l'âtre vide.

Ma tante attendit le premier soupir d'Eliza pour dire :

— Eh bien, mon Dieu, le voilà parti pour un monde meilleur.

Eliza soupira à nouveau, baissant la tête en signe d'acquiescement. Ma tante tripota le pied de son verre avant de boire une petite gorgée.

— Est-ce qu'il est... paisiblement ? demanda-t-elle.

— Oh, tout à fait, madame, répondit Eliza. Vous auriez pas pu dire quand il a rendu le dernier soupir. Il a eu une belle mort, Dieu soit loué.

— Et tout... ?

— Le Père O'Rourke est resté avec lui le mardi et lui a donné l'extrême-onction, et l'a préparé, et tout.

— Il savait donc ?

— Il était tout à fait résigné.

— Il en a l'air, c'est bien vrai, dit ma tante.

— C'est ce qu'a dit la femme qu'on a fait venir pour sa toilette. Elle a dit qu'il avait exactement l'air de dormir, tellement il avait l'air paisible et résigné. On aurait jamais pensé qu'il ferait un si beau mort.

— Certainement, dit ma tante.

Elle but encore une petite gorgée et dit :

— Eh bien, Miss Flynn, au moins cela doit être une grande consolation de vous dire que vous avez fait tout ce que vous pouviez pour lui. Toutes les deux, vous avez été très bonnes pour lui, on peut le dire.

Eliza lissa sa robe sur ses genoux.

— Ce pauvre James ! dit-elle. Dieu sait qu'on a fait tout ce qu'on pouvait, pauvres comme on est. On voulait pas le voir manquer de rien tant qu'il était là.

Nannie avait appuyé sa tête sur l'oreiller du sofa et semblait sur le point de s'endormir.

— Cette pauvre Nannie, dit Eliza en la regardant, elle en peut plus. Avec tout le travail qu'on a eu, elle et moi : y a fallu faire venir une femme pour sa toilette, et puis l'installer, et puis s'occuper du cercueil, et de la messe à faire dire à la chapelle. Si y avait pas eu le Père O'Rourke, je me demande bien comment on s'en serait sorties. C'est lui qui nous a porté de la chapelle toutes ces fleurs et ces deux candélabres, a rédigé le faire-part pour le *Freeman's General*[1], et s'est occupé de tous les papiers pour le cimetière et pour l'assurance de ce pauvre James.

— C'était vraiment gentil de sa part, dit ma tante.

Eliza ferma les yeux et secoua la tête lentement.

— Ah, rien vaut les vieux amis, dit-elle ; on a beau dire et beau faire y a que sur eux qu'on peut compter.

— C'est bien vrai, dit ma tante. Et maintenant qu'il a reçu la récompense éternelle, je suis sûre qu'il ne vous oubliera pas, vous et toutes les gentillesses que vous avez eues pour lui.

— Ah, ce pauvre James ! dit Eliza. Il était pas

1. Déformation de *The Freeman's Journal,* quotidien de Dublin.

bien gênant pour nous. Dans la maison, on ne l'entendait pas plus que maintenant. Et pourtant je sais qu'il est parti, et sauf cet...

— C'est quand tout sera terminé que vous vous rendrez compte, dit ma tante.

— Ça, c'est sûr, dit Eliza. Je lui apporterai plus sa tasse de consommé et vous Madame vous lui ferez plus porter son tabac à priser. Ah, mon Dieu, ce pauvre James !

Elle s'arrêta, sembla communier avec le passé, puis dit d'un air perspicace :

— Vous savez, j'avais remarqué qu'il devenait un peu bizarre ces temps derniers. Chaque fois que je lui montais son potage, je le trouvais, avec son bréviaire tombé par terre, allongé dans le fauteuil, la bouche ouverte.

Posant un doigt sur son nez, elle fronça les sourcils, puis reprit :

— Pourtant, on dira ce qu'on voudra, il passait son temps à répéter qu'avant la fin de l'été, il profiterait d'une belle journée pour se faire conduire avec moi et Nannie à Irishtown, histoire de revoir la vieille maison où on est tous nés. Si seulement on pouvait louer une de ces voitures comme on en fait maintenant, qui font pas de bruit, comme le Père O'Rourke lui avait dit — vous savez, celles qui ont des roues à pneumoniques — pour une fournée il disait, en face, chez Johnny Rush tous les trois ensemble, un dimanche soir. Il s'était mis ça en tête... Pauvre James !

— Dieu ait pitié de son âme ! dit ma tante.

Eliza sortit son mouchoir et s'essuya les yeux. Puis elle le remit dans sa poche et fixa un moment l'âtre vide, sans parler.

— Il avait toujours été trop scrupuleux, dit-elle. Les devoirs du prêtre, c'était trop pour lui. Et puis y avait eu pour ainsi dire des traverses dans sa vie.

— Oui, dit ma tante. C'était un homme désenchanté. On le voyait bien.

Un silence investit la petite pièce et, profitant de l'occasion, je m'approchai de la table, goûtai mon sherry, puis retournai sans bruit à ma chaise dans le coin. Eliza semblait avoir sombré dans une profonde rêverie. Nous attendîmes respectueusement qu'elle rompît le silence ; et après une longue pause elle dit lentement :

— C'est ce calice qu'il a cassé... C'est comme ça que ça a commencé. Bien sûr, on a dit que c'était pas grave, je veux dire qu'il n'y avait rien dedans. Pourtant... On a dit que c'était la faute de l'enfant de chœur. Mais ce pauvre James avait les nerfs tellement sensibles, le Bon Dieu lui pardonne !

— C'était donc ça ? dit ma tante. J'avais entendu des choses...

Eliza eut un signe d'assentiment.

— C'est ce qui lui est allé au cerveau, dit-elle. Après cela, il s'est mis à se languir, ne parlant à personne, et se promenant tout seul à droite et à gauche. Alors une nuit, on l'a cherché, histoire qu'on le demandait, et on a pas pu le trouver, nulle part. Ils avaient tout fouillé, de la cave au grenier, et toujours pas moyen de l'apercevoir. Alors le bedeau a pensé qu'on pouvait voir du côté de la chapelle. Alors ils sont allés chercher les clés et ont ouvert la chapelle et le bedeau et le Père O'Rourke et un autre prêtre qui était là ont pris une lampe, histoire de le chercher... Eh bien, vous croiriez pas : il était là dans le noir, assis tout seul au fond de son confessionnal, bien éveillé, et avec l'air de rire doucement dans sa barbe !

Elle s'arrêta tout d'un coup comme pour écouter. Moi aussi j'écoutais ; mais on n'entendait pas un seul bruit dans la maison : et je savais que le vieux prêtre était étendu immobile dans son cercueil, comme nous l'avions vu, solennel et féroce dans la mort, un vain calice sur la poitrine.

Eliza reprit :

— Bien éveillé et avec l'air de rire tout seul... Alors, bien sûr, eux, quand ils ont vu ça, ça leur a fait penser qu'il y avait quelque chose qui n'allait plus...

Une rencontre

C'est Joe Dillon qui nous fit connaître le Far West. Il s'était constitué une petite bibliothèque avec de vieux numéros de *The Union Jack*, de *Pluck* et de *The Halfpenny Marvel*. Chaque soir, en sortant de l'école, nous nous rencontrions dans le jardin derrière sa maison pour jouer aux Indiens. Lui et son jeune frère, le gros Léo, le paresseux, se retranchaient dans le grenier de l'écurie, que nous tentions de prendre d'assaut ; ou bien nous nous livrions une bataille rangée sur l'herbe. Mais nous avions beau faire, nous ne pouvions jamais gagner une bataille ou un siège, et toutes nos rencontres se terminaient par la danse guerrière victorieuse de Joe Dillon. Ses parents allaient tous les matins à la messe de huit heures à Gardiner Street[1], et l'odeur apaisante de Mrs Dillon régnait dans le vestibule de leur maison. Mais il avait trop d'ardeur au jeu pour nous, qui étions

1. C'est-à-dire à Saint-François-Xavier, l'église jésuite où se déroule la retraite de « La Grâce ».

plus jeunes et plus timides. Il avait l'air d'une sorte d'Indien tandis qu'il cabriolait autour du jardin, avec un vieux couvre-théière sur la tête, martelant du poing une boîte de conserve et hurlant :

— Ya ! yaka, yaka, yaka !

L'incrédulité fut générale lorsque le bruit courut qu'il avait la vocation sacerdotale. Pourtant, c'était la vérité.

Un vent de dissipation se répandit parmi nous et, sous son influence, les distinctions tenant à la culture ou à la constitution physique furent considérées comme négligeables. Une bande se forma, à laquelle les uns adhérèrent hardiment, les autres pour rire, et d'autres presque craintivement : et je fus de ces derniers, de ces Indiens malgré eux qui avaient peur de paraître studieux ou chétifs. Les aventures narrées dans la littérature du Far West étaient bien éloignées de ma vraie nature, mais elles ouvraient du moins les portes de l'évasion. Je préférais pour ma part certaines histoires policières américaines traversées de temps en temps par de très belles jeunes filles échevelées et farouches. Ces histoires n'avaient rien de répréhensible et leur dessein était parfois littéraire ; c'est pourtant en cachette qu'elles circulaient à l'école. Un jour, alors que le Père Butler écoutait la récitation des quatre pages d'Histoire Romaine, ce lourdaud de Léo fut pris avec un exemplaire de *The Halfpenny Marvel.*

— Cette page, ou bien celle-là ? celle-ci ? Allons, Dillon, levez-vous. *À peine le jour...* Conti-

nuez ! Quel jour ? *À peine le jour s'était-il levé...*
Avez-vous étudié la leçon ? Qu'avez-vous dans
votre poche ?

Chacun avait le cœur battant lorsque Dillon tendit le journal et chacun prit un visage innocent. Le
Père Butler tourna les pages, fronçant les sourcils.

— Quel est ce torchon ? dit-il. *Le Chef Apache !*
C'est cela que vous lisez au lieu d'étudier votre
Histoire Romaine ? Que je ne voie plus cette misérable littérature dans nos murs. L'auteur, j'imagine, est un de ces misérables gribouilleurs prêts à
écrire ce genre de choses pour un verre d'alcool. Je
suis surpris que des garçons comme vous, qui
reçoivent une véritable éducation, lisent de
pareilles choses. Je pourrais le comprendre si vous
étiez... à l'école publique. Quant à vous, Dillon, je
vous conseille vivement de vous mettre au travail,
ou bien...

Cette réprimande venue troubler les heures pai-
sibles de l'école ternit considérablement, à mes
yeux, l'éclat prestigieux du Far West, et le visage
bouffi et confus de Dillon éveilla l'une de mes
consciences. Mais une fois loin de l'école et des
effets de sa discipline, j'eus à nouveau soif de sensations fortes, d'évasion, que seuls ces récits de
désordres semblaient m'offrir. La petite guerre du
soir finit par me lasser autant que la routine de
l'école le matin : je voulais qu'il m'arrive, à moi, de
vraies aventures. Mais les vraies aventures, me
disais-je, n'arrivent pas aux gens qui restent chez
eux : il faut aller les chercher au-dehors.

Les vacances d'été se faisaient proches, lorsque
je me décidai à rompre, au moins pour une journée, la monotonie de ma vie d'écolier. Avec Léo
Dillon et un camarade du nom de Mahony, j'orga-
nisai une journée d'école buissonnière. Chacun de
nous mit six pence de côté. Nous devions nous
retrouver à dix heures du matin sur le pont du
Canal. La grande sœur de Mahony devait lui
écrire un mot d'excuse et Léo Dillon devait dire à
son frère de raconter qu'il était malade. Nous pro-
jetions de suivre la route des Docks jusqu'aux
navires, puis de prendre le bac et d'aller voir le
Pigeon House en nous promenant. Léo Dillon
avait peur que nous ne rencontrions le Père
Butler ou quelqu'un du collège ; mais Mahony
demanda avec bon sens ce que le Père Butler irait
bien faire au Pigeon House. Cela nous rassura : et
je mis le point final au premier acte de notre
complot en recueillant les six pence de chacun
de mes deux camarades, tout en leur montrant
ma propre pièce. Au moment de prendre nos
dernières dispositions, la veille du grand jour,
nous étions tous en proie à une vague excitation.
Nous nous serrâmes la main en riant, et Mahony
dit :

— À demain, les gars !

Cette nuit-là, je dormis mal. Le matin, étant
celui qui habitait le plus près, j'arrivai au pont le
premier. Je cachai mes livres dans les longues
herbes, près de la fosse aux cendres, au fond du
jardin : personne n'y venait jamais. Puis je partis

vite, longeant la berge du canal. C'était une matinée tiède et ensoleillée ; nous étions dans la première semaine de juin. Je m'assis sur le parapet du pont, contemplant avec satisfaction mes légères chaussures de toile, que j'avais diligemment passées au blanc la veille au soir, et regardant les chevaux dociles grimper la côte en tirant derrière eux un plein tramway d'employés de bureau. Toutes les branches des grands arbres qui bordaient la promenade étaient comme décorées de petites feuilles vert pâle et le soleil se glissait de biais entre elles jusqu'à la surface de l'eau. Le granit du pont commençait à être chaud, et je me mis à le caresser au rythme d'un air que j'avais dans la tête. J'étais très heureux.

J'étais assis là depuis cinq ou dix minutes lorsque je vis approcher le complet gris de Mahony. Il monta la côte, souriant, et grimpa près de moi sur le parapet du pont. Tandis que nous attendions, il sortit le lance-pierres qui gonflait sa poche intérieure et m'expliqua certaines améliorations qu'il lui avait apportées. Je lui demandai pourquoi il l'avait pris et il me dit que c'était pour se payer quelques oiseaux. Mahony ne se gênait pas pour parler argot, et appelait le Père Butler le Bec Bunsen. Au bout d'un quart d'heure, Léo Dillon n'avait toujours pas paru. À la fin, Mahony sauta sur la route et dit :

— Allons, viens. Je savais bien que le Gros Lard aurait la trouille.

— Et ses six pence ? dis-je.

— Il les perd, dit Mahony. Et tant mieux pour nous : un shilling six au lieu d'un shilling.

Nous suivîmes North Strand Road jusqu'à l'usine de vitriol, avant de prendre à droite la route des Docks. Mahony se mit à jouer à l'Indien dès que nous fûmes hors de vue. Il prit en chasse un groupe de filles des Gueux[1] en brandissant son lance-pierres sans munition, et lorsque deux Gueux chevaleresques se mirent à nous lancer des pierres, il proposa que nous les chargions. Je répondis qu'ils étaient trop petits, et nous repartîmes, accompagnés des hurlements de tous les Gueux : *Parpaillots ! Parpaillots !* Ils nous prenaient pour des protestants, parce que Mahony, qui avait le teint sombre, portait l'insigne d'un club de cricket sur sa casquette. Arrivés au Fer à Repasser[2] on essaya de jouer à la ville assiégée ; mais ça ne marcha pas parce qu'il faut être au moins trois. Nous nous vengeâmes sur Léo Dillon en disant que c'était un beau trouillard et en essayant de deviner combien de taloches il recevrait de Mr Ryan à trois heures.

Nous arrivâmes alors près de la rivière. Nous passâmes un long moment à marcher dans les rues bruyantes bordées de hauts murs de pierre, regardant fonctionner les grues et les machines, et

1. Les *Ragged Schools* (d'où *ragged boys* et *ragged girls*) de Dublin étaient des institutions charitables destinées aux enfants indigents.
2. *The Smoothing Iron,* entrée d'un lieu de baignade, sur l'East Wall Road.

souvent les conducteurs de charrettes gémissantes
nous criaient après parce que nous restions plantés
là. Il était midi lorsque nous atteignîmes les quais,
et comme tous les ouvriers semblaient être en train
de déjeuner, nous achetâmes deux gros pains aux
raisins et nous nous assîmes pour les manger sur
des tuyaux métalliques entreposés au bord de la
rivière. Nous jouissions du spectacle qu'offrait l'activité commerçante de Dublin — les péniches
signalées de très loin par leurs rouleaux de fumée
laineuse, les bateaux de pêche aux voiles brunes
derrière Ringsend, le grand voilier blanc qu'on
était en train de décharger sur l'autre quai.
Mahony disait que ce serait rudement chouette de
partir en mer sur un de ces grands navires, et moi-
même, en regardant les grands mâts, je voyais, ou
j'imaginais, la géographie, dispensée chichement à
l'école, prendre consistance sous mes yeux. L'école
et la maison semblaient s'éloigner, et l'influence
qu'elles exerçaient sur nous semblait décliner.

Nous traversâmes la Liffey sur le bac, après
avoir payé notre péage, accompagnés dans notre
voyage par deux ouvriers et un petit juif porteur
d'un sac. Nous étions graves, presque solennels,
mais à un moment donné, durant cette courte traversée, nos regards se croisèrent, et nous rîmes.
Une fois débarqués, nous regardâmes le décharge-
ment du gracieux trois-mâts que nous avions
observé de l'autre quai. Quelqu'un à côté de nous
dit que c'était un navire norvégien. J'allai vers la
poupe pour essayer de déchiffrer l'inscription,

mais, ayant échoué, je revins regarder de plus près ces marins étrangers pour voir si l'un d'entre eux au moins avait les yeux verts, car j'avais la vague idée... Les yeux des marins étaient bleus, gris et même noirs. Le seul dont on aurait pu dire qu'il les avait verts était un grand gaillard qui faisait rire la foule rassemblée sur le quai en criant joyeusement chaque fois que les planches tombaient :

— Ça va bien ! Ça va bien !

Une fois las de ce spectacle, nous déambulâmes lentement dans Ringsend. Il faisait maintenant une chaleur lourde, et dans les vitrines des épiciers des biscuits moisissaient doucement. Nous achetâmes des biscuits et du chocolat, que nous mangeâmes avec application tout en déambulant dans les rues sordides où vivaient les familles de pêcheurs. Ne pouvant trouver de crémerie nous entrâmes dans une buvette nous acheter chacun une bouteille de soda à la framboise. Ragaillardi, Mahony se mit à poursuivre un chat dans une ruelle, mais celui-ci s'enfuit dans un grand champ. Nous nous sentions un peu las et, parvenus dans le champ, nous nous dirigeâmes vers un talus en pente douce du haut duquel on pouvait voir la Dodder.

Il était trop tard, et nous étions trop fatigués, pour mettre à exécution notre projet de visite au Pigeon House. Il fallait être rentrés avant quatre heures si nous voulions que notre aventure passât inaperçue. Mahony regardait son lance-pierres d'un air de regret, et il fallut que je suggère un retour par le train pour qu'il retrouve un peu de gaieté. Le soleil disparut derrière quelques nuages, et nous laissa à nos pensées épuisées et aux miettes de nos provisions.

Il n'y avait personne d'autre dans le champ. Nous étions restés étendus sur le talus un moment sans parler lorsque je vis un homme arriver de l'autre extrémité du champ. Paresseusement, je le regardai, tout en mâchonnant une de ces tiges vertes sur lesquelles les filles disent la bonne aventure. Il passa lentement près du talus. Il avait une main sur la hanche et de l'autre tenait une canne avec laquelle il donnait de petits coups sur le gazon. Il était vêtu d'un habit élimé, d'un noir verdâtre, et portait ce que nous appelions un chapeau vase de nuit, à haute calotte. Il semblait assez âgé, car sa moustache était gris cendre. Lorsqu'il passa à nos pieds, il nous jeta un rapide coup d'œil et poursuivit sa route. Nous le suivîmes des yeux et vîmes qu'après avoir fait encore une cinquantaine de pas, il faisait demi-tour et rebroussait chemin. Il s'avança vers nous très lentement sans cesser de frapper le sol de sa canne, si lentement que je crus qu'il cherchait quelque chose dans l'herbe.

Arrivé à notre hauteur, il s'arrêta et nous souhaita le bonjour. Nous lui répondîmes et il s'assit près de nous sur le talus, avec des mouvements lents et précautionneux. Il se mit à parler du temps, disant que l'été serait très chaud et ajoutant que les saisons avaient bien changé depuis son enfance — il y avait bien longtemps de cela. Il disait que, dans la vie, le temps le plus heureux était sans aucun

doute celui où l'on était écolier, et qu'il donnerait
n'importe quoi pour retrouver sa jeunesse. Nous restâmes silencieux tout le temps qu'il exprima ces sentiments, qui nous rasaient un peu. Puis il se mit à parler de l'école et de livres. Il nous demanda si nous
avions lu les poésies de Thomas Moore ou les œuvres
de Sir Walter Scott et de Lord Lytton. Je fis celui qui
avait lu tous les livres qu'il citait, de sorte qu'il finit
par dire :

— Ah, je vois que tu es un rat de bibliothèque
comme moi. Mais lui, ajouta-t-il en désignant
Mahony qui nous considérait avec des yeux ébahis,
ce n'est pas la même chose : c'est le sport qui l'in-
téresse.

Il dit que chez lui il avait toutes les œuvres de Sir
Walter Scott et toutes celles de Lord Lytton, et ne se
lassait jamais de les lire. Bien sûr, ajouta-t-il, il y avait
des œuvres de Lord Lytton que les petits garçons ne
pouvaient pas lire. Mahony demanda pourquoi les
petits garçons ne pouvaient pas les lire ; la question
me troubla et me fit souffrir, car j'eus peur que
l'homme ne me crût aussi stupide que Mahony. Mais
il n'eut qu'un sourire. Je vis qu'il y avait de grands
trous dans sa bouche entre des dents jaunes. Il nous
demanda ensuite lequel de nous deux avait le plus de
flirts. Mahony indiqua négligemment qu'il avait trois
poules. L'homme me demanda combien j'en avais.
Je répondis que je n'en avais pas. Il ne me crut pas et
dit être sûr que j'en avais une. Je restai silencieux.

— Dites donc, lança Mahony du tac au tac,
combien en avez-vous vous-même ?

L'homme eut à nouveau son sourire et dit qu'à notre âge il avait des tas de flirts.

— Tous les garçons, dit-il, ont un petit flirt.

Il me parut d'un bien étrange libéralisme sur ce sujet pour un homme de son âge. Au fond de moi, je pensais que ce qu'il disait sur les garçons et les amoureuses était raisonnable. Mais dans sa bouche les mots me déplaisaient et je me demandais pourquoi à une ou deux reprises il avait frissonné, comme pris de peur ou surpris par le froid. Tandis qu'il continuait, je me faisais la remarque qu'il avait un accent correct. Il se mit à nous parler des filles, comme elles avaient de jolis cheveux si doux et des mains si douces et qu'elles n'étaient pas toutes aussi correctes qu'elles en avaient l'air, quand on était un peu au courant. Ce qu'il aimait le plus au monde, disait-il, c'était de regarder une jolie petite fille, ses jolies mains blanches et ses doux cheveux si beaux. Il me donnait l'impression qu'il répétait quelque chose qu'il avait appris par cœur, ou bien qu'hypnotisé par certains mots qu'il employait, il avait un esprit qui tournait lentement en rond, inlassablement, sur la même orbite. Parfois il parlait comme s'il faisait simplement allusion à des faits que tout le monde connaissait, et à d'autres moments il baissait la voix et parlait d'un air mystérieux, comme s'il nous faisait partager quelque secret qu'il ne souhaitait pas voir surpris par d'autres. Il reprenait les mêmes expressions, interminablement, avec des variations, les enveloppant de sa voix monotone. Je ne cessais pas de regarder vers le pied du talus, tout en l'écoutant.

Au bout d'un long moment, son monologue s'interrompit. Il se leva lentement, disant qu'il devait nous laisser une ou deux minutes, quelques minutes, et, sans changer la direction de mon regard, je le vis s'éloigner lentement vers la lisière du champ la plus proche. Nous restâmes silencieux après son départ. Au bout de quelques minutes de ce silence j'entendis Mahony s'exclamer :

— Dis donc ! Regarde ce qu'il fait !

Et comme je restais sans répondre ni lever les yeux, Mahony s'exclama de nouveau :

— Dis donc, c'est un drôle de vieux bonhomme !

— Au cas où il demanderait nos noms, dis-je, tu seras Murphy et moi Smith.

Nous en restâmes là. J'étais encore en train de me demander si j'allais partir lorsque l'homme revint s'asseoir près de nous. Il ne s'était pas plus tôt assis que Mahony, apercevant le chat qui lui avait échappé, bondit et se mit à le poursuivre à travers le champ. L'homme et moi observions la poursuite. Le chat s'échappa une fois de plus et Mahony se mit à jeter des pierres contre le mur qu'il avait escaladé. Abandonnant la partie, il se mit à errer, désœuvré, à l'autre bout du champ.

Au bout d'un moment, l'homme me parla. Il dit que mon ami était un garçon brutal, et demanda si on lui donnait souvent le fouet à l'école. Je faillis répliquer avec indignation que nous n'étions pas à l'école publique et qu'on ne nous donnait pas *le fouet,* pour reprendre son expression ; mais je ne dis rien. Il se mit à discourir sur les châtiments à appliquer aux petits garçons. Son esprit, comme magnétisé à nouveau par son propre discours, semblait tourner en rond, lentement et interminablement autour de son nouveau centre. Il disait que lorsqu'on avait affaire à des petits garçons de ce genre, il fallait les fouetter, et bien les fouetter. Quand un petit garçon était brutal et polisson, rien ne lui faisait plus de bien qu'une bonne séance de fouet. Un coup sur les doigts ou une gifle ne servait à rien : ce qu'il lui fallait, c'était une bonne petite séance de fouet pour le réchauffer. Ces sentiments me surprirent et je levai machinalement les yeux vers son visage. Ce faisant, je rencontrai le regard de deux yeux vert bouteille qui me scrutaient au-dessous d'un front agité de tics. Je détournai les yeux à nouveau.

L'homme poursuivait son monologue. Il semblait avoir oublié son libéralisme de naguère. Il disait que si jamais il trouvait un garçon en train de parler à des filles, ou qui ait une fille pour flirt, il le fouetterait et le refouetterait ; et cela lui apprendrait à ne pas parler aux filles. Et si un garçon avait une fille pour flirt et racontait des histoires à ce sujet, il lui donnerait une fouettée comme jamais aucun garçon au monde n'en avait reçu. Il disait que rien au monde ne lui donnerait plus de plaisir. Il me décrivait la manière dont il fouetterait cet enfant, comme s'il dévoilait là quelque mystère aux rites compliqués. C'est ce qui lui plairait le plus au monde, disait-il, et sa voix, à mesure qu'il me faisait accéder, sur ce ton monotone, au mystère, devenait presque affectueuse et semblait implorer ma compréhension.

J'attendis une nouvelle pause de son monologue. Je me levai alors brusquement. Pour éviter de trahir mon agitation, je m'attardai quelques instants sous prétexte d'arranger ma chaussure, puis, disant qu'il me fallait partir, je lui dis bonsoir. Je grimpai le talus calmement mais mon cœur battait vite tant j'avais peur d'être saisi par les chevilles. Arrivé en haut, je me retournai, et, sans le regarder, criai très fort en direction du champ :

— Murphy !

Il y avait quelque chose de forcé dans mon ton hardi et j'eus honte de mon pitoyable stratagème. Il me fallut appeler une fois encore avant que Mahony m'aperçoive et me réponde par de grands cris. Comme mon cœur battait tandis qu'il revenait vers moi au pas de course à travers le champ ! Il courait comme s'il avait dû me porter secours. Et je fus tout contrit ; car au fond de moi je l'avais toujours un peu méprisé.

Arabie

North Richmond Street, se terminant en cul-de-sac, était une rue tranquille sauf à l'heure où les Frères des Écoles chrétiennes lâchaient leurs élèves. Une maison de deux étages inhabitée se dressait au fond de l'impasse, isolée de ses voisines, au milieu d'un terrain carré. Les autres maisons de la rue, très conscientes d'abriter des existences respectables, se regardaient fixement, le visage brun et impassible.

Le précédent locataire de notre maison, un prêtre, était mort dans le salon de derrière. Une odeur particulière de moisi et de renfermé flottait dans toutes les pièces et, derrière la cuisine, le débarras était jonché de vieux journaux sans usage. C'est au milieu de ceux-ci que je découvris quelques livres à la couverture de papier, aux pages gondolées et humides : *L'Abbé,* de Walter Scott, *La Communion Dévote* et *Les Mémoires de Vidocq.* Ce dernier était mon préféré, à cause de ses pages jaunes. Le jardin inculte qui s'étendait derrière la maison avait en son centre un pommier et quelques buis-

sons en déroute ; sous l'un de ceux-ci, je découvris
la pompe à bicyclette rouillée du locataire décédé.
Ce prêtre s'était toujours montré très charitable ;
dans son testament il avait laissé tout son argent à
des institutions, et le mobilier de sa maison à sa
sœur.

L'hiver, lorsque les journées se faisaient courtes,
le crépuscule tombait avant que nous ayons achevé
notre dîner. Lorsque nous nous retrouvions dans la
rue, les maisons étaient devenues sombres. Au-
dessus de nous, l'espace était d'un violet sans cesse
changeant, vers lequel les réverbères de la rue éle-
vaient leurs lumignons. L'air était froid et piquant,
mais nous jouions jusqu'à nous sentir brûlants. Nos
cris résonnaient dans la rue silencieuse. Nos jeux
nous entraînaient derrière les maisons par de
sombres ruelles boueuses, où nous devions passer
par les baguettes de bandes de durs venus des loge-
ments ouvriers, jusqu'aux arrières des jardins
sombres, dégouttants d'eau, où des odeurs montaient des fosses aux cendres, jusqu'aux sombres
écuries odorantes où un cocher lissait et peignait
un cheval ou éveillait la musique d'un harnais bien
sanglé. Quand nous retournions dans la rue, la
lumière, aux fenêtres des cuisines, emplissait les
courettes. Si l'on voyait mon oncle surgir au coin
de la rue, nous nous cachions dans l'ombre tant
qu'il n'avait pas disparu pour de bon dans la maison. Ou si la sœur de Mangan sortait sur le pas de
la porte appeler son frère pour le thé, nous la
regardions de notre cachette scruter la rue dans

tous les sens. Nous attendions, pour voir si elle resterait ou rentrerait, et, si elle restait, nous aban-
donnions notre coin d'ombre, et allions jusqu'au
perron de Mangan, résignés. Elle nous attendait, la
silhouette découpée par la lumière de la porte
entrebâillée. Son frère la faisait toujours un peu
marcher avant d'obéir, et je restais près des grilles
à la regarder. Un balancement de sa robe
accompagnait les mouvements de son corps et sa
molle tresse se balançait d'une épaule à l'autre.

Tous les matins je m'allongeais par terre dans la
pièce de devant pour surveiller sa porte. Le store
était baissé jusqu'à deux doigts du châssis, pour
qu'on ne puisse pas me voir. Quand elle sortait sur
le pas de la porte, mon cœur bondissait. Je courais
dans le vestibule, m'emparais de mes livres et la
suivais. Je ne quittais pas de l'œil sa silhouette
brune et lorsque nous arrivions près de l'endroit où
nos chemins se séparaient, je hâtais le pas afin de la
dépasser. C'est ce qui se produisait tous les matins,
invariablement. Je ne lui avais jamais adressé la
parole, tout juste quelques mots à l'occasion, et
cependant son nom avait pour effet de mettre mon
sang en folie.

Son image m'accompagnait jusque dans les lieux
les moins propices au romanesque. Le samedi soir,
lorsque ma tante allait au marché, je devais l'accompagner pour porter quelques paquets. Nous
traversions les rues brillamment éclairées, bous-
culés par des ivrognes et des femmes en train de
marchander, au milieu des jurons des hommes de

peine, de la litanie criarde des petits vendeurs
embusqués près de leurs tonneaux de museau de
porc, des chanteurs des rues aux mélopées nasil-
lardes, avec leur *come-all-you* sur O'Donovan
Rossa, ou une ballade consacrée aux malheurs de
notre pays natal. Tout ce brouhaha se cristallisait
pour moi en une seule sensation vécue ; je m'imaginais portant sans encombre mon calice à travers
une multitude hostile. Par moments, son nom montait brusquement à mes lèvres, mêlé à des prières
ou des laudes si étranges que je ne les comprenais
pas moi-même. Mes yeux étaient souvent pleins de
larmes (je n'aurais su dire pourquoi) et parfois le
déluge de mon cœur semblait se déverser dans ma
poitrine. Je songeais peu à l'avenir. Je ne savais pas
si je lui parlerais jamais ni, au cas où je le ferais,
comment je parviendrais à lui exprimer ma confuse
adoration. Mais mon corps était une véritable
harpe, sur les cordes de laquelle, tels des doigts, ses
mots et ses gestes semblaient courir.

Un soir, j'entrai dans le salon où le prêtre était
mort. C'était une sombre soirée pluvieuse, et l'on
n'entendait aucun bruit dans la maison. Par l'un
des carreaux cassés, j'entendais la pluie frapper la
terre, enfoncer inlassablement ses fines aiguilles
liquides dans les massifs détrempés. Au-dessous de
moi brillait quelque lampe lointaine, ou une
fenêtre éclairée. Je remerciais le Ciel d'y voir si
mal. Tous mes sens semblaient avoir le désir de se
couvrir d'un voile et, sentant que j'allais leur
échapper, je pressai l'une contre l'autre mes

paumes jusqu'à ce qu'elles tremblent, répétant maintes fois dans un murmure : *Mon amour ! Mon amour !*

Elle finit par me parler. Les premiers mots qu'elle m'adressa me plongèrent dans la confusion et je ne sus que répondre. Elle me demanda si j'allais à *L'Arabie*. Je ne sais plus si je répondis oui ou non. Ce serait une kermesse merveilleuse, dit-elle ; elle aurait bien aimé y aller.

— Et pourquoi est-ce impossible ? demandai-je.

Tout en parlant, elle ne cessait de tourner autour de son poignet un bracelet d'argent. Elle ne pouvait pas y aller parce qu'il y aurait une retraite cette semaine-là dans son couvent. Son frère et deux autres garçons se battaient, se disputant leurs casquettes, et j'étais seul près de la grille. Elle en tenait une des piques, et sa tête était penchée vers moi. La lumière du lampadaire planté en face de chez nous accrochait la courbe blanche de son cou, illuminait les cheveux qui le recouvraient, et tombait, pour l'illuminer à son tour, sur la main accrochée à la grille. Elle tombait sur un côté de sa robe, accrochant l'ourlet blanc d'un jupon, à peine visible en cet instant de repos.

— Vous avez de la chance, dit-elle.

— Si j'y vais, dis-je, je vous apporterai quelque chose.

Après cette soirée, quelle profusion de songeries insensées ravagea mes veilles et mon sommeil ! J'aurais voulu réduire à néant ces interminables journées qui s'étendaient encore devant moi. À l'école, je rongeais mon frein. La nuit dans ma chambre et le jour en classe son image venait s'interposer entre mes yeux et la page que je m'efforçais de lire. Les syllabes du mot *Arabie* étaient autant d'appels qui déchiraient le silence au sein duquel mon âme se complaisait et jetaient sur moi le charme de l'Orient. Je demandai la permission d'aller à la kermesse le samedi soir. Ma tante exprima sa surprise, et l'espoir que ce n'était pas organisé par les Francs-Maçons. En classe, je répondis peu aux questions. Je vis que le visage de mon maître passait de la bienveillance à la sévérité ; il espérait que je ne prenais pas le chemin de l'oisiveté. Je n'arrivais à rassembler mes pensées vagabondes. Je n'avais plus guère de patience pour les tâches sérieuses de l'existence : maintenant qu'elles me séparaient de mon désir, elles me paraissaient des jeux puérils, des jeux puérils aussi laids que monotones.

Le samedi matin, je rappelai à mon oncle que je souhaitais aller à la kermesse le soir. Il s'affairait près du portemanteau, cherchant la brosse à chapeau, et me répondit sèchement :

— Oui, fiston, je sais.

Comme il était dans le vestibule, je ne pus pas entrer au salon et me mettre en faction derrière la fenêtre. Je quittai la maison de mauvaise humeur et m'en fus à pas lents vers l'école. L'air âpre était impitoyable et déjà je perdais courage.

Quand je revins à la maison pour le dîner, mon oncle n'était pas encore de retour. Cependant il

était tôt. Je restai assis un moment, les yeux fixés
sur la pendule ; lorsque son tic-tac commença à
m'agacer, je quittai la pièce. Je montai l'escalier
jusqu'aux étages supérieurs. Les hautes pièces
froides, vides et sombres, me délivrèrent, et j'allai
de pièce en pièce en chantant. Du haut de la
fenêtre de devant, je voyais mes camarades jouer
dans la rue. Leurs cris me parvenaient affaiblis,
indistincts et, appuyant le front contre la vitre
fraîche, je me mis à regarder la maison sombre où
elle vivait. Je restai peut-être une heure, sans rien
voir d'autre que la silhouette vêtue de brun que
projetait mon imagination, que la lumière du
réverbère effleurait délicatement à la courbe du
cou, à la main posée sur la grille et à l'ourlet dépassant de la robe.

Lorsque je redescendis, je trouvai Mrs Mercer
assise près du feu. C'était une vieille bavarde, la
veuve d'un prêteur sur gages, qui rassemblait des
timbres oblitérés pour je ne sais quelle bonne
œuvre. Il me fallut supporter les commérages
autour des tasses de thé. Le repas se prolongea
plus d'une heure et mon oncle ne venait toujours
pas. Mrs Mercer se leva pour partir : elle regrettait
de ne pouvoir attendre plus longtemps, mais il était
huit heures passées, et elle n'aimait pas se trouver
dehors trop tard, l'air du soir ne lui valant rien.
Après son départ je me mis à marcher de long en
large, serrant les poings. Ma tante dit :

— Mon Dieu, je crois bien que tu peux renoncer
à aller à ta kermesse ce soir que Dieu fait.

À neuf heures j'entendis mon oncle mettre la clé dans la serrure. Je l'entendis parler tout seul, j'entendis le portemanteau osciller sous le poids de son pardessus. Autant de signes que je pouvais interpréter. Quand il fut au milieu de son repas, je lui demandai de l'argent pour aller à la kermesse. Il avait oublié.

— Maintenant les gens sont couchés, et passé leur premier sommeil, dit-il.

Je ne souris pas. Ma tante lui dit avec énergie :

— Ne peux-tu pas lui donner l'argent et le laisser partir ? Tu l'as assez retardé comme ça.

Mon oncle dit qu'il était désolé d'avoir oublié. Il ajouta qu'il croyait au vieux proverbe : *Il y a un temps pour travailler et un temps pour s'amuser.* Il me demanda où j'allais, et quand je le lui eus redit, il voulut savoir si je connaissais *L'Adieu de l'Arabe à son Destrier.* Lorsque je quittai la pièce, il se disposait à réciter les premiers vers du poème à ma tante.

Je serrai un florin dans ma main en descendant à grands pas Buckingham Street pour rejoindre la gare. La vue des rues encombrées de chalands et brillamment illuminées au gaz me rappela le but de mon expédition. Je pris place en troisième classe dans un train désert. Après une attente insupportable, le train sortit lentement de la gare. Il se traîna au milieu des maisons délabrées et franchit la rivière scintillante. À Westland Row, une foule de voyageurs se pressèrent aux portières ; mais les porteurs les firent reculer, disant que c'était un train spécial pour la kermesse. Je restai seul dans le wagon tout vide. Quelques minutes plus tard, le train s'arrêtait devant les planches d'un quai de gare improvisé. Je sortis, me retrouvai dans la rue et vis au cadran lumineux d'une horloge qu'il était dix heures moins dix. Devant moi se dressait un grand bâtiment sur lequel s'étalait le nom magique.

Ne pouvant découvrir d'entrée à six pence et craignant de voir fermer les portes, je passai rapidement dans un tourniquet en tendant un shilling à un homme à la mine épuisée. Je me trouvai dans une grande salle entourée à mi-hauteur d'un balcon. Presque tous les comptoirs étaient fermés, et la plus grande partie de la salle était plongée dans l'obscurité. J'identifiai le silence : c'était celui qui envahit une église après un office. Je m'avançai timidement jusqu'au centre de la salle. Quelques personnes étaient rassemblées autour des comptoirs encore ouverts. Devant un rideau au-dessus duquel les mots *Café Chantant* étaient inscrits en lampes de couleur, deux hommes comptaient de l'argent sur un plateau. J'écoutai tomber les pièces.

Retrouvant avec difficulté la raison qui m'avait fait venir, je me dirigeai vers l'un des comptoirs pour examiner vases de porcelaine et services à thé fleuris. À l'entrée du comptoir, une jeune personne parlait et riait avec deux jeunes gens. Je remarquai leur accent anglais et écoutai vaguement leur conversation.

— Oh, je n'ai rien dit de tel !
— Mais si, vous l'avez dit !
— Mais pas du tout !
— N'est-ce pas qu'elle a dit cela ?
— Oui. Je l'ai entendue.
— Oh, quelle... blague !

M'ayant remarqué, la jeune personne se dirigea vers moi et me demanda si je voulais acheter quelque chose. Le ton de sa voix n'était pas encourageant : elle semblait ne m'avoir adressé la parole que par devoir. Je regardai humblement les grands vases qui se dressaient, tels des sentinelles orientales, de part et d'autre de l'entrée sombre du comptoir, et murmurai :

— Non, merci.

La jeune personne modifia la disposition de l'un des vases et alla retrouver les deux jeunes gens. Ils reprirent leur sujet de conversation. Une ou deux fois la jeune personne me jeta un coup d'œil par-dessus l'épaule.

Je m'attardai devant son comptoir, tout en sachant parfaitement que c'était inutile, afin de donner une plus grande apparence de réalité à l'intérêt que je portais à ses marchandises. Puis je me retournai lentement et descendis l'allée centrale. Je laissai tomber les deux pennies dans ma poche sur la pièce de six pence. J'entendis une voix annoncer, de l'extrémité du balcon, qu'on éteignait la lumière. Le haut de la salle était maintenant plongé dans une obscurité complète.

Levant les yeux, je scrutai ces ténèbres et me vis :

un être mené par la vanité, jusqu'à la dérision ; et mes yeux se mirent à brûler de désespoir et de colère.

Eveline

Elle était assise près de la fenêtre, regardant le soir envahir l'avenue. Elle avait la tête appuyée contre les rideaux et l'odeur de cretonne poussiéreuse lui emplissait les narines. Elle était lasse.

Peu de gens passaient. L'homme qui habitait au bout de la rue passa devant la maison, rentrant chez lui ; elle entendit ses pas claquer sur le ciment du trottoir puis écraser la cendrée du chemin qui longeait les nouvelles maisons rouges. Passé un temps, il y avait là un champ où ils avaient coutume de jouer tous les soirs avec d'autres enfants. Puis un homme de Belfast l'avait acheté pour y construire des maisons — pas du genre de leurs petites maisons brunes, mais des maisons de briques aux couleurs vives et aux toits brillants. Les enfants de l'avenue avaient coutume de jouer là ensemble — les Devine, les Water, les Dunn, Keogh le petit infirme, elle-même et ses frères et sœurs. Ernest, cependant, ne jouait jamais : il était trop grand. Souvent son père les faisait rentrer, armé de sa canne d'épine noire ; mais d'ordinaire, le petit Kéogh faisait le guet et appelait lorsqu'il voyait arriver le père. Pourtant il semblait bien qu'ils avaient été assez heureux en ce temps-là. En ce temps-là son père était encore supportable ; et de plus sa mère vivait encore. Il y avait bien long-temps de cela ; comme ses frères et sœurs, elle avait maintenant grandi ; sa mère était morte. Tizzie Dunn était mort aussi, et les Water étaient retournés en Angleterre. Tout change. Et maintenant elle allait partir comme les autres, quitter la maison.

La maison ! Son regard fit le tour de la pièce, passant en revue tous les objets familiers qu'elle avait époussetés une fois par semaine pendant tant d'années, en se demandant d'où toute cette poussière pouvait bien venir. Peut-être ne reverrait-elle jamais plus ces objets familiers dont elle n'avait jamais imaginé qu'elle pût être séparée. Et cependant, au cours de toutes ces années, elle n'avait jamais pu découvrir le nom du prêtre dont la photographie jaunissante était accrochée au mur au-dessus de l'harmonium tout détraqué, à côté de l'estampe coloriée représentant les promesses faites à la Bienheureuse Marguerite Marie Alacoque[1]. C'était un camarade d'école de son père. Quand il montrait la photographie à un visiteur,

1. Bien avant sa canonisation en 1920, la Bienheureuse Marguerite Marie Alacoque était l'objet d'une vénération toute particulière chez les catholiques irlandais. Elle est à l'origine de la dévotion au Sacré-Cœur (voir p. 254) et de la pratique de la communion le premier vendredi du mois (voir p. 224).

son père passait toujours sans s'arrêter, avec une formule rapide et vague :

— Il habite Melbourne maintenant.

Elle avait consenti à partir, à quitter sa maison. Était-ce sage ? Elle essayait de peser le pour et le contre. À la maison elle avait au moins un toit et la nourriture ; elle était entourée de ceux qu'elle connaissait depuis toujours. Bien sûr, il lui fallait travailler dur, à la fois à la maison et dans sa place. Que dirait-on d'elle aux Galeries quand ils découvriraient qu'elle était partie avec un garçon ? Peut-être qu'elle était complètement idiote ; et on lui trouverait une remplaçante par les petites annonces. Cela ferait plaisir à Miss Gavan. Elle lui faisait toujours sentir sa supériorité, en particulier dès que des gens pouvaient écouter.

— Miss Hill, ne voyez-vous pas que ces dames attendent ?

— Un peu de nerf, Miss Hill, je vous prie.

Elle ne verserait pas beaucoup de larmes en quittant les Galeries.

Mais dans son nouveau foyer, en pays lointain et inconnu, ça ne serait pas la même chose. C'est qu'à ce moment-là elle serait mariée — elle, Eveline. À ce moment-là les gens la traiteraient avec respect. On ne la traiterait pas comme sa mère l'avait été. Même maintenant, elle avait beau avoir plus de dix-neuf ans, elle se sentait quelquefois exposée à la violence de son père. Elle savait que c'était ça qui lui avait donné ces palpitations. Pendant toute leur enfance, il s'en était jamais pris à elle, comme il s'en prenait souvent à Harry et Ernest, parce qu'elle, c'était une fille ; mais ces temps derniers, il s'était mis à la menacer, et à dire comment il la traiterait, n'était le souvenir de sa pauvre mère. Et maintenant il n'y avait plus personne pour la protéger. Ernest était mort, et Harry, qui était dans la décoration d'église, était presque toujours par monts et par vaux. En outre, les sempiternelles disputes du samedi soir à propos d'argent commençaient à la fatiguer au-delà de toute expression. Elle donnait toujours tout son salaire — sept shillings — et Harry envoyait toujours ce qu'il pouvait, mais la difficulté, c'était d'obtenir de l'argent de son père. Il disait qu'elle était gaspilleuse, que c'était une tête sans cervelle, qu'il n'allait pas lui donner un argent durement gagné pour qu'elle le jette par les fenêtres, et bien d'autres choses encore, car il était d'habitude assez méchant le samedi soir. Il finissait par lui donner l'argent, en lui demandant si par hasard elle comptait acheter le dîner du dimanche. Puis il lui fallait se dépêcher de sortir pour faire les courses, serrant dans la main son porte-monnaie de cuir noir et se frayant un chemin dans la foule, avant de revenir tard à la maison croulant sous les provisions. Elle travaillait dur, à empêcher la maison d'aller à vau-l'eau et veiller à ce que les deux petits enfants laissés à sa charge aillent à l'école régulièrement et prennent leurs repas régulièrement. C'était un travail dur — une vie dure — mais maintenant qu'elle allait l'abandonner, elle ne la trouvait pas totalement indésirable.

Elle allait se lancer à la découverte d'une autre
vie avec Franck. Franck était plein de gentillesse,
viril, franc. Elle devait partir avec lui par le paque-
bot de nuit, l'épouser et vivre avec lui à Buenos
Aires, où il avait préparé une maison pour elle.
Comme elle se souvenait bien de la première fois
qu'elle l'avait vu ; il habitait dans une maison de la
grand-rue où elle avait des amis. On aurait dit qu'il
y avait quelques semaines de ça. Il était debout à la
porte du jardinet, la casquette rejetée en arrière,
les cheveux retombant en désordre sur un visage
de bronze. Puis ils avaient fait connaissance. Il
allait la chercher tous les soirs devant les Galeries
et la raccompagnait chez elle. Il l'avait emmenée
écouter *La Bohémienne,* et elle nageait dans l'allégresse, assise à côté de lui à une place de théâtre
inhabituelle. Il aimait énormément la musique et
chantait un peu. Les gens savaient qu'ils se fréquentaient, et lorsqu'il chantait le couplet sur la
fille amoureuse d'un matelot, elle éprouvait toujours un agréable embarras. Il l'appelait Poppens,
pour rire. Au début, sortir avec un garçon n'avait
été qu'une aventure excitante, et puis elle s'était
mise à avoir de l'affection pour lui. Il connaissait
des histoires sur les pays lointains. Il avait fait ses
débuts comme mousse à une livre par mois sur un
navire de l'Allan Line qui faisait le Canada. Il lui
avait dit le nom des bateaux sur lesquels il avait
navigué, et le nom des différents services. Il avait
passé le détroit de Magellan et lui racontait des histoires terrifiantes sur les Patagons. Il était bien

retombé sur ses pieds à Buenos Aires, disait-il, et n'était revenu au pays natal que pour des vacances. Bien entendu, son père à elle avait tout découvert, et lui avait interdit d'avoir encore affaire à lui.

— Je les connais, ces marins, disait-il.

Un jour, il s'était pris de querelle avec Franck, après quoi c'est en secret qu'il lui avait fallu rencontrer son amoureux.

Dans l'avenue, l'ombre s'épaississait. Le blanc de deux lettres posées sur ses genoux se faisait à peine distinct. L'une était pour Harry ; l'autre pour son père. Autrefois, c'est Ernest qu'elle préférait, mais elle aimait bien Harry aussi. Son père se faisait vieux ces temps-ci, elle le remarquait ; elle lui manquerait. Il lui arrivait d'être très gentil. Il n'y avait pas longtemps, quand elle avait dû rester couchée pendant une journée, il lui avait lu une histoire de fantôme et fait griller du pain sur le feu. Une autre fois, du temps où leur mère était en vie, ils étaient tous allés pique-niquer sur la colline de Howth. Elle revoyait son père, mettant sur la tête le bonnet de sa mère pour faire rire les enfants.

Il ne lui restait plus guère de temps, mais elle demeurait assise près de la fenêtre, appuyant sa tête contre le rideau, respirant l'odeur de cretonne poussiéreuse. Là-bas, loin dans l'avenue, jouait un orgue de Barbarie. Elle connaissait l'air. Curieux qu'il vienne précisément ce soir-là lui rappeler la promesse faite à sa mère, la promesse d'empêcher la maison d'aller à vau-l'eau, aussi longtemps qu'elle le pourrait. Elle revoyait la dernière nuit de la maladie de sa mère ; elle était à nouveau dans la pièce sombre, à l'air confiné, de l'autre côté du vestibule et entendait au-dehors un air italien mélancolique. On avait ordonné à l'organiste de s'en aller et on lui avait donné six pence. Elle revoyait son père revenir triomphant dans la chambre de la malade en disant :

— Saleté d'Italiens ! Qu'est-ce qu'ils viennent donc faire chez nous !

Au fil de sa songerie, la vie de sa mère, en une vision pitoyable, venait jeter son maléfice au plus profond d'elle-même — cette vie faite d'humbles sacrifices et s'achevant en une déchéance définitive. Elle tremblait en entendant à nouveau la voix de sa mère répétant sans cesse, avec l'insistance d'un simple d'esprit :

— Derevaun seraun ! Derevaun seraun ![1]

Elle se dressa, dans un brusque mouvement de terreur. S'évader ! Elle devait s'évader ! Franck la sauverait. Il lui apporterait la vie, peut-être l'amour aussi. Mais ce qu'elle voulait, c'était vivre. Pourquoi serait-elle malheureuse ? Elle avait droit au bonheur. Franck la prendrait dans ses bras, l'envelopperait dans ses bras. Il la sauverait.

. . . .

Elle était là, debout au milieu des flux et reflux de la foule, dans la gare maritime du North Wall. Il lui tenait la main, et elle savait qu'il lui parlait,

---

1. Très probablement un dicton (déformé) du dialecte de la région de Galway, « deireadh amháin saráin », dont le sens est à peu près : « La fin n'est que vers ! »

répétant sans cesse quelque chose au sujet du voyage. La gare était pleine de soldats chargés de bagages bruns. Par les larges portes des hangars, elle apercevait la masse noire du navire allongé le long du quai, les hublots illuminés. Elle ne répondait rien. Elle se sentait les joues pâles et froides et, perdue dans le labyrinthe de son désarroi, elle priait Dieu de la guider, de lui montrer où était son devoir. Le navire lança dans la brume un long coup de sirène lugubre. Si elle partait, demain elle serait en mer avec Franck, faisant route pour Buenos Aires. Leurs places étaient retenues. Pouvait-elle reculer après tout ce qu'il avait fait pour elle ? La détresse fit monter la nausée du fond de son corps et elle continuait de remuer les lèvres en une prière silencieuse et fervente.

Un coup de cloche fit résonner son cœur. Elle sentit qu'il lui prenait la main :

— Viens !

Toutes les mers du monde se déversèrent sur son cœur. C'est vers elles qu'il l'attirait : il la noierait. Elle s'agrippa des deux mains à la grille de fer.

— Viens !

Non ! Non ! Non ! C'était impossible. Ses mains s'accrochèrent frénétiquement aux barreaux. Perdue dans les mers, elle lança un cri de désespoir.

— Eveline ! Evvy !

Il passa la barrière précipitamment, l'appelant pour qu'elle suive. On lui criait d'avancer, mais il continuait de l'appeler. Passive, elle lui présenta son visage tout blanc, tel un animal aux abois. Ses yeux ne lui adressaient aucun signe d'amour, d'adieu ni de reconnaissance.

Après la course

Les voitures arrivaient à toute allure, filant dans la direction de Dublin, régulièrement, comme des boulettes lancées dans la rainure de la route de Naas. Au sommet de la côte d'Inchicore, des groupes de curieux s'étaient formés pour regarder les voitures foncer sur le chemin du retour et c'est à travers toute cette misère et cette inaction que venaient se donner carrière la richesse et l'industrie du Continent. De temps en temps, ces groupes de spectateurs lançaient ces clameurs d'encouragement qui caractérisent les opprimés trop contents de l'être. Leur sympathie, cependant, allait aux voitures bleues, celles de leurs amis les Français.

Ceux-ci, de plus, avaient pratiquement gagné. Leur équipe avait terminé groupée ; ils s'étaient placés second et troisième, et l'on disait que le conducteur de la voiture allemande victorieuse était belge. Chaque voiture bleue était donc accueillie par des acclamations redoublées lorsqu'elle surgissait en haut de la côte, et chaque fois les occupants remerciaient par des sourires et des

signes de tête. Dans l'une de ces voitures aux
formes élégantes se trouvait un groupe de quatre
jeunes gens dont l'entrain semblait maintenant
dépasser largement l'allégresse de Gaulois vain-
queurs : à vrai dire, ces quatre jeunes gens étaient
presque déchaînés. Il s'agissait de Charles Ségouin,
le propriétaire de la voiture ; André Rivière, jeune
électricien d'origine canadienne ; un énorme Hongrois appelé Villona, et un jeune gandin nommé
Doyle. Ségouin était de joyeuse humeur parce qu'il
avait reçu, chose inattendue, des commandes par
anticipation (il allait lancer une affaire d'automobiles à Paris) et Rivière, devant être nommé directeur technique de l'entreprise, ne l'était pas moins ;
ces deux jeunes gens (qui étaient cousins) devaient
aussi leur gaieté au succès des voitures françaises.
La belle humeur de Villona était due, elle, à un
bon déjeuner ; il était, de plus, d'un naturel opti-
miste. Le quatrième, en revanche, était trop excité
pour être véritablement heureux.

Il avait environ vingt-six ans, une petite moustache châtain et soyeuse et des yeux gris assez can-
dides. Son père, au début de sa vie nationaliste
virulent, avait vite changé d'opinions. Il avait
acquis sa fortune comme boucher à Kingstown et,
en ouvrant des magasins à Dublin et dans les faubourgs, l'avait considérablement multipliée. Il avait
eu aussi la chance d'obtenir des marchés de la
police, et finalement était devenu assez riche pour
que les journaux de Dublin le qualifient de « prince
du négoce ». Il avait envoyé son fils en Angleterre

recevoir l'éducation d'un grand collège catholique, avant de lui faire faire son droit à l'Université de Dublin. Jimmy n'y fut pas très studieux, et tourna mal un temps. Il avait de l'argent et du succès ; et il se partageait, curieusement, entre le monde musical et celui de l'automobile. Puis on l'avait envoyé à Cambridge pendant un trimestre, pour qu'il voie un peu le monde. Son père avait payé ses dettes et l'avait ramené, le morigénant, mais secrètement fier de ses excès. C'est à Cambridge qu'il avait rencontré Ségouin. Pour l'instant, ce n'était guère qu'une relation, mais Jimmy prenait grand plaisir à la société d'un homme qui avait tant vécu et voyagé, et passait pour être le propriétaire de quelques-uns des plus grands hôtels de France. C'était une relation qui en valait la peine (son père en était convenu), indépendamment du fait que c'était un charmant compagnon. Villona aussi était charmant — un brillant pianiste — mais malheureusement très pauvre.

La voiture roulait joyeusement, chargée de toute cette jeunesse déchaînée. Les deux cousins étaient assis devant ; Jimmy et son ami hongrois étaient derrière. Villona était vraiment très en train ; il maintint pendant des kilomètres une mélodie en basse profonde, bouche fermée. Les Français lançaient par-dessus leur épaule leurs rires et leurs bons mots, et Jimmy devait souvent se pencher en avant pour saisir tel trait rapide. Ce n'était pas particulièrement agréable : il lui fallait presque toujours deviner le sens prestement avant de lancer contre le vent violent une réponse appropriée. D'ailleurs le chantonnement de Villona aurait gêné n'importe qui ; sans parler du bruit du moteur.

La vitesse, l'espace vous grisent ; la notoriété également et aussi la fortune. Il y avait là trois bonnes raisons pour expliquer l'excitation de Jimmy. De nombreux amis l'avaient vu ce jour-là en compagnie de ces étrangers venus du Continent. Au contrôle, Ségouin l'avait présenté à l'un des concurrents français et, en réponse à un compliment vaguement bredouillé, le visage bronzé du conducteur avait découvert une rangée de dents éblouissantes. Il était agréable, après cet honneur, de retrouver le monde profane des spectateurs, de les voir échanger coups de coude ou regards entendus. Quant à l'argent, il en avait vraiment une grosse somme à sa disposition. Pour Ségouin, ce n'était peut-être pas une grosse somme, mais Jimmy qui, en dépit d'erreurs passagères, avait hérité d'instincts robustes, savait quelle peine il avait fallu prendre pour la rassembler. C'est pourquoi jusqu'ici ses dettes n'avaient jamais dépassé les limites d'une raisonnable insouciance et, s'il avait été tellement conscient du labeur représenté par l'argent lorsqu'il s'était agi tout au plus de fantaisies nées du raffinement de l'esprit, il l'était bien plus encore maintenant, au moment où il allait mettre en jeu la plus grande partie de son bien ! Il s'agissait pour lui d'une chose sérieuse.

Bien sûr, c'était un bon investissement et, Ségouin en avait habilement donné l'impression, c'était par pure amitié que le petit apport d'argent irlandais allait être accepté dans le capital de l'entreprise. Jimmy respectait la sagacité paternelle en matière d'affaires, et cette fois-ci son père avait été le premier à suggérer l'investissement ; placer de l'argent dans les automobiles, c'est en ramasser à la pelle. De plus, Ségouin était riche, il n'y avait pas à s'y tromper. Jimmy se mit à calculer mentalement le nombre de jours de travail représenté par la voiture princière dans laquelle il se trouvait. Comme elle roulait bien ! Avec quel brio ils avaient filé sur les routes de campagne ! Cette équipée, magiquement, vous permettait de sentir battre sous vos doigts la vraie vie, et la machine humaine aux nerfs tendus s'efforçait courageusement de répondre aux élans du prompt animal bleu.

Ils descendirent Dame Street. La circulation y était d'une animation insolite, et les cornes des voitures aussi bruyantes que les cloches des conducteurs de tramways impatients. Près de la Banque d'Irlande, Ségouin s'arrêta pour déposer Jimmy et son ami. Un petit groupe se rassembla sur le trottoir pour rendre hommage à l'engin ronflant. Toute la bande dînait ce soir-là à l'hôtel de Ségouin et, dans l'intervalle, Jimmy et son ami, qui était son hôte, devaient retourner s'habiller. La voiture démarra lentement en direction de Grafton Street, tandis que les deux jeunes gens se frayaient un chemin à travers le groupe de badauds. Ils se dirigèrent vers le nord à pied, étrangement désenchantés par cet exercice physique, cependant que

la ville suspendait au-dessus d'eux ses pâles globes
de lumière dans la brume de ce soir d'été.

Dans la famille de Jimmy, on avait fait de ce
dîner une grande affaire. À l'agitation de ses
parents se mêlait une certaine fierté, un certain
désir impatient de jouer sur tous les tableaux, car
le nom des métropoles étrangères possède au
moins cette vertu. À vrai dire, Jimmy ne manquait
pas d'allure en tenue de soirée et, au moment où,
dans le vestibule, il assurait à son nœud blanc un
équilibre savant, son père aurait pu à bon droit, du
simple point de vue commercial, se féliciter de lui
avoir assuré des mérites qui souvent ne s'achètent
pas. Son père fut donc exceptionnellement aimable
avec Villona, et ses manières traduisirent un réel
respect pour les talents étrangers ; mais ces
nuances échappèrent probablement au Hongrois
qui commençait à avoir le plus vif désir de se
mettre à table.

Le dîner fut excellent, recherché. Jimmy décréta
que Ségouin avait un goût très raffiné. Le groupe
s'adjoignit un jeune Anglais du nom de Routh, que
Jimmy avait vu avec Ségouin à Cambridge. Les
jeunes gens soupèrent dans un cabinet particulier
dont les bougeoirs étaient montés à l'électricité. Ils
étaient volubiles et peu réservés. Jimmy, dont
l'imagination s'enflammait, voyait la vivacité juvé-
nile des Français venir orner, tel un lierre élégant,
la robustesse fondamentale des manières anglaises.
Image gracieuse qu'il avait eue là, pensait-il, et
juste, au demeurant. Il admirait la dextérité avec

laquelle leur hôte dirigeait la conversation. Les cinq jeunes gens avaient des goûts variés, et leur langue s'était déliée. Villona, avec un respect infini, entreprit de faire découvrir à l'Anglais quelque peu étonné les beautés du madrigal, et déplora la disparition des instruments anciens. Rivière, non sans arrière-pensées, se mit à expliquer à Jimmy le triomphe des mécaniciens français. La voix sonore du Hongrois occupé à ridiculiser les luths purement imaginaires des peintres romantiques allait noyer toutes les autres lorsque Ségouin poussa son monde vers la politique. C'était là un sujet attrayant pour tous. Jimmy, sous l'empire d'influences généreuses, sentit se réveiller le zèle que son père avait jadis éteint en lui-même : il finit par faire perdre son flegme à Routh. L'atmosphère s'en échauffa d'autant, et la tâche de Ségouin se fit de minute en minute plus difficile : on courait même le risque de voir les choses prendre une allure personnelle. L'hôte saisit vivement une occasion de lever son verre à l'Humanité puis, le toast porté, ouvrit tout grand une fenêtre d'un air entendu.

Cette nuit-là, la ville avait pris masque de capitale. Les cinq jeunes gens s'en furent à pied le long de Stephen's Green, enveloppés d'un léger nuage de fumée aromatique. Ils parlaient haut et gaiement, la cape de soirée jetée sur les épaules. Les passants faisaient place devant eux. Au coin de Grafton Street, un petit homme rond faisait monter deux fort belles dames dans une voiture conduite par un autre homme corpulent. La voiture démarra et le petit homme rond aperçut le groupe.

— André.

— Mais c'est Farley !

Et ce fut un torrent de paroles. Farley était américain. Personne ne savait au juste de quoi il était question. Villona et Rivière étaient les plus bruyants, mais l'animation était générale. Ils montèrent dans une voiture, s'entassant et s'esclaffant. Ils s'en allèrent, longeant la foule, maintenant fondue en touches de couleurs délicates, accompagnés par un joyeux concert de grelots. Ils prirent le train à Westland Row et quelques secondes plus tard, sembla-t-il à Jimmy, ils sortaient de la gare de Kingstown. Le contrôleur salua Jimmy ; c'était un vieil homme :

— Belle soirée, monsieur !

C'était une paisible nuit d'été ; le port, à leurs pieds, était un miroir enténébré. C'est là qu'ils se dirigèrent, bras dessus, bras dessous, chantant en chœur *Cadet Rousselle,* tapant du pied à chaque refrain :

— *Ho ! Ho ! Hohé, vraiment !*

À la cale, ils montèrent dans un canot à rames et se dirigèrent vers le yacht de l'Américain. On devait y trouver souper, musique, cartes. Villona dit d'un ton pénétré :

— C'est magnifique !

Il y avait un petit piano dans la cabine. Villona joua une valse pour Farley et Rivière, Farley fai-

sant le cavalier et Rivière la cavalière. Puis ce fut
un quadrille impromptu, avec invention de figures
nouvelles. Quelle franche gaieté ! Jimmy ne laissait
sa place à personne ; au moins, voilà qui était
vivre ! Puis Farley s'essouffla et cria : « On
s'arrête ! » Un homme apporta un souper léger, et
les jeunes gens prirent place autour de la table,
pour la forme. On fit cependant honneur aux boissons : c'était la vraie vie de bohème. On but à l'Irlande, à l'Angleterre, à la France, à la Hongrie, aux
États-Unis d'Amérique. Jimmy fit un discours, un
long discours, scandé à chaque pause par les
Bravo ! Bravo ! de Villona. Il s'assit, très applaudi.
Il avait dû être éloquent. Farley lui donna une tape
dans le dos et rit très fort. Quels joyeux compagnons ! Et quels bons moments on passait
ensemble !

Des cartes ! Des cartes ! On débarrassa la table.
Villona retourna discrètement à son piano et joua
pour eux à sa fantaisie. Les autres jouaient partie
sur partie, se lançant hardiment dans l'aventure. Ils
burent à la santé de la Reine de Cœur et à celle de
la Reine de Carreau. Jimmy regrettait obs-
curément qu'il n'y eût pas d'auditoire pour apprécier tous les traits d'esprit qui fusaient. On jouait
gros et du papier commença à circuler. Jimmy ne
savait pas exactement qui gagnait, mais savait qu'il
était en train de perdre. C'était pourtant bien sa
faute, car il confondait souvent ses cartes, et les
autres devaient calculer pour lui ses reconnais-
sances de dettes. Ils avaient le diable au corps, mais

il aurait aimé que l'on s'arrêtât : il se faisait tard. Quelqu'un leva son verre au yacht, *La Belle de Newport,* puis quelqu'un proposa que pour finir on fasse une grande partie.

Le piano s'était arrêté ; Villona avait dû monter sur le pont. Ce fut une partie acharnée. Ils s'arrêtèrent juste avant la fin pour boire à leur chance. Jimmy comprenait que la partie se jouait entre Routh et Ségouin. Qu'ils étaient donc surexcités ! Jimmy l'était aussi ; il perdrait, bien sûr. Pour combien avait-il signé ? Les hommes se levèrent pour jouer les dernières levées, parlant et gesticulant. Ce fut Routh qui gagna. La cabine trembla sous les hourras des jeunes gens et l'on rassembla les cartes. Puis ils se mirent à ramasser leurs gains. Farley et Jimmy étaient les plus gros perdants.

Il savait qu'au matin il aurait des regrets, mais pour l'instant il était heureux de ce répit, heureux de cette sombre stupeur qui allait dissimuler son coup de folie. S'accoudant sur la table, il se prit la tête entre les mains, comptant les pulsations de ses tempes. La porte de la cabine s'ouvrit et il vit le Hongrois debout dans un faisceau de lumière grise :

— Messieurs, le jour se lève !

Deux galants

Le soir d'août, gris et tiède, était descendu sur la ville, un air doux et tiède, souvenir de l'été, circulait dans les rues. Celles-ci, tous volets tirés pour le repos du dimanche, grouillaient d'une foule aux vives couleurs. Telles des perles illuminées, les lampes brillaient du haut de leurs grands mâts, éclairaient la vivante texture aux formes et aux nuances sans cesse changeantes, qui faisait monter dans l'air gris et tiède du soir un incessant murmure, toujours le même.

Deux jeunes gens descendaient la côte de Rutland Square. L'un d'entre eux achevait à l'instant un long monologue. L'autre, qui marchait sur le bord du trottoir, et que la muflerie de son compagnon obligeait parfois à faire un pas sur la chaussée, avait une expression attentive et amusée. Il était courtaud et coloré. Sa casquette de marin était rejetée loin en arrière et, au récit qu'il écoutait, des jeux de physionomie naissaient aux coins de ses yeux, de sa bouche et de son nez et défer-

laient sur son visage. De petites explosions de rire
se succédaient, fusant de son corps convulsé. Ses
yeux, qui pétillaient d'un plaisir rusé, se tournaient
à tout instant vers le visage de son compagnon.
Une ou deux fois il remit en place le léger imperméable qu'il avait jeté sur une épaule, à la toréa-
dor. Ses culottes de golf, ses chaussures blanches
en caoutchouc et cette manière dégagée de porter
son imperméable exprimaient la jeunesse. Mais la
silhouette s'arrondissait à la taille, le cheveu était
rare et gris, et le visage, quand cessaient les jeux de
physionomie, avait un air ravagé.

Lorsqu'il fut sûr d'avoir entendu la fin du récit, il
se mit à rire silencieusement pendant une bonne
demi-minute. Puis il dit :

— Eh bien !... Ça, c'est la meilleure !

Sa voix était faible, comme épuisée ; et pour
donner plus de force à ses paroles, il ajouta sur un
ton humoristique :

— Oui, c'est la meilleure de toutes, la seule et
unique en son genre, et, si j'ose dire, la plus *recher-
chée.*

Ayant dit, il devint sérieux et se tut. Il avait la
langue fatiguée d'avoir parlé tout l'après-midi dans
un pub de Dorset Street. La plupart des gens consi-
déraient que Lenehan était un parasite, mais en
dépit de cette réputation, son savoir-faire et son
éloquence avaient toujours empêché ses amis
d'adopter contre lui une politique concertée. C'est
d'un air décidé qu'il abordait un de leurs groupes
dans un bar et, agile, se maintenait à ses confins

jusqu'au moment où on l'englobait dans une tournée. Il passait son temps à traîner sur les champs
de courses, muni d'un stock imposant de bonnes
histoires, de limericks[1] et de devinettes. Aucun
affront ne l'atteignait. Personne ne savait comment
il faisait face aux dures nécessités de l'existence,
mais son nom était vaguement associé à des tuyaux
de courses.

— Et où l'as-tu levée, Corley ? demanda-t-il.

Corley passa rapidement sa langue sur sa lèvre
supérieure.

— Mon vieux, dit-il, un soir, je passais dans
Dame Street, et je repère une belle poule sous
l'horloge de Waterhouse, alors je lui dis bonsoir, tu
vois le genre. Alors on est allés se promener le long
du canal et elle m'a dit qu'elle était boniche dans
une maison de Baggot Street. Ce soir-là, je l'ai
prise par la taille et un peu serrée de près. Et puis
le dimanche suivant, mon vieux, je la retrouve, sur
rendez-vous. On est allés du côté de Donnybrook
et je l'ai emmenée dans un champ. Elle m'a dit
qu'avant elle allait avec un laitier... Je me suis pas
embêté, mon vieux. Des cigarettes tous les soirs
qu'elle m'apportait, et elle payait le tram, aller et
retour. Un soir, elle m'a même apporté deux
cigares, sacrément bons. Oh, des fameux, tu sais,
de ceux que le vieux fumait... J'avais peur qu'elle
tombe enceinte, mon vieux. Mais elle est à la coule.

---

1. Court poème à forme fixe, du genre *nonsense,* assez
souvent grivois.

— Elle croit peut-être que tu vas l'épouser, dit Lenehan.

— Je lui ai dit que j'étais sans situation, dit Corley. Je lui ai dit que j'avais travaillé chez Pim. Elle ne sait pas mon nom. Pas assez fou pour le lui dire. Mais elle pense que je suis pas n'importe qui, tu sais.

Lenehan rit à nouveau, silencieusement.

— De toutes les bonnes histoires que j'aie jamais entendues, il n'y a pas à dire, c'est vraiment la meilleure !

Corley accusa le compliment en allongeant le pas. Le balancement de son corps massif obligea son ami à exécuter quelques sautillements entre le trottoir et la chaussée. Corley était le fils d'un inspecteur de police, dont il avait hérité la charpente et la démarche. Il allait les mains au corps, très droit, en dodelinant de la tête. Il avait une grosse tête globuleuse et huileuse ; elle transpirait par tous les temps, et son grand chapeau rond, posé de travers, donnait l'impression d'un bulbe qui aurait poussé sur un autre. Il regardait toujours droit devant lui, comme s'il était à la parade, et lorsqu'il voulait suivre quelqu'un du regard dans la rue, il lui fallait tourner tout le corps à partir des hanches. Présentement il traînait en ville. Quand une situation se trouvait vacante il y avait toujours un ami prêt à lui annoncer la mauvaise nouvelle. On le voyait souvent se promener avec des policiers en civil, lancé dans de graves discussions. Il connaissait les dessous de toutes les affaires et aimait porter des jugements définitifs. Il parlait sans écouter ce que les autres disaient. Sa conversation portait principalement sur lui-même : ce qu'il avait dit à telle personne et ce qu'elle lui avait répondu et ce qu'il avait dit pour clore le débat. Lorsqu'il rapportait ces dialogues, il aspirait la première lettre de son nom, à la manière des Florentins[1].

Lenehan offrit une cigarette à son ami. Tandis que les deux jeunes gens marchaient dans la foule, Corley se tournait parfois pour sourire à quelque jeune passante, mais le regard de Lenehan était fixé sur la grande lune pâle cernée d'un double halo. Il observait d'un air pénétré la façon dont le voile gris du crépuscule passait sur son disque. Il finit par dire :

— Eh bien... dis donc, Corley, je pense que tu arriveras à régler ça, pas vrai ?

Corley lui répondit d'un clin d'œil expressif.

— Tu crois qu'elle sera à la hauteur ? demanda Lenehan, d'un air dubitatif. On ne sait jamais, avec les femmes.

— Elle ne fera pas d'histoires, dit Corley. Je sais comment la prendre, mon vieux. Elle a le béguin pour moi.

— Tu es vraiment un joyeux drille, dit Lenehan. Et un drille qui est à la hauteur, par-dessus le marché !

Une ombre de moquerie rachetait ce que sa

1. C'est-à-dire « Horley », ou « Whorley », dans lequel on entend « whore », putain, à une forme adverbiale.

manière avait de servile. Pour sauver la face, il s'arrangeait toujours pour que ses flatteries pussent être entendues comme des railleries. Mais Corley n'avait pas l'esprit subtil.

— Rien ne vaut une boniche qui marche, affirma-t-il. Tu peux m'en croire.

— Croyez-en quelqu'un qui les a toutes essayées, dit Lenehan.

— Au début, dit Corley en confidence, j'allais avec des filles, tu sais, des filles des faubourgs. Je les sortais, mon vieux, on prenait le tram, et c'est moi qui payais, ou bien je les emmenais écouter un orchestre ou voir une pièce de théâtre ; ou bien encore je leur offrais des chocolats et des bonbons, des trucs comme ça. Oui, elles me coûtaient bel et bien de l'argent, ajouta-t-il avec conviction, comme s'il avait conscience qu'on ne le croyait pas.

Mais Lenehan était prêt à le croire ; il opina de la tête gravement.

— Je connais ce petit jeu, dit-il, et on s'y fait toujours avoir.

— Et c'est bien le diable si j'en ai jamais tiré quelque chose, dit Corley.

— Idem pour moi, dit Lenehan.

— Sauf pour ce qui est d'une.

D'un coup de langue, il humecta sa lèvre supérieure. Ce souvenir lui fit briller les yeux. Lui aussi fixa le disque pâle de la lune, maintenant presque voilé, et parut méditer.

— Elle était... un peu là, dit-il sur un ton de regret.

Il se tut de nouveau, puis il reprit :

— Elle fait le tapin maintenant. Je l'ai vue en voiture un soir, descendant Earl Street avec deux types.

— J'imagine que c'est ta faute.

— Y en a d'autres qui s'étaient occupés d'elle avant moi, dit Corley avec philosophie.

Cette fois, Lenehan avait tendance à être sceptique. Il hocha la tête et sourit.

— Tu sais que tu peux pas m'en raconter, Corley, dit-il.

— Je te le jure ! dit Corley. Est-ce qu'elle me l'a pas dit elle-même ?

Lenehan prit une attitude tragique.

— Vil traître ! dit-il.

Lorsqu'ils passèrent près des grilles de Trinity College, Corley sauta rapidement dans la rue pour jeter un coup d'œil à l'horloge.

— Vingt, dit-il.

— On a le temps, dit Corley. Elle y sera, pas de problème. Je la fais toujours poireauter un peu.

Lenehan rit doucement.

— Morbleu ! Corley, tu sais comment les prendre, dit-il.

— Je connais tous leurs petits tours, avoua Corley.

— Mais, dis-moi, reprit Lenehan, es-tu sûr que tu pourras arranger ça ? Tu sais que c'est délicat. Elles sont sacrément regardantes là-dessus. Hein ?... Non ?

Ses petits yeux brillants scrutaient le visage de

son compagnon pour se rassurer. Corley balança la tête d'un côté et de l'autre, comme pour se débarrasser d'un insecte obstiné, et ses sourcils se froncèrent.

— Je réglerai ça, dit-il. Je crois que tu peux me laisser faire, non ?

Lenehan n'insista pas. Il ne voulait pas irriter son ami, être envoyé au diable, et s'entendre dire qu'on ne lui demandait pas son avis. Il fallait un peu de tact. Mais le front de Corley se rasséréna bientôt. Ses pensées suivaient un autre cours.

— C'est une chouette poule, dit-il d'un air connaisseur ; ça, on peut le dire.

Ils suivirent Nassau Street, puis tournèrent dans Kildare Street. Non loin de l'entrée du club, un harpiste jouait dans la rue debout au milieu d'un petit cercle d'auditeurs. Il pinçait les cordes, insoucieux, jetant de temps en temps un coup d'œil rapide vers le visage de chaque nouveau venu et de temps en temps, d'un air également fatigué, vers le ciel. Sa harpe aussi, insoucieuse d'avoir la housse rejetée sur les genoux, semblait lasse des yeux des étrangers comme des mains de son maître. Une de celles-ci jouait sur la basse l'air de : *Silent, O Moyle*, tandis que l'autre courait dans l'aigu après chaque groupe de notes. Les notes de la mélodie palpitaient graves et pleines.

Les deux jeunes gens remontèrent la rue sans parler, suivis par la musique mélancolique. Lorsqu'ils atteignirent Stephen's Green ils traversèrent la rue. Là, le bruit des trams, les lumières et la foule les délivrèrent de leur silence.

— La voilà ! dit Corley.

Au coin de Hume Street se tenait une jeune femme. Elle portait une robe bleue et un canotier blanc. Elle se tenait au bord du trottoir, balançant d'une main une ombrelle. Lenehan s'anima.

— Allons la reluquer, Corley, dit-il.

Corley jeta un coup d'œil en coin à son ami et un rictus déplaisant apparut sur son visage.

— Est-ce que tu essayerais de me doubler ? demanda-t-il.

— Bon Dieu, dit Lenehan, je ne demande pas à être présenté. Tout ce que je veux, c'est la regarder. Je ne vais pas la manger.

— Ah... La regarder ? dit Corley, plus aimable. Bon... alors écoute. Je vais traverser et lui parler, et tu pourras passer.

— Bon, dit Lenehan.

Corley avait déjà à demi enjambé les chaînes, quand Lenehan lui cria :

— Et ensuite ? Où est-ce qu'on se retrouve ?

— Dix heures et demie, répondit Corley, en passant l'autre jambe.

— Où ?

— Coin de Merrion Street. On reviendra par là.

— Allons, fais du bon travail, dit Lenehan en guise d'adieu.

Corley ne répondit pas. Il traversa la rue d'un pas désinvolte, dodelinant de la tête de côté et d'autre... Sa corpulence, son allure souple et le bruit plein de ses chaussures sur le sol avaient quelque chose de conquérant. Il aborda la jeune femme et, sans la saluer, se mit tout de suite à lui parler. Elle balança son ombrelle plus rapidement et exécuta des demi-tours sur les talons. Une ou deux fois, alors qu'il lui parlait de près, elle rit et baissa la tête.

Lenehan les observa pendant quelques minutes. Puis il avança rapidement le long des chaînes jusqu'à une certaine distance et traversa la rue en oblique. En approchant du coin de Hume Street, il s'aperçut que l'air était très parfumé, et ses yeux vifs, inquiets, détaillèrent l'aspect extérieur de la jeune femme. Elle avait sa toilette des dimanches. Sa jupe de serge bleue était retenue à la taille par une ceinture de cuir noir dont la grande boucle d'argent semblait lui creuser le milieu du corps, serrant comme une pince la légère étoffe blanche de son corsage. Elle portait une courte jaquette noire ornée de boutons de nacre, et un boa noir dépenaillé. Les bords de sa collerette de tulle étaient dans un savant désordre, et un gros bouquet de fleurs rouges était piqué, tiges en l'air, dans son corsage. Lenehan eut un regard approbateur pour son petit corps robuste et musclé. Son visage éclatait de santé rustique avec ses bonnes joues rouges et ses yeux imperturbables. Les traits étaient épais. Elle avait de larges narines, une bouche interminable s'ouvrant en un sourire béat et polisson sur deux dents en saillie. En passant devant eux, Lenehan ôta sa casquette, et au bout d'environ dix secondes Corley lui rendit son salut dans le vide. Opération qui consista à lever la main vaguement et à changer pensivement l'angle de son chapeau.

Lenehan marcha jusqu'à l'Hôtel Shelbourne, puis s'arrêta et attendit. Au bout d'un petit moment, il les vit venir vers lui et, lorsqu'ils tournèrent à droite, il les suivit le long de Merrion Square, avançant d'un pas léger dans ses chaussures blanches. Tout en marchant lentement, à une allure qu'il réglait sur la leur, il observait la tête de Corley, qui à chaque instant se tournait vers le visage de la jeune femme comme une grosse balle montée sur un pivot. Il suivit le couple des yeux jusqu'à ce qu'il l'eût vu monter les marches du tram de Donnybrook ; il fit alors demi-tour et revint sur ses pas.

Maintenant qu'il était seul, il faisait plus âgé de visage. Sa gaieté semblait l'abandonner et, en longeant les grilles de Duke's Lawn, il laissa courir sa main sur elles. L'air que le harpiste avait joué se mit à gouverner ses mouvements. Ses pas feutrés donnaient la mélodie, cependant que ses doigts désœuvrés égrenaient une gamme de variations sur les grilles après chaque groupe de notes.

L'esprit ailleurs, il fit le tour de Stephen's Green et descendit Grafton Street. Si ses yeux enregistraient de nombreux eléments de la foule qu'il traversait, c'était avec morosité. Il trouvait proprement trivial ce qui se proposait de le charmer et il ne répondait pas aux regards l'invitant à la hardiesse. Il savait qu'il faudrait parler d'abondance, être inventif, amuser, et son cerveau comme sa gorge étaient trop desséchés pour pareille tâche. Un problème le chiffonnait : comment passer les heures jusqu'à son rendez-vous avec Corley ? Il ne voyait qu'une seule solution : continuer à marcher. Il tourna à gauche en arrivant au coin de Rutland Square et se sentit plus à l'aise dans la rue tranquille et obscure, dont l'aspect sombre s'accordait à son humeur. Il fit halte enfin devant la vitrine d'une boutique de piètre apparence surmontée du mot : *Buvette* en lettres blanches. Sur la vitre se lisaient deux inscriptions hâtives : *Ginger Beer* et *Ginger Ale*. Un jambon entamé était exposé sur un grand plat bleu, à côté d'une assiette contenant un segment de plum-pudding très léger. Il contempla ces nourritures gravement pendant un certain temps, puis, ayant jeté un regard circonspect à droite et à gauche, il entra rapidement dans la boutique.

Il avait faim, car, à l'exception de quelques biscuits que sur sa demande deux « desserveurs[1] » lui avaient apportés de mauvaise grâce, il n'avait rien mangé depuis le petit déjeuner. Il s'assit à une table de bois sans nappe en face de deux ouvrières et d'un mécano. Une souillon vint prendre la commande.

— C'est combien, une assiette de pois ?

— Trois demi-pence, monsieur, dit la fille.

---

1. *Curate,* vicaire, désigne en argot de Dublin un garçon de bar. Il a paru intéressant de fabriquer un « mot-valise » avec « serveur » et « desservant ».

— Apportez-moi une assiette de pois, dit-il, et une bouteille de ginger beer.

Il parlait sur un ton rude afin de démentir son air bourgeois car les conversations s'étaient interrompues à son entrée. Il avait le sang au visage. Pour faire plus naturel, il repoussa sa casquette en arrière et planta ses coudes sur la table. Le mécano et les deux ouvrières l'examinèrent en détail avant de reprendre la conversation à voix plus basse. La fille lui apporta une assiette brûlante de pois cassés assaisonnés de poivre et de vinaigre, une fourchette, et sa bière au gingembre. Il mangea goulûment et trouva la nourriture si bonne qu'il nota mentalement l'adresse de la boutique. Quand il eut fini, il sirota sa bière et resta un moment à penser à l'aventure de Corley. Il voyait en pensée les deux amants marcher sur une route sombre ; il entendait la voix grave de Corley lancer d'énergiques galanteries et revoyait le sourire polisson de la jeune femme. Cette vision lui fit éprouver avec acuité son propre manque d'argent et de vitalité. Il était las de rouler sa bosse, de tirer le diable par la queue, las des expédients et des intrigues. Il aurait trente et un ans en novembre. N'aurait-il jamais une bonne situation ? N'aurait-il jamais un foyer ? Qu'il serait donc agréable de s'asseoir près d'un bon feu, à une table bien garnie, se disait-il. Il avait traîné assez longtemps dans les rues avec des amis et avec des filles. Il savait ce que valaient ces amis ; quant aux filles, il les connaissait aussi. L'expérience l'avait rempli d'aigreur contre le monde.

Mais il n'avait pas perdu tout espoir. Maintenant qu'il avait mangé, il se sentait mieux qu'avant, moins las de sa vie, moins abattu. Il pourrait peut-être encore trouver à s'établir dans un coin tranquille et à vivre heureux, si seulement il pouvait rencontrer une bonne fille simplette avec un peu de répondant.

Il paya deux pence et demi à la souillon et, sortant de la boutique, recommença ses pérégrinations. Il prit Capel Street, marchant en direction du City Hall. Puis il tourna dans Dame Street. Au coin de George's Street, il rencontra deux de ses amis et s'arrêta pour leur parler. Il était heureux de pouvoir se reposer de toutes ses déambulations. Ses amis lui demandèrent s'il avait vu Corley, et ce qu'il y avait de neuf. Il répondit qu'il avait passé la journée avec Corley. Ses amis parlèrent peu. Ils regardaient d'un air absent quelques silhouettes dans la foule, émettant parfois une remarque critique. L'un d'entre eux dit avoir vu Mac une heure auparavant dans Westmoreland Street. Sur quoi Lenehan répliqua qu'il était avec Mac la veille au soir chez Egan. Celui qui avait vu Mac dans Westmoreland Street demanda si c'était vrai que Mac s'était fait du fric sur une partie de billard. Lenehan ne savait pas : il dit que Holohan leur avait payé une tournée chez Egan.

Il quitta ses amis à dix heures moins le quart et remonta George's Street. Il tourna à gauche aux City Markets et continua jusqu'à Grafton Street. La foule des filles et des jeunes gens était maintenant clairsemée et en remontant la rue il entendit les adieux de groupes et de couples nombreux. Il alla jusqu'à l'horloge du College of Surgeons : il était dix heures tapantes. D'un pas vif, il se mit à longer Stephen's Green du côté nord, se dépêchant de peur que Corley ne revînt trop tôt. Ayant atteint le coin de Merrion Street, il se posta dans l'ombre d'un réverbère, sortit une des cigarettes qu'il avait mises en réserve et l'alluma. Appuyé contre le réverbère, il ne quittait pas des yeux le secteur d'où il comptait voir revenir Corley et la jeune femme.

Son esprit reprit son activité. Il se demandait si Corley avait réussi le coup. Il se demandait si celui-ci avait déjà posé la question ou s'il attendrait le dernier moment. Il éprouvait toutes les angoisses et les frissons tenant à la situation de son ami, aussi bien que ceux de la sienne propre. Mais le souvenir de la tête de Corley et de son lent pivotement le rasséréna quelque peu : il était sûr que Corley réglerait ça. Il eut tout à coup l'idée que Corley l'avait peut-être raccompagnée par un autre chemin et lui posait un lapin, à lui. Ses yeux fouillèrent la rue : aucun signe de leur présence. Pourtant il y avait sûrement une demi-heure qu'il avait vu l'horloge du College of Surgeons. Est-ce que Corley serait capable de faire une chose comme ça ? Il alluma sa dernière cigarette et se mit à la fumer nerveusement. Il observait intensément chaque tram qui s'arrêtait à l'autre coin de la place. Ils avaient dû rentrer par un autre chemin. Le papier de sa cigarette se déchira et il la jeta sur la chaussée avec un juron.

Tout d'un coup, il les vit venir vers lui. Il eut un sursaut d'intense satisfaction et, sans s'éloigner de son réverbère, essaya de lire dans leur démarche le résultat de l'opération. Ils marchaient rapidement, la jeune femme à petits pas pressés, tandis que Corley l'accompagnait à longues enjambées. Ils ne semblaient pas se parler. Un pressentiment du résultat le piqua, tel la pointe d'un instrument aigu. Il savait que Corley échouerait ; il savait qu'il n'y avait rien à faire.

Ils tournèrent dans Baggot Street et il les suivit immédiatement, prenant l'autre trottoir. Quand ils s'arrêtèrent, il s'arrêta aussi. Ils parlèrent quelques instants et puis la jeune femme descendit l'escalier de service d'une maison. Corley restait debout au bord du trottoir, à une certaine distance du perron. Quelques minutes s'écoulèrent. Puis la porte d'entrée s'ouvrit lentement, avec précaution. Une femme descendit les marches en courant et toussota. Corley se retourna et se dirigea vers elle. Sa large silhouette la cacha pendant quelques secondes, puis elle reparut, montant les marches en courant. La porte se referma sur elle et Corley se mit à marcher rapidement en direction de Stephen's Green.

Lenehan se hâta dans la même direction. Quelques gouttes d'une pluie légère tombèrent. Il y vit un avertissement et, jetant derrière lui un coup d'œil vers la maison où la jeune femme était entrée, pour s'assurer qu'il n'était pas observé, il traversa la rue avidement. L'anxiété, la course rapide le faisaient haleter. Il cria :

— Hep, Corley !

Corley tourna la tête pour voir qui l'avait appelé, puis poursuivit sa marche comme si de rien n'était. Lenehan courut après lui, maintenant d'une main son imperméable sur ses épaules.

— Hep, Corley ! cria-t-il à nouveau.

Il rejoignit son ami et scruta son visage. Il ne put rien y voir.

— Alors ? dit-il. Ça a marché ?

Ils avaient atteint le coin de Ely Place. Ne répondant toujours pas, Corley vira à gauche pour remonter la rue adjacente. Il s'était composé un visage calme et sévère. Lenehan restait à la hauteur de son ami, respirant malaisément. Il était dérouté et une note menaçante perçait dans sa voix.

— Tu ne peux pas répondre, non ? dit-il. Est-ce que tu l'as tâtée ?

Corley s'arrêta au premier réverbère et regarda droit devant lui d'un air sinistre. Puis, en un geste grave, il étendit une main vers la lumière et, souriant, l'ouvrit lentement sous le regard de son disciple. Une petite pièce d'or brillait dans sa paume.

La pension de famille

Mrs Mooney était la fille d'un boucher. C'était une femme fort capable de garder les choses pour elle : une femme déterminée. Elle avait épousé le premier garçon de son père et ouvert une boucherie près de Spring Gardens. Mais dès la mort de son beau-père Mr Mooney commença à mal tourner. Il buvait, tapait dans la caisse, s'enfonçait dans les dettes jusqu'au cou. Inutile de lui faire faire vœu de tempérance : on pouvait être sûr que ça repartirait quelques jours plus tard. À force de se colleter avec sa femme devant les clients et d'acheter de la mauvaise viande, il coula son commerce. Une nuit, il la menaça avec le couperet et elle dut aller coucher chez des voisins.

Après cela, ils vécurent chacun de leur côté. Elle alla voir le curé, et obtint la séparation avec la garde des enfants. Elle refusa à son mari argent, nourriture et gîte ; et c'est ce qui l'obligea à s'engager comme commis d'huissier. C'était un petit ivrogne tout voûté, miteux, avec un visage blanc, des moustaches blanches, des sourcils blancs tracés fin au-dessus de petits yeux injectés de sang et comme à vif ; et il passait toute la journée assis dans le bureau de l'huissier, attendant de se voir mis sur une affaire. Mrs Mooney, qui avait retiré de la boucherie les restes de son avoir et monté une pension de famille dans Hardwicke Street, était une grande femme imposante. Sa maison abritait une population flottante composée de touristes de Liverpool et de l'île de Man, et, de temps à autre, d'*artistes* de music-hall. Sa population permanente se composait d'employés de bureau. Elle gouvernait sa maison avec sagacité et fermeté, sachant quand il fallait faire crédit, ou tenir bon, ou encore fermer les yeux. Tous les jeunes messieurs l'appelaient *La Patronne*.

Les jeunes messieurs de Mrs Mooney payaient quinze shillings de pension par semaine (indépendamment de la bière, blonde ou brune, du dîner). Ils avaient mêmes goûts et mêmes occupations et pour cette raison étaient très copains. Ils discutaient les chances des favoris et des outsiders. Jack Mooney, le fils de la Patronne, employé chez un commissionnaire de Fleet Street, avait une réputation de mauvais sujet. Il aimait jurer comme un troupier et rentrait d'ordinaire au petit matin. Quand il rencontrait des amis, il en avait toujours une bien bonne à leur raconter et on pouvait être sûr qu'il avait un fin tuyau — concernant les espoirs à fonder sur tel cheval ou telle *artiste*... Il savait aussi se servir de ses poings et chantait des chansons comiques d'étudiants. On se réunissait

souvent le dimanche soir dans le salon de
Mrs Mooney. Les *artistes* du music-hall y allaient
de leur couplet ; Sheridan jouait valses et polkas, et
improvisait des accompagnements. Polly Mooney,
la fille de la Patronne, chantait elle aussi. Par
exemple :

> Je suis une fille... comme ça.
> N'faites pas semblant :
> Vous n'savez que ça !

Polly était une mince adolescente de dix-neuf
ans ; elle avait des cheveux clairs et flous, et une
petite bouche pulpeuse. Ses yeux, gris avec un
soupçon de vert, ne manquaient jamais, lorsqu'elle
parlait à quelqu'un, de regarder en l'air, la faisant
ressembler à une petite madone perverse.
Mrs Mooney avait d'abord placé sa fille comme
dactylo dans les bureaux d'un marchand de grains,
mais étant donné qu'un commis d'huissier perdu
de réputation avait pris l'habitude de venir tous les
deux jours demander la permission de dire un mot
à sa fille, elle l'avait reprise chez elle pour remplir
des tâches domestiques. Polly étant très vive, le
projet était de la laisser se débrouiller avec les
jeunes gens. D'ailleurs ceux-ci aiment sentir la présence d'une jeune personne à proximité. Bien sûr,
Polly flirta avec eux, mais Mrs Mooney, juge perspicace, savait qu'ils se contentaient de passer le
temps : pour aucun ce n'était une affaire sérieuse.
Les choses continuèrent longtemps de la sorte et

Mrs Mooney envisageait de renvoyer Polly à sa machine à écrire lorsqu'elle remarqua qu'il se passait quelque chose entre Polly et l'un des jeunes gens. Elle surveilla le couple et garda ses idées pour elle.

Polly se savait surveillée, mais pourtant le silence persistant de sa mère ne prêtait pas à malentendu. Il n'y avait aucune complicité patente entre mère et fille, aucune entente ouverte, et pourtant, bien qu'on commençât à parler de la chose dans la maison, Mrs Mooney n'intervenait toujours pas. Polly devint un peu bizarre et le jeune homme n'était manifestement pas à son aise. À la fin, lorsqu'elle jugea le moment venu, Mrs Mooney intervint. Elle traitait les problèmes moraux comme un couperet traite la viande : et cette fois-ci, sa décision était prise.

C'était un clair dimanche matin du début de l'été, qui promettait de la chaleur, mais où soufflait une brise fraîche. Toutes les fenêtres de la pension étaient ouvertes et par-dessous leurs cadres relevés les rideaux de dentelle se gonflaient doucement vers la rue. Le beffroi de Saint-Georges carillonnait sans trêve et des fidèles, seuls ou en groupes, traversaient le petit rond-point situé devant l'église, leur but révélé autant par leur attitude recueillie que par les petits volumes serrés dans leurs mains gantées. À la pension, le petit déjeuner était achevé, et la table était couverte d'assiettes ornées de traînées de jaune d'œuf, de gras et de couenne de bacon. Mrs Mooney était assise dans le

fauteuil de rotin et regardait Mary, la bonne, des-
servir la table. Elle lui fit mettre de côté les croûtes
et les morceaux de pain en vue du bread-pudding
du mardi. Quand la table fut nette, le pain ramassé,
le sucre et le beurre sous clé, elle se mit à
reconstruire l'entretien qu'elle avait eu avec Polly
la veille au soir. C'était bien ce qu'elle avait soup-
çonné : si ses questions avaient été franches, les
réponses de Polly ne l'avaient pas été moins. Bien
sûr, l'une et l'autre s'étaient senties un peu gênées :
elle, parce qu'elle n'avait pas voulu accueillir la
nouvelle de façon trop cavalière, ni donner l'impression d'une connivence, et Polly non seulement
parce que des allusions de ce genre la gênaient toujours, mais aussi parce qu'elle ne voulait pas donner à penser que dans son innocence pleine de
sagesse elle avait pressenti l'intention cachée derrière la tolérance de sa mère.

Mrs Mooney jeta instinctivement un coup d'œil à
la petite pendule dorée de la cheminée dès qu'elle
se rendit compte, à travers sa rêverie, que les
cloches de Saint-Georges avaient cessé de sonner.
Il était onze heures dix-sept : elle aurait plus de
temps qu'il n'en fallait pour régler l'affaire avec
Mr Doran avant d'attraper la petite messe de midi
à Marlborough Street. Elle était sûre de gagner.
D'abord, elle avait de son côté tout le poids de
l'opinion publique : elle était une mère outragée.
Elle l'avait laissé vivre sous son toit, le présumant
homme d'honneur, et il avait purement et simplement trahi son hospitalité. Il avait trente-quatre ou

trente-cinq ans, on ne pouvait donc invoquer l'excuse de la jeunesse ; pas plus que celle de l'ignorance, puisque c'était un homme qui avait quelque expérience de la vie. Il avait ni plus ni moins abusé de la jeunesse et de l'inexpérience de Polly : c'était évident. La seule question était : Comment comptait-il réparer ?

En pareil cas, il faut réparer. Pour l'homme c'est trop facile : son plaisir pris, il va son chemin comme si de rien n'était, mais c'est la fille qui doit payer les pots cassés. Certaines mères pouvaient se satisfaire d'arranger l'affaire tant bien que mal moyennant finance ; elle avait connu des cas de ce genre. Mais elle n'entendait pas agir ainsi. Pour elle, une seule réparation pouvait compenser la perte de l'honneur de sa fille : le mariage.

Elle compta à nouveau toutes ses cartes avant d'envoyer Mary dire à Mr Doran dans sa chambre qu'elle voulait lui parler. Elle se sentait sûre de la victoire. C'était un jeune homme sérieux, pas noceur ni grande gueule comme les autres. S'il s'était agi de Mr Sheridan ou de Mr Meade ou de Bantam Lyons, la tâche aurait été beaucoup plus difficile. Elle ne pensait pas qu'il voudrait courir le risque de la publicité. Tous les pensionnaires étaient un peu au courant ; certains avaient inventé des détails. De plus, il était employé depuis treize ans dans les bureaux d'un catholique, gros négociant en vins, et la publicité, pour lui, signifierait peut-être la perte de sa place. Tandis que, s'il était d'accord, tout pourrait se passer correctement. Elle savait qu'il avait une bonne paye, de toute façon, et se doutait qu'il avait mis des sous de côté.

Presque la demie ! Elle se leva et s'examina dans le trumeau. L'expression décidée de son large visage coloré l'emplit de satisfaction et elle songea à certaines mères de sa connaissance qui n'arrivaient pas à se débarrasser de leur fille.

En ce dimanche matin, Mr Doran était assurément très soucieux. Il avait par deux fois tenté de se raser, mais sa main tremblait tellement qu'il avait dû y renoncer. Une barbe de trois jours mettait une frange rougeâtre à ses mâchoires et toutes les deux ou trois minutes ses lunettes s'embuaient, de sorte qu'il devait les ôter et les nettoyer avec son mouchoir. Le souvenir de sa confession, la veille au soir, était lancinant ; le prêtre lui avait soutiré tous les détails ridicules de l'affaire et pour finir avait tellement grossi son péché qu'il remerciait le ciel de lui faire entrevoir une possibilité de réparation. Le mal était fait. Quelle autre solution que le mariage ou la fuite ? Le cynisme ne suffirait pas. L'affaire ferait sûrement jaser et on pouvait être certain qu'elle viendrait aux oreilles de son employeur. Dublin est une si petite ville : chacun connaît les affaires des autres. Dans une bouffée de chaleur, il sentit le cœur lui monter aux lèvres en entendant, du fond de son imagination échauffée, la voix de crécelle du vieux Mr Leonard qui criait : *Faites-moi venir Mr Doran, s'il vous plaît.*

Toutes ses longues années de bons et loyaux services envolées pour rien ! Tout son travail et sa

diligence réduits à néant ! Jeune homme, il avait
bien sûr jeté sa gourme ; il s'était vanté d'être libre
penseur et avait nié l'existence de Dieu devant ses
compagnons de café. Mais tout cela appartenait à
une époque révolue... ou presque. Il achetait encore
chaque semaine *Reynolds's Newspaper*[1], mais
accomplissait ses devoirs religieux et pendant les
neuf dixièmes de l'année menait une vie régulière. Il
avait assez d'argent pour s'établir ; ce n'était pas
cela. Mais chez lui on la regarderait de haut. Il y avait
d'abord le père et sa triste réputation, mais aussi la
pension de famille de la mère, dont on commençait à
parler. Il avait la vague impression d'être en train de
se faire avoir. Il voyait d'ici ses amis parler de l'affaire, et entendait leurs rires. De fait, elle était un
peu vulgaire ; elle disait quelquefois *Je lui l'ai dit* et
Si j'aurais su. Mais est-ce que la grammaire compte-
rait s'il l'aimait vraiment ? Il n'arrivait pas à savoir
s'il devait l'aimer ou la mépriser pour ce qu'elle avait
fait. Bien sûr, lui aussi l'avait fait... Son instinct le
pressait de rester libre, de ne pas se marier. Une fois
marié, tu es fini, lui disait-il.

Tandis qu'il était là, assis au bord du lit, en pantalon et manches de chemise, désemparé, elle frappa
discrètement à la porte et entra. Elle lui dit tout :
qu'elle n'avait rien caché à sa mère et que celle-ci
lui parlerait ce matin même. Elle pleura et se jeta à
son cou en disant :

1. *Reynolds Weekly Newspaper,* journal « radical » du
dimanche fondé en 1850.

— Oh, Bob ! Bob ! Qu'est-ce que je dois faire ?
Qu'est-ce que je dois faire, au nom du Ciel ?

Elle en finirait avec la vie, disait-elle.

Sans conviction, il essaya de la consoler, lui
disant de ne pas pleurer, que tout s'arrangerait,
qu'il ne fallait pas avoir peur. Il sentait contre sa
chemise son sein palpitant.

Il n'était pas complètement responsable de ce
qui était arrivé. Il se rappelait bien, avec la
mémoire curieuse, patiente, du célibataire, les premières caresses que, fortuitement, sa robe, son
souffle, ses doigts lui avaient données. Puis, une
nuit, tard, alors qu'il se déshabillait pour aller au
lit, elle avait frappé à sa porte, timidement. Elle
voulait rallumer sa bougie, éteinte par un courant
d'air, à la sienne. C'était son jour de bain. Elle portait ouvert un peignoir flottant de flanelle impri-
mée. Son pied cambré, blanc, brillait dans l'entrebâillement de ses pantoufles fourrées et sous sa
peau parfumée son sang chaud rayonnait. De ses
mains et de ses poignets aussi montait, tandis
qu'elle allumait et assurait sa bougie, un léger parfum.

Les soirs où il rentrait très tard, c'est elle qui
réchauffait son dîner. Il savait à peine ce qu'il man-
geait, à la sentir à côté de lui, seule, la nuit, dans la
maison endormie. Et ses attentions ! Si la nuit était
tant soit peu froide, ou humide, ou venteuse, il
pouvait être sûr de trouver un gobelet de punch
qui l'attendait. Peut-être pourraient-ils être heureux ensemble...

Ils montaient ensemble sur la pointe des pieds, chacun avec une bougie, et sur le troisième palier, à contrecœur, se souhaitaient une bonne nuit. Ils s'embrassaient. Il se souvenait de ses yeux, du contact de sa main et du délire qui s'emparait de lui...

Mais le délire passe. Il reprit son expression en écho, se l'appliquant : *Qu'est-ce que je dois faire ?* Son instinct de célibataire l'avertissait de rester sur la réserve. Mais il avait bel et bien péché ; même son sens de l'honneur lui disait qu'il devait y avoir réparation pour un tel péché.

Il était assis avec elle au bord du lit, lorsque Mary vint dire à la porte que Madame voulait le voir au salon. Il se leva pour mettre sa veste et son gilet, plus désemparé que jamais. Une fois habillé, il s'approcha d'elle pour la consoler. Tout s'arrangerait, il ne fallait pas avoir peur. Il la laissa en larmes sur le lit, gémissant doucement : *Oh, mon Dieu !*

Tandis qu'il descendait, ses verres s'embuèrent au point qu'il dut les ôter pour les essuyer. Il mourait d'envie de traverser le toit et s'envoler vers un autre pays où il n'entendrait plus jamais parler de ses ennuis et cependant une force lui faisait descendre l'escalier, marche après marche. Les visages implacables de son employeur et de la Patronne contemplaient sa déconfiture. Dans la dernière volée de marches, il croisa Jack Mooney qui montait de la dépense, serrant dans ses bras deux bouteilles de *Bass*. Ils se saluèrent froidement ; et les yeux de l'amant s'arrêtèrent une seconde ou deux sur un visage épais de bouledogue et une paire de gros bras courtauds. Lorsqu'il atteignit le pied de l'escalier, il leva les yeux et vit Jack qui le considérait depuis la porte de la resserre.

Brusquement il se souvint du soir où l'un des *artistes* de music-hall, un petit Londonien blond, avait eu des propos un peu libres à l'endroit de Polly. Il avait presque fallu interrompre la réunion à cause de la violence de Jack. Chacun essayait de le calmer. L'*artiste,* un peu plus pâle qu'à l'ordinaire, continuait de sourire et de dire qu'il ne pensait pas à mal : mais Jack continuait de lui crier que si un type s'avisait de jouer à ce jeu-là avec sa sœur, il lui casserait la gueule une bonne fois pour toutes, et qu'on pouvait lui faire confiance.

. . . .

Polly resta assise un petit moment au bord du lit, à pleurer. Puis elle se sécha les yeux et se dirigea vers le miroir. Elle plongea le bout d'une serviette dans le pot à eau et se rafraîchit les yeux à l'eau froide. Elle se regarda de profil et rectifia la disposition d'une épingle à cheveux au-dessus de l'oreille. Puis elle revint s'asseoir au pied du lit. Elle considéra les oreillers un long moment, et leur vue éveilla dans son esprit des souvenirs secrets et aimables. Posant la nuque contre le froid barreau métallique, elle s'abandonna à la rêverie. Son visage ne reflétait plus aucun trouble.

Elle continua à attendre patiemment, presque gaiement, sans inquiétude, ses souvenirs faisant place peu à peu à des espérances et à des visions de l'avenir. Espérances et visions si compliquées qu'elle ne voyait plus les oreillers blancs sur lesquels ses yeux étaient fixés, et ne se souvenait plus qu'elle attendait quoi que ce fût.

À la fin, elle entendit sa mère appeler. Elle bondit sur ses pieds et courut jusqu'à la rampe.

— Polly ! Polly !

— Oui, maman ?

— Descends, ma chérie. Mr Doran veut te parler.

Elle se souvint alors de ce qu'elle avait attendu tout ce temps.

Un petit nuage[1]

Huit ans plus tôt, il avait accompagné son ami à la gare maritime du North Wall et lui avait souhaité bon voyage. Gallaher avait fait son chemin. Ça se voyait tout de suite à son air de grand voyageur, son complet de tweed bien coupé et son accent intrépide. Ils n'étaient pas nombreux à avoir autant de talents que lui, et ils étaient encore moins nombreux à ne pas être gâtés par un tel succès. C'était un chic type, au fond, et il avait mérité de réussir. C'était quelque chose d'avoir un pareil ami.

Depuis l'heure du déjeuner, les pensées de Little Chandler avaient tourné autour de sa rencontre avec Gallaher, de l'invitation de Gallaher et de cette grande ville de Londres où vivait Gallaher. On l'appelait Little Chandler parce que, tout en

---

1. *Premier Livre des Rois*, XVI-XVIII. Achab, abandonnant les commandements de l'Éternel, s'était mis à adorer Baal et Astarté. Élie lui dit alors : « L'Éternel est vivant, le Dieu d'Israël, dont je suis le serviteur ! Il n'y aura cette année-ci ni rosée ni pluie, *sinon à ma parole*. » Le « petit nuage » aperçu par le serviteur d'Élie annonce que la prédiction va se réaliser.

étant d'une taille à peine au-dessous de la
moyenne, il vous donnait l'impression d'être un
petit homme. Les mains étaient blanches et
mignonnes, l'ossature frêle, la voix calme et les
manières raffinées. Il prenait le plus grand soin de
sa moustache et de ses cheveux blonds et soyeux ;
son mouchoir était discrètement parfumé. Les
lunules de ses ongles étaient parfaites et lorsqu'il
souriait vous aperceviez la rangée de dents
blanches d'une bouche enfantine.

Assis à son pupitre dans King's Inn, il songeait à
tous les changements que ces huit années avaient
apportés. L'ami à l'allure minable, l'indigent qu'il
avait connu, était devenu une brillante figure de la
presse londonienne. Il se détournait souvent de ses
écritures fastidieuses pour regarder par la fenêtre
du bureau. Un coucher de soleil rutilant, digne de
cette fin d'automne, inondait les pelouses et les
allées. Il faisait pleuvoir une bienfaisante poussière
dorée sur les nourrices négligées et les vieillards
décrépits qui sommeillaient sur les bancs ; il papil-
lotait sur toutes les figures animées — sur les
enfants criards courant dans les allées de gravier et
sur les passants qui traversaient les jardins. Little
Chandler observait la scène et pensait à la vie ; et
(comme toujours quand il pensait à la vie) il devenait triste. Une douce mélancolie s'emparait de lui.
Il éprouvait combien il était inutile de lutter contre
la fortune, tel était l'accablant refrain que la
sagesse des siècles lui avaient légué.

Il se souvenait des volumes de poésie alignés sur

ses rayons, chez lui. Il les avait achetés alors qu'il était célibataire et souvent, le soir, assis dans la petite pièce donnant sur le vestibule, il avait eu la tentation d'en prendre un et de lire quelque chose à sa femme. Mais la timidité l'avait toujours retenu ; et c'est pourquoi les livres étaient restés sur leurs rayons. De temps en temps, il se répétait des vers et cela le consolait.

Lorsque son heure eut sonné, il se leva et prit congé de son pupitre et de ses collègues cérémonieusement. Silhouette modeste et soignée, il surgit du porche médiéval de King's Inns et descendit Henrietta Street d'un pas vif. Les ors du soleil couchant s'éteignaient et l'air était devenu piquant. Une horde d'enfants crasseux peuplaient la rue : debout et immobiles, ou courant au milieu de la rue, ou se traînant sur les marches devant les portes grandes ouvertes ou tapis telles des souris sur les seuils des maisons. Little Chandler ne leur accorda aucune attention. Il se faufilait adroitement dans tout ce grouillement de vie animale, à l'ombre des demeures lugubres et fantomatiques dans lesquelles la vieille noblesse de Dublin avait bamboché. Aucun souvenir du passé ne l'atteignait, car son esprit était tout à une joie bien présente.

Il n'était jamais entré chez Corless, mais il savait ce que le nom représentait. Il savait que les gens allaient là après le théâtre pour manger des huîtres et boire des liqueurs ; et il avait entendu dire que les garçons y parlaient français et allemand. En passant devant, très vite, le soir, il avait vu des fiacres arrêtés à la porte, et des dames richement habillées en descendre, accompagnées de leurs cavaliers, et entrer rapidement dans l'établissement. Elles portaient des robes bruissantes et d'innombrables châles. Elles avaient le visage poudré et soulevaient le bas de leur robe lorsqu'elles touchaient le sol, telles des Atalantes effarouchées. Il était toujours passé sans se détourner pour regarder. Il avait pour habitude de marcher rapidement dans la rue, même le jour, et, chaque fois qu'il se trouvait en ville tard, il hâtait le pas, agité et plein d'appréhension. Parfois, cependant, il jouait avec sa peur. Il choisissait les rues les plus sombres et les plus étroites et avançait hardiment, troublé par le silence dans lequel se détachaient ses pas, comme il était troublé par les silhouettes errantes et silencieuses ; et parfois un faible rire fugitif le faisait trembler comme une feuille.

Il tourna à droite en direction de Capel Street. Ignatius Gallaher journaliste à Londres ! Qui aurait cru la chose possible huit ans plus tôt ? Et pourtant, maintenant qu'il reconsidérait le passé, Little Chandler découvrait chez son ami de nombreux présages de grandeur. Les gens disaient qu'Ignatius Gallaher menait une vie dissolue. Bien sûr, c'est vrai qu'à l'époque il fréquentait une bande de noceurs, qu'il buvait pas mal et empruntait à droite et à gauche. Il avait fini par être impliqué dans une affaire douteuse, une histoire d'argent : c'est du moins ainsi que certains présentaient sa fuite. Mais personne ne lui déniait du talent. Il y avait toujours un petit... quelque chose chez Ignatius Gallaher qui vous impressionnait malgré vous. Même lorsqu'il était dépenaillé et aux abois, il sauvait la face. Little Chandler se souvenait (et le souvenir amena sur ses joues une bouffée d'orgueil) d'une expression favorite d'Ignatius Gallaher lorsqu'il avait le dos au mur :

— Repos, maintenant, les enfants, disait-il gaiement. Qu'on m'apporte mon bonnet cogitatif !

Ça, c'était Ignatius Gallaher tout craché ; et, fichtre, ça forçait votre admiration[1].

Little Chandler accéléra l'allure. Pour la première fois de sa vie, il se sentait supérieur aux gens qu'il croisait. Pour la première fois son âme se révoltait contre l'inélégance de Capel Street, si morne. Aucun doute, si on voulait réussir, il fallait s'en aller. À Dublin, on ne pouvait rien faire. En traversant Grattan Bridge, il regarda vers l'aval du fleuve et les quais inférieurs et s'apitoya sur les pauvres maisons chétives. On aurait dit une bande de clochards serrés le long des berges, avec leurs vieux manteaux couverts de poussière et de suie, stupéfiés par le panorama du couchant et attendant que la première fraîcheur nocturne les force à se lever, se secouer et s'en aller. Il se demandait s'il arriverait à écrire un poème pour exprimer l'idée qu'il avait là. Peut-être Gallaher pourrait le lui faire passer dans quelque journal de Londres.

1. L'expression en question, *my considering cap,* n'est aucunement une trouvaille de Gallaher : elle a cours depuis environ trois cents ans.

Pourrait-il écrire quelque chose d'original ? Il ne savait pas exactement quelle idée il désirait exprimer mais la pensée qu'un moment poétique l'avait touché prit vie en lui, tel un espoir naissant. Il poursuivit son chemin hardiment.

Chaque pas le rapprochait de Londres et l'éloignait de sa vie raisonnable et philistine. Une lumière se mit à trembloter à l'horizon de son esprit. Il n'était pas si vieux que cela — trente-deux ans. On pouvait dire que son tempérament atteignait juste sa maturité. Il y avait tant d'états d'âme et d'impressions variés qu'il désirait exprimer en vers. Il sentait leur présence en lui. Il essaya de jauger son âme, pour voir si c'était celle d'un poète. C'est la mélancolie qui constituait la dominante de son tempérament, pensait-il, mais c'était une mélancolie tempérée par des retours de la foi, de la résignation, des joies simples. S'il pouvait lui donner expression dans un recueil de poèmes, peut-être alors les hommes écouteraient-ils. Il ne serait jamais populaire : il le voyait bien. Il ne pourrait pas remuer les foules, mais peut-être attirerait-il un petit cercle d'esprits de la même race. Les critiques anglais, peut-être, reconnaîtraient en lui un membre de l'école celtique en raison de la tonalité mélancolique de ses poèmes ; de plus, il glisserait des allusions. Il se mit à inventer des phrases et des tournures pour les comptes rendus dont son livre ferait l'objet. « Mr Chandler a le don de composer des vers gracieux et bien venus... Ces poèmes sont pleins d'une tristesse nostalgique... Typiquement

celte... » C'était dommage que son nom n'eût pas
l'air plus irlandais. Peut-être vaudrait-il mieux glisser le nom de sa mère avant le sien : Thomas
Malone Chandler, ou mieux encore : T. Malone
Chandler. Il en parlerait à Gallaher.

Il poursuivit sa rêverie avec tant d'ardeur qu'il
dépassa sa rue et dut revenir. En approchant de
chez Corless, l'agitation du début se mit à le
reprendre, et il s'arrêta, indécis, devant l'entrée.
Finalement, il ouvrit la porte et entra.

La lumière et les bruits du bar le retinrent sur le
seuil quelques instants. Il regarda autour de lui,
mais avait la vue brouillée par l'éclat de tous les
verres à vin rouges et verts. Le bar lui semblait
plein de gens, et il sentait que ces gens l'observaient avec curiosité. Il jeta des coups d'œil rapides
à droite et à gauche (fronçant légèrement les sourcils pour marquer le sérieux de son entreprise)
mais lorsqu'il y vit plus clair, il s'aperçut que personne ne s'était détourné pour le regarder : et là,
pas de doute, se trouvait Ignatius Gallaher, adossé
au comptoir, campé bien à son aise.

— Salut, Tommy, comment vont les vieux de la
vieille ? Qu'est-ce que ça sera ? Qu'est-ce que tu
veux prendre ? Moi, je prends un whisky : meilleur
que de l'autre côté de l'eau. Soda ? Eau lithinée ?
Pas d'eau minérale ? Moi non plus. Ça gâche la
saveur... Hé, *garçon,* donnez deux demi-whiskies
de malt, si c'est un effet de votre bonté... Alors,
comment ça s'est passé depuis la dernière fois ?
Bon Dieu, ce qu'on peut vieillir ! Est-ce que tu

remarques des signes — hein ? Un peu grisonnant et déplumé — hein ?

Ignatius Gallaher ôta son chapeau et découvrit une grosse tête aux cheveux coupés très court. Le visage était lourd, pâle et rasé de près. Les yeux, bleu ardoise, contrastaient avec sa pâleur malsaine et imposaient leur éclat au-dessus d'une cravate orange vif. Entre ces traits antagonistes, les lèvres s'allongeaient, informes et incolores. Il baissa la tête et tâta avec deux doigts apitoyés le sommet de son crâne aux cheveux clairsemés. Little Chandler fit de la tête un signe de dénégation. Ignatius Gallaher remit son chapeau.

— La vie de journaliste, dit-il, c'est ça qui vous tue. Toujours en train de se presser, de courir, de chercher de la copie, sans toujours la trouver : et puis avoir toujours quelque chose de nouveau à sortir. Moi, je dis : au diable les épreuves et les imprimeurs, pendant quelques jours. Je suis rudement content de revenir au pays, crois-moi. Ça vous fait du bien, un peu de vacances. C'est fou ce que je me sens mieux depuis que j'ai débarqué dans cette bonne vieille saloperie de Dublin... Voilà le tien, Tommy. De l'eau ? Tu m'arrêtes.

Little Chandler laissa arroser copieusement son whisky.

— Tu ne sais pas ce qui est bon, mon vieux, dit Ignatius Gallaher. Moi, je le bois sec.

— Je bois très peu, en règle générale, dit modestement Little Chandler. Un demi, à l'occasion, quand je rencontre un des vieux copains : c'est tout.

— Eh bien, dit Ignatius Gallaher gaiement, à notre santé, au bon vieux temps, et aux vieux amis.

Ils trinquèrent à ces intentions.

— J'en ai rencontré quelques-uns de la bande aujourd'hui, dit Ignatius Gallaher. O'Hara m'a l'air de filer un mauvais coton. Qu'est-ce qu'il fait ?

— Rien, dit Little Chandler. Il a mal tourné.

— Mais Hogan a une bonne place, n'est-ce pas ?

— Oui, il est à la Commission agraire.

— Je l'ai rencontré un soir à Londres, et il semblait en fonds... Ce pauvre O'Hara ! C'est la chopine, probablement ?

— D'autres choses aussi, dit Little Chandler brièvement.

Ignatius Gallaher rit.

— Tommy, dit-il, je vois que tu n'as pas changé d'un poil. Tu es exactement le même garçon sérieux qui me sermonnait tous les dimanches matin quand j'avais mal aux cheveux et la langue chargée. Il faudrait que tu voies un peu de pays. Tu n'es jamais allé nulle part, même pas un petit voyage ?

— Je suis allé dans l'île de Man, dit Little Chandler.

Ignatius Gallaher rit.

— L'île de Man ! dit-il. Va à Londres ou a Paris : Paris si tu as le choix. Ça te ferait du bien.

— Est-ce que tu connais Paris ?

— Et comment ! J'y ai un peu roulé ma bosse.

— Et est-ce que c'est vraiment aussi beau qu'on le dit ? demanda Little Chandler.

Il but une petite gorgée tandis qu'Ignatius Gallaher finissait carrément son verre.

— Beau ? dit Ignatius Gallaher, s'arrêtant pour considérer le mot et la saveur de son whisky. Ça n'est pas tellement beau, tu sais. Bien sûr, c'est beau... Mais c'est plutôt la vie parisienne ; c'est ça qui vaut la peine. Ah, rien ne vaut Paris pour ce qui est de la gaieté, du mouvement, de l'animation...

Little Chandler finit son whisky et, avec quelque difficulté, parvint à attirer l'attention du barman. Il commanda la même chose.

— Je suis allé au Moulin Rouge, continua Ignatius Gallaher, lorsque le barman eut enlevé leurs verres, et dans tous les cafés pour artistes. Plutôt salé ! C'est pas pour un type sage comme toi, Tommy.

Little Chandler ne dit rien jusqu'au retour du barman, porteur des deux verres ; puis il toucha légèrement le verre de son ami et rendit le toast précédent. Il commençait à se sentir un peu désenchanté. L'accent de Gallaher et sa façon de s'exprimer ne lui plaisaient pas. Il y avait chez son ami quelque chose de vulgaire qu'il n'avait jamais remarqué auparavant. Mais peut-être était-ce seulement le résultat de cette vie qu'il menait à Londres, dans ces milieux de journalistes où règnent agitation et rivalités. Le charme personnel de jadis subsistait sous la nouvelle manière trop voyante. Et, après tout, Gallaher avait vécu, avait vu du pays. Little Chandler regardait son ami avec envie.

— À Paris, tout est gai, dit Ignatius Gallaher. Ils

sont convaincus qu'il faut profiter de la vie — tu penses pas qu'ils ont raison ? Si tu veux vraiment t'amuser, c'est là qu'il faut aller. Et, remarque, les Irlandais ont la cote, là-bas. Quand ils ont su que j'en étais un, mon vieux, j'ai cru que je m'en sortais pas vivant.

Little Chandler avala quatre ou cinq petites gorgées.

— Dis-moi, est-il vrai que Paris a autant de... débauche qu'on le dit ?

Ignatius Gallaher eut un geste proprement catholique du bras droit.

— Il y a de la débauche partout, dit-il. Bien sûr, tu trouves des trucs salés à Paris. Par exemple si tu vas à un bal d'étudiants. Il y a de l'animation, je crois bien, quand les *cocottes* commencent à se déchaîner. Quand je dis *cocottes,* je pense que tu sais ce que ça veut dire ?

— J'en ai entendu parler, dit Little Chandler.

Ignatius Gallaher termina son whisky et hocha la tête.

— Ah, dit-il, tu peux dire ce que tu veux. Rien ne vaut une Parisienne — pour ce qui est de l'allure, du chien.

— C'est donc une ville de débauche, dit Little Chandler avec une timide insistance — je veux dire, comparée à Londres ou à Dublin ?

— Londres ! dit Ignatius Gallaher. C'est bonnet blanc et blanc bonnet. Mon vieux, demande à Hogan. Je lui ai un peu montré Londres quand il est venu. Il te fera changer d'idée... Dis donc,

Tommy, tu vas en faire du punch, de ton whisky : liquide-le.

— Non, je t'assure...

— Allons, allons, ça n'est pas un autre qui va te faire du mal. Qu'est-ce que ça sera ? La même chose, je suppose ?

— Eh bien... d'accord.

— *François,* la même chose... Tu fumes, Tommy ?

Ignatius Gallaher sortit son étui. Les deux amis allumèrent leur cigare et tirèrent des bouffées en silence jusqu'à l'arrivée de leurs consommations.

— Veux-tu que je te dise, fit Ignatius Gallaher émergeant au bout d'un moment des nuages de fumée où il avait trouvé refuge, on vit dans un drôle de monde. Parlons de débauche ! Il y a des histoires qu'on m'a racontées — qu'est-ce que je dis ? — j'étais présent : des histoires de... débauche...

Ignatius Gallaher tira pensivement sur son cigare, puis, du ton calme de l'historien, se mit en devoir d'esquisser pour son ami quelques tableaux de la corruption qui régnait à l'étranger. Il résuma les vices de nombreuses capitales et parut enclin à accorder la palme à Berlin. Il y avait des choses dont il ne pouvait se porter garant (il les tenait d'amis), mais il en était d'autres qu'il connaissait par expérience. Il n'épargna ni rang ni caste. Il révéla de nombreux secrets des maisons religieuses du Continent et décrivit quelques-unes des pratiques à la mode dans la haute société, terminant par un récit détaillé qui mettait en cause une duchesse anglaise, récit qu'il savait véridique. Little Chandler était stupéfait.

— Eh oui, disait Ignatius Gallaher, ici nous sommes dans le train-train provincial de ce vieux Dublin, où l'on ignore tout de ces choses.

— Comme ça doit te paraître morne, dit Little Chandler, après tous ces endroits que tu as vus.

— Eh bien, tu sais, dit Ignatius Gallaher, ça détend de venir ici. Et après tout, c'est le pays des ancêtres, comme on dit, pas vrai ? Il n'y a rien à faire, on y est attaché. C'est la nature humaine... Mais parle-moi un peu de toi. Hogan m'a dit que tu avais... goûté aux joies conjugales. Il y a deux ans, c'est ça ?

Little Chandler rougit et sourit.

— Oui, dit-il, je me suis marié il y a eu un an en mai dernier.

— J'espère qu'il n'est pas trop tard pour t'offrir mes meilleurs vœux, dit Ignatius Gallaher. Je ne savais pas ton adresse, sans quoi je l'aurais fait à l'époque.

Il tendit la main, que Little Chandler serra.

— Eh bien, Tommy, mon vieux, dit-il, je vous souhaite, à toi et à ton épouse, toutes les joies possibles, de l'argent à la pelle, et une santé à l'épreuve des balles. Et ce sont les vœux d'un ami sincère, d'un vieil ami. J'espère que tu le sais ?

— Oui, je le sais, dit Little Chandler.

— Tu as des gosses ? dit Ignatius Gallaher.

Little Chandler rougit à nouveau.

— Nous avons un enfant, dit-il.
— Un fils ou une fille ?
— Un petit garçon.

Ignatius Gallaher donna à son ami une claque sonore dans le dos.

— Bravo, dit-il, je savais qu'on pouvait compter sur toi, Tommy.

Little Chandler sourit, regarda son verre d'un air confus, et trois incisives, blanches comme celles d'un enfant, mordirent sa lèvre inférieure.

— J'espère que tu passeras une soirée chez nous, dit-il, avant ton départ. Ma femme sera ravie de faire ta connaissance. Nous pourrons faire un peu de musique et...

— Merci infiniment, mon vieux, dit Ignatius Gallaher. Je regrette qu'on ne se soit pas rencontrés plus tôt. Mais je dois partir demain soir.

— Ce soir, peut-être... ?

— Vraiment désolé, mon vieux. C'est que je suis venu avec un copain, un jeune dégourdi, soit dit en passant, et on a prévu d'aller faire une petite partie de cartes. S'il n'y avait pas eu ça...

— Ah, dans ce cas...

— Mais qui sait ? dit Gallaher avec délicatesse. L'année prochaine, je ferai peut-être un petit saut ici, maintenant que j'ai brisé la glace. Ce n'est que partie remise.

— Très bien, dit Little Chandler, la prochaine fois que tu viendras, il faudra absolument passer une soirée ensemble. C'est bien entendu, n'est-ce pas ?

— Oui, c'est entendu, dit Ignatius Gallaher.
L'année prochaine, si je viens, *parole d'honneur.*

— Et pour conclure l'affaire, dit Little Chandler, on va juste en prendre encore un maintenant.

Ignatius Gallaher sortit une grosse montre en or
et y jeta un coup d'œil.

— Est-ce que ce sera le dernier ? dit-il. Parce
que, tu sais, j'ai un rencart.

— Oh, oui, c'est sûr, dit Little Chandler.

— Alors, très bien, dit Ignatius Gallaher, un
autre, en guise de *deoc an doruis*[1] — je crois que
c'est comme ça qu'on dit un petit whisky, dans le
pays.

Little Chandler passa la commande. La rougeur
qui lui était montée au visage un moment auparavant s'installait. Un rien suffisait à le faire rougir
en temps ordinaire : et maintenant il se sentait
échauffé et excité. Trois petits whiskies lui étaient
montés à la tête, et le fort cigare de Gallaher lui
avait troublé l'esprit, car il était délicat et sobre.
Ç'avait été une aventure de rencontrer Gallaher au
bout de huit ans, de se retrouver avec Gallaher
chez Corless au milieu des lumières et du bruit,
d'écouter les histoires de Gallaher, de partager
pendant un bref moment la vie vagabonde et
triomphale de Gallaher, et l'équilibre de sa nature
sensible en avait été rompu. Il ressentait avec
acuité le contraste existant entre sa propre vie et
celle de son ami, et le contraste lui paraissait

---

1. En gaélique, le coup de l'étrier.

injuste. Gallaher lui était inférieur par la naissance et par l'éducation. Il était sûr qu'il pourrait accomplir quelque chose de supérieur à ce que son ami avait jamais fait, ou ferait jamais, quelque chose de plus élevé que du simple journalisme tape-à-l'œil, si seulement la chance lui était offerte. Qu'est-ce donc qui lui barrait le chemin ? Sa malencontreuse timidité ! Il désirait se justifier d'une façon ou d'une autre, affirmer sa virilité. Il voyait bien pourquoi, au fond, Gallaher avait refusé son invitation. Le ton amical de Gallaher n'était que condescendance, tout comme était pure condescendance sa visite en Irlande.

Le barman leur apporta leurs consommations. Little Chandler poussa un verre en direction de son ami et prit l'autre avec autorité.

— Qui sait ? dit-il alors qu'ils levaient leurs verres. Quand tu viendras l'an prochain, j'aurai peut-être le plaisir de souhaiter longue vie et bonheur à Mr et Mrs Ignatius Gallaher.

Ignatius Gallaher, qui était en train de boire, eut un clin d'œil expressif par-dessus le bord de son verre. Lorsqu'il eut fini, il fit claquer ses lèvres d'un air péremptoire, posa son verre et dit :

— Mon vieux, tu n'as fichtre pas à t'en faire pour ça. Je vais commencer par m'en payer une bonne tranche, faire un peu la vie, circuler un peu, avant de me mettre la corde au cou — si ça doit jamais arriver.

— Ça arrivera bien un jour, dit Little Chandler calmement.

Ignatius Gallaher braqua sa cravate orange et ses yeux bleu ardoise sur son ami.

— Tu crois ça ? dit-il.

— Tu te mettras la corde au cou, répéta résolument Little Chandler, comme tout le monde, si tu trouves la fille.

Il avait légèrement forcé le ton et eut conscience de s'être trahi ; mais, bien que la couleur de ses joues se fût accentuée, il soutint le regard de son ami. Gallaher l'observa quelques instants, puis dit :

— Si jamais ça arrive, tu peux parier ton dernier dollar que ça sera pas pour l'amourette et le sentiment. Je compte bien épouser un gros sac. Il faudra qu'elle ait un bon compte en banque, ou bien alors elle ne fera pas l'affaire.

Little Chandler hocha la tête.

— Eh là, dis donc, fit Ignatius Gallaher véhémentement, qu'est-ce que tu crois ? Je n'ai qu'un mot à dire et demain j'ai la femme et le fric. Tu ne me crois pas ? Eh bien, moi, je sais ce qu'il en est. Il y a des centaines — qu'est-ce que je dis — des milliers d'Allemands et de Juifs, riches, pourris d'argent, qui seraient trop heureux... Attends un petit peu, mon vieux. Tu verras si je ne sais pas abattre mes cartes. Quand je m'occupe de quelque chose, crois-moi, c'est du sérieux. Attends et tu verras.

Il porta son verre à la bouche d'un mouvement sec, le vida, et eut un rire bruyant. Puis regardant devant lui pensivement, il dit d'un ton plus calme :

— Mais je ne suis pas pressé. Elles peuvent

attendre. Tu sais, je ne me vois pas encore ficelé à une seule femme.

Il fit mine de goûter, et grimaça.

— À mon avis, ça doit un peu s'éventer.

. . . .

Little Chandler, assis dans la petite pièce donnant sur le vestibule, tenait un enfant dans ses bras. Pour faire des économies, ils n'avaient pas de domestiques, mais Monica, la jeune sœur d'Annie, venait aider une heure ou deux matin et soir. Seulement, Monica était retournée chez elle depuis longtemps. Il était neuf heures moins le quart. Little Chandler était rentré en retard pour le thé et par-dessus le marché avait oublié de rapporter à Annie le paquet de café de chez Bewley. Bien sûr, elle était de mauvaise humeur et répondait sèchement. Elle dit qu'elle se passerait de thé, mais quand la boutique du coin fut sur le point de fermer, elle décida de sortir elle-même chercher un quart de thé et deux livres de sucre. Elle glissa l'enfant endormi dans les bras de son mari et dit :

— Voilà. Ne le réveille pas.

Une petite lampe à abat-jour de porcelaine blanche se trouvait sur la table et sa lumière tombait sur une photographie enfermée dans un cadre de corne gondolé. C'était une photo d'Annie. Little Chandler la considéra, arrêtant son regard sur les lèvres minces et serrées. Elle portait le corsage d'été bleu pâle qu'il lui avait rapporté en cadeau un samedi. Il lui avait coûté dix shillings onze pence ; mais ce qu'il avait coûté à sa timidité

était incalculable ! Comme il avait souffert ce jour-
là ! Il lui avait fallu attendre à la porte que le
magasin fût vide, rester devant le comptoir en prenant un air dégagé tandis que l'employée empilait
devant lui des corsages, payer à la caisse en
oubliant de ramasser le penny qu'on lui avait
rendu, être rappelé par la caissière et finalement
tâcher de dissimuler sa rougeur au moment de sortir en examinant le paquet pour s'assurer qu'il était
solidement ficelé. Quand il rapporta le corsage à la
maison, Annie l'embrassa et lui dit qu'il était très
joli et très chic ; mais quand elle entendit le prix,
elle le jeta sur la table en disant que c'était du vol
de faire payer cela dix shillings onze. Elle voulut
d'abord le rapporter mais, après l'avoir essayé, elle
fut ravie, en particulier à cause de la coupe des
manches, et elle l'embrassa en disant qu'il était très
gentil de penser à elle.

Hm !...

Il regarda avec froideur les yeux de la photographie, qui lui répondirent avec la même froideur.
Certes ils étaient jolis, et le visage était joli. Mais il
lui trouvait quelque chose de mesquin. Pourquoi ce
visage faisait-il si absent, si grande dame ? Le parfait sang-froid de ces yeux l'irritait. Ils le repous-
saient et le défiaient : ils n'exprimaient aucune passion, aucune ivresse. Il pensait à ce que Gallaher
avait dit des riches Juives. Ces sombres regards
orientaux, se disait-il, comme ils sont pleins de passion, de désirs voluptueux !... Pourquoi avait-il
épousé les yeux de la photographie ?

À cette question, il se reprit et jeta un regard inquiet autour de lui. Il trouva que les jolis meubles achetés à tempérament avaient quelque chose de mesquin. Annie les avait choisis elle-même et ils la lui rappelaient. Eux aussi étaient jolis et petit-bourgeois. Un sourd ressentiment s'éveilla en lui à l'égard de la vie qu'il menait. Ne pouvait-il s'échapper de sa petite maison ? Était-il trop tard pour tenter de vivre avec panache comme Gallaher ? Ne pouvait-il aller à Londres ? Il n'avait pas fini de payer ses meubles. Si seulement il pouvait écrire un livre et le faire publier, cela lui permettrait peut-être de percer.

Un volume de poèmes de Byron était posé devant lui sur la table. Il l'ouvrit avec précaution de la main gauche de peur d'éveiller l'enfant, et se mit à lire le premier poème du livre :

Dans le calme de l'air et du soir ténébreux
Quand pas même un zéphyr ne parcourt le bosquet
Je m'en viens contempler le tombeau poussiéreux
Et apporter des fleurs à celle que j'aimais[1].

Il s'arrêta un instant. Il sentait le rythme des vers vibrer autour de lui dans la pièce. Comme c'était mélancolique ! Pourrait-il lui aussi écrire de la sorte, exprimer en vers la mélancolie de son âme ? Il y avait tant de choses qu'il voulait décrire : la sensation qu'il avait éprouvée quelques heures

[1]. Début du poème de Lord Byron *On the Death of a Young Lady*.

auparavant sur Grattan Bridge, par exemple. S'il pouvait se remettre dans cet état d'âme...

L'enfant s'éveilla et se mit à pleurer. Se détournant de son livre, Little Chandler essaya de le faire taire ; mais l'enfant ne voulait pas se taire. Il se mit à le bercer dans ses bras, mais les vagissements se firent plus aigus. Il le berça plus vite, tandis que ses yeux se mettaient à lire la seconde strophe :

> Dans l'étroite cellule repose cet argile
> Cet argile où naguère...

C'était inutile. Il ne pouvait pas lire. Il ne pouvait rien faire. Le vagissement de l'enfant lui perçait le tympan. Inutile, c'était inutile ! Il était prisonnier à vie. Ses bras tremblaient de colère et tout à coup, se penchant vers le visage de l'enfant, il cria :

— Assez !

L'enfant s'arrêta un instant, eut un spasme de frayeur et se mit à hurler. Little Chandler bondit de sa chaise et arpenta la pièce avec vivacité, l'enfant dans les bras. Celui-ci se mit à sangloter pitoyablement, perdant le souffle pendant quatre ou cinq secondes, puis recommençant de plus belle. Les minces cloisons de la pièce renvoyaient l'écho. Il essaya de l'apaiser, mais ses sanglots n'en étaient que plus convulsifs. Il regarda le visage contracté et tremblant de l'enfant et se mit à prendre peur. Il compta sept sanglots successifs et, saisi de panique, serra l'enfant contre sa poitrine. S'il mourait !...

On ouvrit la porte brutalement et une jeune femme entra en courant, hors d'haleine.

— Qu'est-ce qui se passe ? Qu'est-ce qui se passe ? s'écria-t-elle.

L'enfant, entendant la voix de sa mère, redoubla de sanglots.

— Ce n'est rien, Annie... ce n'est rien... Il s'est mis à pleurer...

Elle jeta ses paquets sur le sol et lui arracha l'enfant.

— Que lui as-tu fait ? cria-t-elle, braquant sur lui des yeux furibonds.

Little Chandler en soutint un moment le regard et son cœur se referma sur lui-même en rencontrant la haine qui les emplissait. Il se prit à balbutier :

— Ce n'est rien... Il... il s'est mis à crier... Je n'ai pas pu... Je n'ai rien fait... Quoi ?

Sans lui accorder la moindre attention, elle se mit à marcher de long en large, étreignant l'enfant dans ses bras et murmurant :

— Mon petit homme ! Mon petit bonhomme ! On a eu peur, hein, mon amour ? ...Allons, mon amour ! Allons !... Mon agnelet ! Le petit agneau de sa maman !... Allons, allons !

Little Chandler sentit la honte envahir ses joues et il recula hors de la lumière. Il écouta la crise de sanglots de l'enfant diminuer peu à peu ; et des pleurs de remords lui montèrent aux yeux.

Contreparties

La sonnette carillonna furieusement et, lorsque Miss Parker alla au tube acoustique, une voix furieuse, à l'accent perçant d'Irlande du Nord, cria :

— Envoyez-moi Farrington !

Miss Parker retourna à sa machine, en disant à un homme qui écrivait sur un pupitre :

— Mr Alleyne vous demande de monter.

L'homme marmonna tout bas *Qu'il aille au diable !* et repoussa sa chaise pour se lever. Debout, il était grand et corpulent. Il avait le visage flasque et lie-de-vin, avec des sourcils et une moustache blonds : le blanc de ses yeux, légèrement proéminents, était sale. Il souleva l'abattant du comptoir et, passant à côté des clients, sortit du bureau d'un pas lourd.

Il monta lourdement l'escalier jusqu'au second palier où, sur la plaque de cuivre d'une porte, était inscrit *Mr Alleyne*. Arrivé là, il fit halte, essoufflé par l'effort et la contrariété, et frappa. La voix aiguë cria :

— Entrez !

L'homme pénétra dans le bureau de Mr Alleyne.
Au même moment, celui-ci, un petit homme au
visage glabre et aux lunettes cerclées d'or, dressa la
tête au-dessus d'une pile de documents. Cette tête
était si rose et dépourvue de pilosité qu'on aurait
dit un gros œuf reposant sur ces papiers.
Mr Alleyne ne perdit pas un instant :

— Farrington ? Qu'est-ce que cela signifie ?
Pourquoi ai-je toujours à me plaindre de vous ?
Puis-je vous demander pourquoi vous n'avez pas
fait la copie de ce contrat entre Bodley et Kirwan ?
Je vous ai dit qu'il devait être prêt pour quatre
heures.

— Mais, monsieur, Mr Shelly a dit...

— *Mr Shelly a dit, monsieur...* Faites-moi le
plaisir d'écouter ce que je dis et non pas ce que
Mr Shelly dit, monsieur. Vous avez toujours une
bonne excuse pour tirer au flanc. Sachez que si le
contrat n'est pas copié avant ce soir, j'en référerai
à Mr Crosbie... Vous m'entendez cette fois ?

— Oui, monsieur.

— Vous m'entendez cette fois ?... Ah oui,
encore une autre petite chose. Oui, autant parler à
un mur. Qu'il soit bien compris une fois pour
toutes que vous avez une demi-heure pour le
déjeuner, et non une heure et demie. Combien de
plats vous faut-il, je me le demande... Est-ce que
vous m'avez suivi, cette fois ?

— Oui, monsieur.

Mr Alleyne pencha à nouveau la tête sur sa pile

de papiers. L'homme regardait fixement le crâne poli qui dirigeait les affaires de Crosbie et Alleyne, évaluant sa fragilité. Un spasme de rage lui étreignit la gorge pendant quelques instants, puis disparut, laissant derrière lui une sensation aiguë de soif. L'homme reconnut cette sensation et jugea qu'il lui fallait une bonne soirée de beuverie. Le milieu du mois était passé et, s'il arrivait à finir la copie à temps, Mr Alleyne lui donnerait peut-être une avance de caisse. Il restait là immobile, regardant fixement la tête posée sur la pile de documents. Tout à coup Mr Alleyne se mit à bouleverser tous les papiers, à la recherche de quelque chose. Puis, comme si la présence de l'homme lui avait échappé jusqu'à cet instant, il dressa à nouveau la tête et dit :

— Alors ? Allez-vous rester planté ici toute la journée ? Ça, alors, Farrington, vous en prenez à votre aise !

— J'attendais pour voir...

— Eh bien, vous n'avez pas besoin d'attendre pour voir. Descendez et faites votre travail.

L'homme marcha lourdement vers la porte et en sortant de la pièce entendit Mr Alleyne lui lancer que si le contrat n'était pas copié avant le soir Mr Crosbie serait mis au courant.

Il retourna à son pupitre, dans le bureau du bas, et compta les feuilles qui lui restaient à copier. Il prit sa plume et la trempa dans l'encre, mais continua à fixer stupidement les derniers mots qu'il avait écrits : *En aucun cas ledit Bernard Bodley, bailleur*... Le soir tombait, et dans quelques minutes on allumerait le gaz : alors il pourrait écrire. Il éprouvait le besoin impérieux d'étancher la soif qui le tenait à la gorge. Il se leva de son pupitre et, soulevant à nouveau l'abattant du comptoir, sortit du bureau. Au moment où il passait, le chef de bureau le regarda d'un air interrogateur :

— Ne vous en faites pas, Mr Shelly, dit l'homme en indiquant du doigt l'objectif de son déplacement.

Le chef de bureau jeta un coup d'œil au portechapeaux mais, voyant la rangée complète, ne fit aucune remarque. Dès qu'il fut sur le palier, l'homme sortit de sa poche une casquette de berger en tartan, s'en coiffa et descendit en courant l'escalier branlant. De la porte d'entrée, il suivit le trottoir furtivement, le long des façades, jusqu'au coin de la rue et tout d'un coup plongea dans une entrée. Il était maintenant à l'abri dans le salon sombre de chez O'Neill et, remplissant la lucarne qui donnait dans le bar de son visage enflammé, couleur de vin ou de viande sombres, il lança :

— Hé, Pat, donne-moi un demi de brune, si c'est un effet de ta bonté.

Le desserveur lui apporta un verre de porter ordinaire. L'homme le but d'un trait et demanda une graine de cumin. Il posa un penny sur le comptoir et, laissant le desserveur le trouver à tâtons dans l'obscurité, il fit retraite aussi furtivement qu'il était entré.

L'obscurité, accompagnée d'un épais brouillard,

était en train d'avoir raison de ce crépuscule de
février et les réverbères avaient été allumés dans
Eustace Street. L'homme remonta les maisons jusqu'à la porte du bureau, se demandant s'il pourrait
finir sa copie à temps. Dans l'escalier, une odeur
âcre et moite de parfums divers caressa ses
narines : de toute évidence, Miss Delacour était
venue pendant qu'il était là-bas chez O'Neill. Il
replongea sa casquette dans sa poche et rentra
dans le bureau en prenant un air distrait.

— Mr Alleyne vous a fait appeler, dit le chef de
bureau sévèrement. Où étiez-vous ?

L'homme eut un coup d'œil vers les deux clients
debout derrière le comptoir comme pour faire
entendre que leur présence lui interdisait de
répondre. Les clients étant l'un et l'autre des
hommes, le chef du bureau se permit un petit rire.

— Je connais la combine, dit-il. Cinq fois dans
une journée, c'est un peu beaucoup... Bon, vous
feriez bien de vous dépêcher et de trouver pour
Mr Alleyne le double de notre correspondance
dans l'affaire Delacour.

Ce discours en présence du public, sa course
dans l'escalier, et la bière qu'il avait avalée si précipitamment mirent la confusion dans son esprit, et,
en s'asseyant à son pupitre pour rechercher ce
qu'on lui demandait, il comprit combien il était
vain d'espérer finir la copie du contrat avant cinq
heures et demie. Le soir sombre et humide arrivait
et il avait hâte de le passer dans les bars, à boire
avec ses amis, dans la lumière aveuglante des

lampes à gaz et le cliquetis des verres. Il sortit des dossiers la correspondance Delacour et quitta le bureau. Il espérait que Mr Alleyne ne découvrirait pas que les deux dernières lettres manquaient.

Le parfum âcre et moite l'accompagna jusqu'au bureau de Mr Alleyne. Miss Delacour était une femme d'âge mûr, juive selon toute apparence. On disait que Mr Alleyne avait un faible pour elle ou pour son argent. Elle venait souvent et ses visites duraient longtemps. En ce moment, elle était assise à côté de son bureau, baignant dans les parfums, caressant la poignée de son parapluie, hochant la grande plume noire de son chapeau. Mr Alleyne avait fait tourner sa chaise pour lui faire face et, sémillant, avait jeté son pied droit sur son genou gauche. L'homme déposa la correspondance sur le bureau et s'inclina respectueusement, mais ni Mr Alleyne ni Miss Delacour ne prêtèrent attention à son salut. Le doigt de Mr Alleyne tapota les documents, puis eut une chiquenaude dans sa direction, comme pour dire : *Bon, ça va : vous pouvez disposer.*

L'homme retourna au bureau du bas et s'assit de nouveau à son pupitre. Il fixa intensément la formule incomplète : *En aucun cas, ledit Bernard Bodley, bailleur...* et se dit qu'il était bien étrange que les trois derniers mots commencent par la même lettre. Le chef de bureau se mit à presser Miss Parker, disant qu'elle n'aurait jamais fini de taper les lettres à temps pour le courrier. L'homme écouta quelques minutes le cliquetis de la machine, puis se mit en devoir d'achever sa copie. Mais il n'avait pas la tête claire et ses pensées s'en allaient errer vers le pub, ses lumières aveuglantes et son vacarme. C'était un soir à prendre des punches brûlants. Il poursuivit péniblement sa copie, mais lorsque l'horloge sonna cinq heures il avait encore quatorze pages à écrire. Bon Dieu de bon Dieu ! Il ne pourrait pas finir à temps. Il avait une furieuse envie de jurer tout haut, de faire descendre son poing violemment sur quelque chose. Il était tellement hors de lui qu'il écrivit *Bernard Bernard* au lieu de *Bernard Bodley* et dut recommencer sur une feuille vierge.

Il se sentait assez fort pour vider tout le bureau à lui seul. Son corps éprouvait le besoin douloureux de faire quelque chose, de se ruer dehors et de s'enivrer de violence. Toutes les indignités qu'il vivait l'exaspéraient... Pouvait-il demander une avance au caissier, en privé ? Non, il n'y avait rien à faire du côté du caissier, fichtrement rien : il ne donnerait pas d'avance... Il savait où il rencontrerait les copains : Leonard, O'Halloran et Nosey Flynn. Le baromètre naturel de ses émotions annonçait une période orageuse.

Son imagination l'avait tellement coupé de la réalité qu'il fallut l'appeler deux fois par son nom avant qu'il répondît. Mr Alleyne et Miss Delacour étaient debout devant le comptoir et tous les employés s'étaient retournés, prévoyant qu'il allait se passer quelque chose. L'homme se leva de son pupitre. Mr Alleyne se lança dans une tirade d'invectives, disant qu'il manquait deux lettres. L'homme répondit qu'il n'en avait pas connaissance, qu'il avait fait une copie fidèle. La tirade se poursuivit : elle fut si acerbe et si violente que l'homme se retint difficilement d'abaisser son poing sur la tête de l'avorton qu'il avait devant lui.

— Je n'ai pas connaissance de deux autres lettres, dit-il, stupide.

— *Vous — n'avez pas — connaissance.* Bien sûr, vous n'avez aucune connaissance, dit Mr Alleyne. Dites-moi, ajouta-t-il après avoir sollicité d'un coup d'œil l'approbation de sa voisine, me prenez-vous pour un idiot ? Croyez-vous que je sois complètement idiot ?

Le regard de l'homme passa du visage de la dame à la petite tête en forme d'œuf et revint à son point de départ ; et, presque avant qu'il eût pu s'en rendre compte, sa langue trouva le trait de génie :

— Je ne crois pas, monsieur, que ce soit une question à me poser.

Dans le silence qui suivit, on n'entendit même plus la respiration des employés. Tout le monde était abasourdi (l'auteur du trait ne l'était pas moins que ses voisins) et Miss Delacour, personne aimable et solide, arbora un large sourire. Mr Alleyne devint couleur de la rose sauvage et sa bouche eut le rictus d'un nain en fureur. Il agita sous le visage de l'homme un poing qui semblait vibrer comme le pommeau d'une machine électrique.

— Espèce d'impertinent chenapan ! Espèce

d'impertinent chenapan ! Votre cas sera vite réglé !
Attendez un peu ! Vous me ferez des excuses pour
votre impertinence ou vous quitterez le bureau sur-
le-champ ! Vous quitterez ce bureau, croyez-moi,
ou vous me ferez des excuses !

. . . .

Il se tenait en observation dans l'entrée d'une
maison faisant face au bureau pour voir si le caissier sortirait seul. Tous les employés défilèrent et
finalement le caissier sortit avec le chef de bureau.
Ce n'était pas la peine d'essayer de lui parler
quand il était avec le chef de bureau. L'homme se
sentait en assez mauvaise posture. Il avait été forcé
de faire de basses excuses à Mr Alleyne pour son
impertinence, mais il savait que le bureau allait
devenir pour lui un beau guêpier. Il se souvenait
encore de la façon dont Mr Alleyne en avait férocement chassé le petit Peake pour faire place à son
neveu. Il se sentait en proie à des instincts sangui-
naires, à la soif, à la vengeance, fâché contre lui-
même et contre tout le monde. Mr Alleyne ne lui
laisserait pas de repos ; sa vie serait un enfer. Cette
fois-ci, il avait fait une belle bêtise ! Il ne pouvait
donc pas tenir sa langue ? Mais ça n'avait jamais
marché entre eux, depuis le début, lui et
Mr Alleyne, depuis le jour où Mr Alleyne l'avait
surpris en train d'imiter son accent d'Irlande du
Nord pour faire rire Higgins et Miss Parker : c'est
comme ça que ça avait commencé. Pour l'argent, il
aurait pu essayer de demander à Higgins, mais,
bien sûr, Higgins était toujours démuni. Avec deux

ménages sur les bras, évidemment, il ne pouvait pas...

Il sentait que son grand corps avait à nouveau un besoin douloureux du pub, de son confort, de son réconfort. Le brouillard avait commencé à le glacer et il se demandait s'il pourrait taper Pat chez O'Neill. Il ne pourrait pas le taper de plus d'un shilling — et un shilling, ça ne servait à rien. Et pourtant il fallait qu'il trouve de l'argent quelque part : il avait payé le demi de brune avec son dernier penny et il serait bientôt trop tard pour trouver de l'argent où que ce fût. Tout à coup, alors qu'il tripotait sa chaîne de montre, il pensa à la boutique de Terry Kelly, le prêteur sur gages de Fleet Street. C'était ça, la combine ! Pourquoi n'y avait-il pas pensé plus tôt ?

Il suivit rapidement la ruelle étroite de Temple Bar, se marmonnant qu'ils pouvaient tous aller au diable parce qu'il allait passer une bonne soirée. Chez Terry Kelly, l'employé dit *Une couronne !* mais le consignateur insistait pour avoir six shillings ; et pour finir les six shillings lui furent à la lettre accordés. Il sortit de chez le prêteur de joyeuse humeur, faisant entre le pouce et les autres doigts un petit cylindre de ses pièces de monnaie. Dans Westmoreland Street, les trottoirs étaient occupés par une foule de jeunes gens et de jeunes femmes revenant du travail, et des gosses en haillons couraient en tous sens, hurlant le nom des éditions du soir. L'homme fendait la foule, contemplant l'ensemble du spectacle avec une souveraine satisfaction, et dévisageant les employées de bureau d'un œil de maître. Il avait la tête pleine du bruit des tramways, avec leurs cloches et le bruissement de leurs trolleys, et son nez humait déjà les fumées montant en volutes de son punch. Tout en marchant, il envisageait par avance les termes dans lesquels il raconterait l'incident aux copains.

— Alors, je me suis contenté de le regarder — froidement, vous savez, et puis je l'ai regardée, elle. Puis je l'ai regardé à nouveau — vous savez, en prenant mon temps. *Je ne crois pas que ce soit une question à me poser,* que j'ai dit.

Nosey Flynn était assis dans son coin habituel chez Davy Byrne et, entendant l'histoire, il paya un demi à Farrington, disant qu'il n'en avait jamais entendu une aussi bien envoyée. Farrington lui paya un verre à son tour. Au bout d'un moment arrivèrent O'Halloran et Paddy Leonard et on leur répéta l'histoire. O'Halloran offrit une tournée de whiskies de malt bien tassés et bien chauds, et leur raconta comment il avait répondu au chef de bureau, quand il était chez Callan, dans Fowne Street ; mais comme la réplique était dans le style du berger des églogues[1], au langage libre, il dut admettre qu'elle n'était pas aussi astucieuse que celle de Farrington. Là-dessus Farrington leur dit de liquider ça et d'en prendre un autre.

Ils étaient encore en train d'annoncer leurs poi-

---

1. Écho de *Hamlet,* IV, VII, où la reine parle des « liberal shepherds », « bergers au langage libre ».

sons favoris et qui est-ce qui arrive ? Higgins ! Bien entendu il dut se joindre aux autres. On lui demanda de donner sa version, ce qu'il fit avec une grande vivacité, car la vue de cinq petits whiskies bien chauds avait de quoi ravigoter. Et chacun de rire aux éclats lorsqu'il montra comment Mr Alleyne secouait son poing sous le nez de Farrington. Puis il imita Farrington, disant : *Et cézigue était là, calme comme pas deux,* cependant que Farrington regardait l'assemblée de ses yeux lourds et sales, souriant et récupérant de temps en temps à l'aide de sa lèvre inférieure des gouttes d'alcool égarées dans sa moustache.

La tournée achevée, il y eut une pause. O'Halloran avait de l'argent mais aucun des deux autres ne semblait en avoir ; aussi tout le groupe quitta-t-il les lieux un peu à regret. Au coin de Duke Street, Higgins et Nosey Flynn se défilèrent sur la gauche, tandis que les trois autres retournaient vers le centre. Du crachin tombait maintenant dans les rues froides et, lorsqu'ils atteignirent le Bureau du Port, Farrington suggéra le Scotch House. Le bar était plein et langues et verres y menaient grand bruit. Les trois hommes se frayèrent un chemin au milieu des petits vendeurs d'allumettes piaulant à la porte et formèrent un petit groupe au coin du comptoir. Ils se mirent à échanger des histoires. Leonard les présenta à un jeune *artiste* du nom de Weathers qui jouait au Tivoli dans des numéros d'acrobate et de clown. Farrington offrit une tournée générale. Weathers dit qu'il prendrait un petit

irlandais avec de l'Apollinaris. Farrington, qui
savait vivre, demanda aux autres s'ils voulaient
aussi une Apollinaris ; mais ils dirent à Tim de servir les leurs chauds. On se mit à parler théâtre.
O'Halloran paya une tournée, puis Farrington
paya une autre tournée, Weathers se récriant et
disant que l'hospitalité était par trop irlandaise. Il
promit de les faire entrer dans les coulisses et de
les présenter à quelques gentilles filles. O'Halloran
dit que lui et Leonard iraient, mais sans Farrington, qui était marié ; et de ses yeux lourds et sales
Farrington jeta un regard paillard sur l'assemblée
pour montrer qu'il avait compris qu'on le blaguait.
Weathers leur fit prendre à tous juste un petit cor-
dial et promit de les retrouver plus tard chez Mulligan, dans Poolbeg Street.

Quand le Scotch House ferma ils passèrent chez
Mulligan. Ils entrèrent par l'arrière-salle et O'Halloran commanda pour tout le monde des petits
punches spéciaux brûlants. Ils commençaient tous
à se sentir à point. Farrington était juste en train
d'offrir une tournée lorsque Weathers revint. Au
grand soulagement de Farrington il but cette fois-ci
un verre de bitter. Les fonds baissaient mais ils en
avaient assez pour tenir le coup. Bientôt deux
jeunes femmes coiffées de grands chapeaux et un
jeune homme en complet à carreaux entrèrent et
s'assirent à une table voisine. Weathers les salua et
dit aux autres qu'ils venaient du Tivoli. À chaque
instant les yeux de Farrington se mettaient à errer
dans la direction de l'une des jeunes femmes. Son

aspect extérieur avait quelque chose de frappant.
Une immense écharpe de mousseline bleu paon
était enroulée autour de son chapeau et revenait
faire un grand nœud sous son menton ; et elle portait des gants jaune vif, montant jusqu'au coude.
Farrington contemplait avec admiration le bras
dodu qu'elle déplaçait fréquemment et avec beaucoup de grâce ; et lorsque, au bout d'un petit
moment, elle répondit à son regard, il admira plus
encore ses grands yeux marron foncé. Leur expression à la fois fixe et oblique le fascinait. Elle lui jeta
un ou deux coups d'œil et, au moment où son
groupe quittait la salle, elle frôla sa chaise et dit
Oh, pardon ! avec l'accent de Londres. Il la
regarda sortir dans l'espoir qu'elle jetterait un dernier coup d'œil vers lui, mais il fut déçu. Il se maudit d'être désargenté et maudit toutes les tournées
qu'il avait offertes, en particulier tous les whiskies
à l'Apollinaris qu'il avait offerts à Weathers. S'il y
avait une chose qu'il détestait, c'était bien les écor-
nifleurs. Il était si furieux qu'il perdit le fil de la
conversation.

Lorsque Paddy Leonard l'appela il s'aperçut
qu'ils étaient en train de parler épreuves de force.
Weathers montrait son biceps à l'assemblée et se
vantait tellement que les autres avaient fait appel à
Farrington pour défendre l'honneur national. Farrington remonta donc sa manche et montra son
biceps à l'entour. On examina les deux bras, on
les compara, et finalement on convint d'avoir
un bras de fer. On libéra la table et les deux

hommes posèrent leur coude dessus, se serrant la main. Lorsque Paddy Leonard dirait *Allez !* chacun devrait essayer d'abaisser sur la table la main de l'autre. Farrington avait l'air fort sérieux et résolu.

L'épreuve commença. Au bout d'environ trente secondes Weathers abaissa lentement la main de son rival sur la table. La colère et l'humiliation suscitées par la défaite que lui avait infligée pareil blanc-bec firent tourner le visage lie-de-vin de Farrington à un rouge plus sombre encore.

— Vous ne devez pas peser de tout votre poids. Jouez franc jeu, dit-il.

— Qui donc ne joue pas franc jeu ? dit l'autre.

— Allez, on recommence. Deux manches et la belle.

On recommença l'épreuve. Les veines saillaient sur le front de Farrington, et le teint de Weathers, de pâle, passa au rose pivoine. Leurs mains et leurs bras tremblaient sous l'effort. Après une longue lutte, Weathers fit à nouveau descendre lentement la main de son adversaire sur la table. Il y eut un murmure d'approbation parmi les spectateurs. Le desserveur aux cheveux roux, qui se tenait près de la table, fit un signe de tête en direction du vainqueur et dit avec une familiarité de butor :

— Ah ! Il a le coup !

— Est-ce que tu y connais seulement quelque chose ? dit Farrington d'un air féroce, en se tournant contre l'homme. Qu'est-ce que tu as à ouvrir ta gueule ?

— Tss,tss ! fit O'Halloran, qui avait remarqué la

violence peinte sur le visage de Farrington. Abou-
lez le fric, les gars. On va prendre encore un petit
coup et puis on file.

Un homme à la mine très renfrognée attendait
au coin de O'Connell Bridge que le petit tram de
Sandymount le ramenât chez lui. Il était plein
d'une colère vengeresse qui couvait. Il se sentait
humilié et mécontent ; il ne se sentait même pas
ivre ; et il n'avait que deux pence en poche. Il
envoyait tout au diable. Il s'était complètement
coulé au bureau, avait mis sa montre en gage,
dépensé tout son argent ; et il ne s'était même pas
saoulé. Il recommençait à avoir soif et il rêvait de
se retrouver dans la chaleur du pub empuanti. Il
avait perdu sa réputation d'homme fort, en se faisant battre deux fois par un simple gamin. La
fureur gonflait son cœur et, lorsqu'il pensait à la
femme au grand chapeau qui l'avait frôlé en disant
Pardon ! cette fureur l'étranglait presque.

Son tram le laissa à Shelbourne Road et il pilota
son grand corps dans l'ombre du mur de la caserne.
Rentrer à la maison lui faisait horreur. Pénétrant
par la porte latérale, il trouva la cuisine vide et son
feu presque éteint. Il brailla dans l'escalier :

— Ada ! Ada !

Sa femme était un petit être au visage en lame
de couteau qui le houspillait lorsqu'il était à jeun et
qu'il houspillait lorsqu'il avait bu. Ils avaient cinq
enfants. Un petit garçon descendit l'escalier en
courant.

— Qui est-ce ? dit l'homme en scrutant l'obscurité.

— C'est moi, p'pa.

— Qui es-tu ? Charlie ?

— Non, p'pa. Tom.

— Où est ta mère ?

— Elle est partie à la chapelle.

— C'est bon... Est-ce qu'elle a pensé à me laisser quelque chose pour dîner ?

— Oui, p'pa. Je...

— Allume la lampe. Qu'est-ce que ça signifie de tout plonger dans l'obscurité ? Est-ce que les autres enfants sont au lit ?

L'homme s'assit lourdement sur l'une des chaises tandis que le petit garçon allumait la lampe. Il se mit à singer l'accent commun de son fils, répétant à mi-voix *À la chapelle. À la chapelle, s'il vous plaît !* Lorsque la lampe fut allumée il donna un coup de poing sur la table et cria :

— Qu'est-ce que j'ai pour dîner ?

— Je vais... le faire chauffer, p'pa, dit le petit garçon.

L'homme bondit, furibond, et montra le feu.

— Sur ce feu ! Tu as laissé s'éteindre le feu ! Bon Dieu, je t'apprendrai à recommencer !

Il fit un pas vers la porte et s'empara de la canne qui se trouvait derrière.

— Je t'apprendrai à laisser le feu s'éteindre ! dit-il en roulant sa manche pour donner libre jeu à son bras.

Le petit garçon cria *Oh, p'pa !* et courut autour

de la table en pleurnichant, mais l'homme le suivit
et l'attrapa par sa veste. Le petit garçon regarda
autour de lui désespérément mais, ne voyant aucun
moyen de s'échapper, tomba à genoux.

— Alors, tu laisseras le feu s'éteindre, la prochaine fois ? dit l'homme en le frappant vicieuse-
ment avec la canne. Tiens, prends ça, espèce de
petit roquet !

L'enfant poussa un cri aigu de douleur lorsque la
canne lui cingla la cuisse. Il leva ses mains jointes
et sa voix se mit à trembler de frayeur.

— Ô, p'pa ! cria-t-il. Ne me bats pas ! Et je... je
dirai un *Je vous salue Marie* pour toi... Je dirai un
Je vous salue Marie pour toi, p'pa, si tu ne me bats
pas... Je dirai un *Je vous salue Marie*...

Argile

L'intendante l'avait autorisée à partir dès que
les femmes auraient fini leur thé et Maria se faisait une joie de la sortie de ce soir-là. La cuisine
était briquée : la cuisinière disait qu'on pouvait
se regarder dans les grands chaudrons de cuivre.
Il y avait un bon feu vif et sur l'une des des-
sertes se trouvaient quatre très grosses brioches
aux raisins. Elles paraissaient intactes ; mais en
vous approchant vous vous aperceviez qu'elles
avaient été découpées en longues tranches
épaisses et régulières, prêtes à être distribuées
pour le thé. C'est Maria qui les avait découpées
elle-même.

Maria était vraiment une toute, toute petite
personne, mais elle avait un très long nez et un
très long menton. Elle parlait un peu du nez,
toujours avec douceur : *Oui, ma chère,* et *Non,
ma chère.* C'est toujours elle qu'on allait chercher
quand les femmes se querellaient à propos de
leurs baquets, et elle arrivait toujours à rétablir
la paix. Un jour l'intendante lui avait dit :

— Maria, vraiment, vous apportez la paix avec vous !

Et la sous-intendante et les deux dames du Comité avaient entendu le compliment. Et Mooney la Rouquine, disait toujours : « Qu'est-ce que je lui ferais pas, à la sourde-muette qui s'occupe des fers, s'il n'y avait pas Maria ! » Tout le monde l'aimait tellement, Maria.

Les femmes auraient le thé à six heures et elle pourrait partir avant sept heures. De Ballsbridge à la Colonne, vingt minutes ; de la Colonne à Drumcondra, vingt minutes ; et vingt minutes pour faire les achats. Elle arriverait avant huit heures. Elle sortit son porte-monnaie à fermoir d'argent et relut les mots *Souvenir de Belfast*. Elle aimait beaucoup ce porte-monnaie parce que Joe le lui avait rapporté cinq ans auparavant quand il avait fait un petit tour à Belfast avec Alphy pour le lundi de la Pentecôte. Dans le porte-monnaie se trouvaient deux demi-couronnes et quelques pennies. Il lui resterait cinq shillings net une fois le tram payé. Quelle bonne soirée ils passeraient, tous les enfants chanteraient ! Seulement elle espérait que Joe ne rentrerait pas ivre. Il était tellement différent dès qu'il buvait un peu.

Souvent il avait voulu qu'elle aille vivre avec eux, mais elle se serait sentie un peu de trop (pourtant la femme de Joe était gentille au possible avec elle) et elle s'était habituée à la vie de la blanchisserie. Joe était un brave garçon. Elle les avait élevés, lui et Alphy ; et Joe disait souvent :

— Maman, c'est maman, mais c'est Maria qui a
été ma mère à proprement parler.

Quand la maisonnée s'était dispersée, les garçons lui avaient trouvé cette place à la blanchisserie *Dublin by Lamplight,* et elle lui plaisait. Autrefois elle avait une bien mauvaise opinion des
protestants, mais maintenant elle pensait que
c'étaient des gens très agréables, un peu silencieux
et sérieux, mais quand même bien agréables et
faciles à vivre. Et puis elle avait ses plantes dans la
serre et elle aimait s'en occuper. Elle avait des fou-
gères et des ciriers magnifiques et chaque fois
qu'on venait la voir, elle donnait à son visiteur une
ou deux boutures de sa serre. Il y avait une chose
qu'elle n'aimait pas, c'était les tracts sur les murs ;
mais l'intendante était de commerce si agréable, si
comme-il-faut.

Quand la cuisinière lui dit que tout était prêt,
elle entra dans la salle commune et se mit à tirer la
grosse cloche. Au bout de quelques minutes les
femmes commencèrent à arriver par deux ou trois,
essuyant leurs mains fumantes sur leur jupon et
rabattant les manches de leur casaque sur leurs
bras rouges et fumants. Elles s'installèrent devant
leurs énormes tasses que la cuisinière et la sourde-
muette remplirent de thé brûlant, déjà sucré et
additionné de lait dans d'énormes brocs. Maria
surveilla la distribution de la brioche, veillant à ce
que chaque femme eût ses quatre tranches. Pendant le repas, rires et plaisanteries allèrent bon
train. Lizzie Fleming dit que Maria aurait sûrement

l'anneau, et bien qu'elle eût déjà souvent dit cela pour la veillée de Toussaint, Maria fut obligée de rire et de répondre qu'elle ne voulait pas d'anneau, ni d'homme non plus ; et quand elle rit, timidité et désappointement firent briller ses yeux vert-gris et le bout de son nez rejoignit presque le bout de son menton. Puis Mooney la Rouquine, leva sa tasse à la santé de Maria, tandis que les autres femmes faisaient du vacarme sur la table avec la leur, et dit qu'elle regrettait de ne pas pouvoir lui souhaiter ça avec un petit coup de porter. Et Maria se remit à rire jusqu'à faire presque toucher le bout de son nez et le bout de son menton, et à presque désarticuler son petit corps, parce qu'elle savait que chez Mooney cela partait d'une bonne intention, même si bien sûr elle avait les idées d'une femme commune.

Mais comme Maria fut contente lorsque les femmes eurent fini leur thé et que la cuisinière et la sourde-muette eurent commencé à débarrasser la table ! Elle entra dans sa petite chambre et, se souvenant qu'il y avait la messe le lendemain matin, elle fit passer l'aiguille du réveil de sept à six. Puis elle ôta sa jupe de travail et ses chaussures d'intérieur, étala sa plus belle jupe sur son lit et posa au pied de celui-ci ses minuscules chaussures de sortie. Elle changea aussi de corsage et, debout devant le miroir, elle se souvint de la façon dont elle s'habillait pour la messe le dimanche matin lorsqu'elle était petite fille ; et elle regarda avec une bizarre affection le tout petit corps qu'elle

avait si souvent paré. Malgré les années, elle trouvait que c'était un joli petit corps bien net.

Lorsqu'elle sortit, les rues étaient luisantes de
pluie et elle fut contente d'avoir son vieil imperméable marron. Le tram était plein et elle dut s'asseoir sur le petit strapontin, au bout de la voiture,
faisant face à tout le monde, touchant à peine le
plancher du bout des pieds. Elle récapitula dans sa
tête tout ce qu'elle allait faire et se dit comme
c'était mieux d'être indépendant et d'avoir son
argent dans sa poche. Elle espérait qu'ils passeraient une bonne soirée. Elle en était sûre, mais
elle ne pouvait s'empêcher de penser que c'était
bien dommage qu'Alphy et Joe ne se parlent pas.
Ils se disputaient tout le temps, maintenant, mais
lorsqu'ils étaient enfants c'étaient les meilleurs
amis du monde : bien sûr, c'était la vie.

Elle descendit de son tram à la Colonne, et se
faufila rapidement dans la foule. Elle entra chez
Downe, le pâtissier, mais la boutique était si pleine
de gens qu'il lui fallut longtemps pour se faire servir. Elle prit un assortiment d'une douzaine de
gâteaux à un penny, et finit par s'en aller chargée
d'un gros sac. Puis elle se demanda : qu'est-ce
qu'elle achèterait d'autre ; elle voulait que ce soit
quelque chose de vraiment bon. On pouvait être
sûr qu'ils avaient déjà beaucoup de pommes et de
noix. C'était difficile de savoir ce qu'il fallait acheter et elle ne voyait guère qu'un gâteau. Elle
décida d'acheter du gâteau aux prunes, mais celui
de chez Downe n'avait pas assez de garniture aux

amandes dessus, alors elle alla dans une boutique
de Henry Street. Là il lui fallut longtemps pour
faire son choix et la jeune femme très à la mode
qui servait au comptoir et qu'évidemment elle irritait un peu lui demanda si c'était un gâteau de
mariage qu'elle voulait. Sur quoi Maria rougit et
sourit à la jeune femme ; mais celle-ci prenait tout
cela avec grand sérieux et finit par lui couper une
grosse tranche de gâteau aux prunes, l'enveloppa
et lui dit :

— Deux shillings quatre, s'il vous plaît.

Elle crut qu'il lui faudrait rester debout dans le
tram de Drumcondra, car aucun des jeunes gens ne
semblait la remarquer, mais un monsieur âgé lui
céda sa place. C'était un monsieur corpulent coiffé
d'un chapeau melon marron ; il avait le visage
rouge et carré et une moustache grisonnante.
Maria se dit qu'il avait l'allure d'un colonel en civil
et se fit la remarque qu'il était autrement plus poli
que les jeunes gens, qui se contentaient de regarder
droit devant eux. Le monsieur se mit à bavarder
avec elle, parlant de la veillée de Toussaint et de ce
temps pluvieux. Le sac, pensait-il, devait être plein
de bonnes choses pour les petits, et il dit que c'était
bien normal que les jeunes s'amusent tant que
c'était de leur âge. Maria tomba d'accord avec lui
et le gratifia de hochements de tête et de toussote-
ments de bon ton. Il fut très gentil avec elle, et lorsqu'elle descendit à Canal Bridge elle le remercia et
s'inclina, et il s'inclina à son tour et leva son chapeau tout en souriant aimablement ; et tandis

qu'elle remontait la rangée de maisons, courbant
sa toute petite tête sous la pluie, elle se dit qu'il
était vraiment bien facile de reconnaître un monsieur bien élevé, même lorsqu'il avait bu un petit
verre de trop.

Tout le monde dit : *Ah, voilà Maria !* lorsqu'elle
arriva à la maison de Joe. Joe était là, déjà revenu
de ses affaires, et tous les enfants avaient leurs
vêtements des dimanches. On avait invité deux
grandes jeunes filles qui habitaient à côté et il y
avait des jeux en cours. Maria donna le paquet de
gâteaux à l'aîné, Alphy, pour qu'il le partage et
Mrs Donnelly dit que c'était trop gentil de sa part
d'apporter un si gros sac et invita tous les enfants à
dire :

— Merci, Maria.

Mais Maria dit qu'elle avait apporté quelque
chose de spécial pour Papa et Maman, quelque
chose qu'ils aimeraient sûrement, et elle se mit à
chercher son gâteau aux prunes. Elle chercha dans
le sac de chez Downe puis dans les poches de son
imperméable puis sur le portemanteau mais elle ne
le trouva absolument nulle part. Elle demanda
ensuite à tous les enfants si l'un d'entre eux l'avait
mangé — par erreur bien sûr — mais ils dirent tous
que non avec l'air de préférer ne pas manger de
gâteaux si on les accusait de vol. Chacun avait son
explication du mystère et Mrs Donnelly dit que
Maria l'avait laissé dans le tram, c'était évident.
Maria, se rappelant la confusion dans laquelle
l'avait plongée le monsieur à la moustache grison-

nante, rougit de honte, de dépit et de désappointement. À la pensée qu'elle avait raté sa petite surprise et gaspillé deux shillings quatre en pure perte,
elle faillit tout simplement éclater en sanglots.

Mais Joe dit que ça n'avait pas d'importance et
la fit asseoir près du feu. Il fut très gentil avec elle.
Il lui raconta tout ce qui se passait à son bureau,
répétant pour elle la bonne réplique qu'il avait
faite au directeur. Maria ne comprit pas pourquoi
cette réponse faisait tant rire Joe mais elle dit que
cela avait dû être bien difficile de discuter avec une
personne aussi arrogante. Joe dit qu'il n'était pas si
méchant lorsqu'on savait y faire avec lui, que
c'était un brave type tant qu'on ne le prenait pas à
rebrousse-poil. Mrs Donnelly joua du piano pour
les enfants et ils dansèrent et chantèrent. Puis les
deux voisines firent passer les noix. Personne ne
trouvait le casse-noix et Joe s'emporta presque et
demanda comment à leur avis Maria allait casser
des noix sans casse-noix. Mais Maria dit qu'elle
n'aimait pas les noix et qu'ils n'avaient pas à se
faire de souci pour elle. Puis Joe demanda si elle
prendrait une bouteille de stout et Mrs Donnelly
dit qu'on avait aussi du porto si elle aimait mieux.
Maria dit qu'elle préférait qu'ils ne lui proposent
rien du tout : mais Joe insista.

Alors Maria le laissa faire et ils restèrent assis
près du feu à parler du bon vieux temps et Maria se
dit qu'elle pourrait glisser un mot en faveur d'Alphy. Mais Joe s'écria que Dieu le fasse tomber
raide mort si jamais il adressait à nouveau la parole

à son frère et Maria dit qu'elle était désolée d'avoir évoqué le sujet. Mrs Donnelly dit à son mari qu'il était honteux de parler de son propre sang de cette façon, mais Joe dit qu'Alphy n'était pas son frère et cela tourna presque à la dispute. Mais Joe dit qu'il ne voulait pas se mettre en colère vu le jour qu'on était et demanda à sa femme d'ouvrir encore quelques bouteilles de stout. Les deux voisines avaient organisé des jeux de veillée de Toussaint et bientôt la gaieté fut à nouveau générale. Maria était ravie de voir les enfants si joyeux et Joe et sa femme de si bonne humeur. Les voisines posèrent quelques soucoupes sur la table, vers laquelle les enfants furent conduits, yeux bandés[1]. L'un eut le missel et les trois autres eurent l'eau ; et, quand l'une des voisines eut l'anneau, Mrs Donnelly agita le doigt en direction de la jeune fille rougissante comme pour dire *Oh, je sais tout !* Puis ils insistèrent pour mettre un bandeau à Maria et la conduire à la table pour voir ce qu'elle aurait ; et, tandis qu'ils mettaient le bandeau, Maria riait, mais riait, au point que le bout de son nez rejoignait presque le bout de son menton.

Ils la conduisirent vers la table au milieu des rires et des plaisanteries et elle avança la main en

    1. Dans l'ancien calendrier celtique, l'année commençait le premier novembre. C'est pourquoi la veillée de la Toussaint reste le moment privilégié des jeux et pratiques divinatoires. Ici, l'anneau signifie le mariage, le missel l'entrée en religion, l'eau la vie, et l'argile la mort. Mais dans le jeu de société l'argile était certainement omise.

l'air comme on lui disait. Elle déplaça la main çà et
là dans l'air et la descendit sur une des soucoupes.
Ses doigts touchèrent une substance humide et
molle et elle fut surprise que personne ne lui parlât
ni ne lui ôtât son bandeau. Il y eut un silence de
quelques secondes ; puis beaucoup de remue-
ménage et de murmures. Quelqu'un parla du jardin et à la fin Mrs Donnelly s'adressa très sèchement à l'une des voisines et lui dit de jeter ça tout
de suite : cela n'avait rien de drôle. Maria comprit
que cette fois ça n'allait pas et elle dut donc
recommencer : et cette fois-ci elle eut le missel.

Après quoi Mrs Donnelly joua *Miss McCloud's
Reel* pour les enfants et Joe fit prendre un verre de
vin à Maria. Bientôt tous furent à nouveau très
joyeux et Mrs Donnelly dit que Maria entrerait au
couvent avant la fin de l'année parce qu'elle avait
eu le missel. Maria n'avait jamais vu Joe aussi gentil avec elle que ce soir-là, toujours à dire ou à rappeler des choses agréables. Elle dit qu'ils étaient
tous très bons pour elle.

Les enfants finirent par donner des signes de
fatigue et de sommeil et Joe demanda à Maria si
elle ne voulait pas chanter une petite chanson
avant de s'en aller, une de ces chansons d'autrefois.
Mrs Donnelly dit : *Oh, oui, je vous en prie, Maria !*
et alors Maria dut se lever et prendre place près du
piano. Mrs Donnelly ordonna aux enfants de se
tenir tranquilles et d'écouter la chanson de Maria.
Puis elle joua le prélude et dit *Allez-y, Maria !* et
Maria, toute rougissante, se mit à chanter d'une

toute petite voix chevrotante. Elle chanta *J'ai rêvé d'une demeure,* et arrivée au second couplet elle recommença :

> J'ai rêvé d'une demeure de marbre
>> Vassaux et serfs à mes côtés,
> Et que de tous ceux assemblés en ces murs
>> J'étais l'espoir et l'orgueil.
> On ne comptait plus mes richesses
>> J'étais glorieuse d'un nom illustre
> Mais j'ai rêvé aussi, plaisir extrême,
>> Que vous m'aimiez du même amour.

Mais personne n'essaya de lui signaler son erreur[1] ; et quand elle eut fini sa chanson Joe était très ému. Il dit que rien ne valait le bon vieux temps ni la musique de ce pauvre vieux Balfe, du moins pour lui, quoi que d'autres puissent dire ; et ses yeux s'emplirent de larmes au point qu'il n'arrivait pas à trouver ce qu'il cherchait et finalement il dut demander à sa femme de lui dire où était le tire-bouchon.

---

1. La strophe omise est celle où sont évoqués les chevaliers épris de l'héroïne. L'un d'entre eux demande sa main. Les deux derniers vers reprennent en refrain : « Mais j'ai rêvé aussi..., etc. »

Un cas douloureux

Mr James Duffy habitait Chapelizod parce qu'il
souhaitait vivre aussi loin que possible de la ville
dont il était le citoyen et parce qu'il trouvait tous
les autres faubourgs de Dublin mesquins,
modernes et prétentieux. Il habitait une vieille
maison sombre et de ses fenêtres son regard pouvait plonger dans la distillerie désaffectée ou
remonter la maigre rivière sur laquelle Dublin est
construite. Les très hauts murs de sa chambre
dépourvue de tapis n'étaient pas encombrés de
tableaux. Il avait acheté lui-même chaque article
d'ameublement de cette pièce : un lit de fer noir,
une table de toilette en fer, quatre chaises cannées,
un porte-vêtements, un seau à charbon, un garde-
feu et des chenets, et une table carrée sur laquelle
était posé un pupitre double. Des rayonnages de
bois blanc installés dans un renfoncement consti-
tuaient une bibliothèque. Le lit était revêtu de couvertures blanches et un plaid noir et rouge vif gar-
nissait le pied. Un petit miroir portatif était
accroché au-dessus de la table de toilette et dans la

journée une lampe à abat-jour blanc constituait le seul ornement de la cheminée. Sur les rayonnages de bois blanc les livres étaient disposés de bas en haut selon leur grosseur. Les œuvres complètes de Wordsworth se trouvaient à une extrémité du rayon inférieur et un exemplaire du *Catéchisme de Maynooth,* sur lequel on avait cousu la couverture toilée d'un carnet, se trouvait à une extrémité du rayon supérieur. Il y avait toujours de quoi écrire sur le pupitre. Dans celui-ci se trouvaient le manuscrit d'une traduction du *Michael Kramer* de Hauptmann, dont les indications scéniques étaient écrites à l'encre violette, et une petite liasse de papiers retenus par une épingle de laiton. Sur ces feuilles venait s'inscrire de temps à autre une phrase et, dans un moment d'ironie, on avait collé sur la première feuille l'en-tête d'une publicité pour les *Petites Pilules pour la bile.* Lorsqu'on levait le couvercle du pupitre, il s'échappait un léger parfum — celui de crayons neufs en bois de cèdre ou d'un flacon de gomme arabique ou d'une pomme trop mûre qu'on eût peut-être laissée là et oubliée.

Mr Duffy avait horreur de tout ce qui était signe de désordre physique ou mental. Un docteur du Moyen Âge l'aurait qualifié de saturnien. Son visage, sur lequel se lisait le conte entier de ses années, avait la couleur brune des rues de Dublin. Sur sa tête allongée et plutôt forte poussaient des cheveux noirs, secs, et une moustache roussâtre recouvrait mal une bouche peu avenante. Ses pommettes aussi donnaient à son visage un caractère dur ; mais il n'y avait nulle dureté dans les yeux qui, regardant le monde par-dessous leurs sourcils roussâtres, donnaient l'impression d'un homme toujours prompt à saluer chez les autres le trait de nature susceptible de les racheter, espoir souvent déçu. Il vivait un peu à distance de son corps, considérant ses actes d'un regard oblique et dubitatif. Il avait une singulière habitude autobiographique qui, de temps en temps, lui faisait composer dans sa tête une petite phrase le concernant et comportant un sujet à la troisième personne et un prédicat au passé. Il ne faisait jamais l'aumône aux mendiants et marchait d'un pas assuré, tenant à la main une solide canne de coudrier.

Il était depuis de nombreuses années caissier dans une banque privée de Baggot Street. Il arrivait tous les matins de Chapelizod par le tram. À midi il se rendait chez Dan Burke pour déjeuner — une bouteille de lager et un petit plateau de biscuits d'arrowroot. On le libérait à quatre heures. Il dînait dans un petit restaurant de George's Street où il se sentait en sécurité loin de la société de la jeunesse dorée dublinoise et où le menu avait quelque chose d'à la fois simple et honnête. Ses soirées, il les passait soit devant le piano de sa propriétaire, soit à errer à la lisière de la ville. Son goût pour la musique de Mozart le conduisait parfois à l'opéra ou au concert : telles étaient les seules dissipations de son existence.

Il n'avait ni compagnons, ni amis, ni Église, ni foi. Sa vie spirituelle, il la menait sans communion aucune avec autrui, rendant visite aux membres de sa famille pour Noël et les accompagnant au cimetière lorsqu'ils mouraient. Il accomplissait ces deux devoirs mondains par respect pour les anciens usages mais il ne faisait pas d'autres sacrifices aux conventions qui règlent la vie en société. Il s'autorisait à penser que dans certaines circonstances il volerait sa banque mais, comme ces circonstances ne surgirent jamais, sa vie se déroula sans heurts — tel un conte sans aventures.

Un soir à la Rotonde il se trouva assis à côté de deux dames. La salle à peu près vide et silencieuse laissait présager un désolant fiasco. La dame assise à côté de lui jeta un ou deux regards sur la salle déserte puis dit :

— Quel dommage qu'il y ait si peu de monde ce soir ! C'est si dur pour les artistes de devoir chanter devant des banquettes vides.

Il prit cette remarque comme une invite à converser. Il fut surpris de trouver la dame si peu embarrassée. Tout en conversant il essaya de la fixer dans sa mémoire de façon définitive. Lorsqu'il apprit que la jeune personne assise à côté d'elle était sa fille, il jugea qu'elle devait avoir environ un an de moins que lui. Son visage, qui avait dû être beau, était resté intelligent. Il était ovale, avec des traits fortement marqués. Les yeux, d'un bleu très sombre, étaient assurés. Le regard au début comportait une note de défi, mais se troublait ensuite, la pupille paraissait, comme à dessein, se pâmer dans l'iris, révélant, l'espace d'un instant, un tempérament d'une grande sensibilité. La pupille recouvrait bientôt sa maîtrise, cette nature à demi dévoilée retombait sous l'empire de la prudence, et la veste d'astrakan de la dame, en moulant une gorge d'une certaine plénitude, faisait entendre plus distinctement la note de défi.

Il la rencontra de nouveau quelques semaines plus tard lors d'un concert donné à Earlsfort Terrace, et saisit les instants où l'attention de sa fille était distraite pour établir des relations plus intimes. Elle fit une ou deux fois allusion à son mari, mais le ton n'était pas tel que l'on dût sentir là un avertissement. Elle s'appelait Mrs Sinico. L'arrière arrière-grand-père de son mari était venu de Livourne. Son mari commandait un bateau marchand faisant la navette entre Dublin et la Hollande ; et ils avaient un seul enfant.

La rencontrant une troisième fois accidentellement, il trouva le courage de lui donner rendez-vous. Elle vint. Ce fut la première d'une longue suite de rencontres ; c'était toujours le soir, et ils choisissaient les quartiers les plus calmes pour se promener ensemble. Cependant, Mr Duffy détestait les cachotteries et, découvrant qu'ils étaient contraints de se retrouver furtivement, il l'obligea à l'inviter chez elle. Le capitaine Sinico encouragea ses visites, pensant que la main de sa fille était en cause. Il avait sincèrement écarté sa femme de la galerie de ses plaisirs, au point de ne pas soupçonner que quelqu'un d'autre pût s'intéresser à elle. Comme le mari était souvent absent et la fille

sortie pour donner des leçons de musique,
Mr Duffy avait de nombreuses occasions de jouir
de la société de la dame. Ni lui ni elle n'avait eu
auparavant pareille aventure et ni l'un ni l'autre
n'avait conscience d'agir de façon incongrue. Petit
à petit il enchevêtra ses pensées aux siennes. Il lui
prêta des livres, l'alimenta en idées, lui fit partager
sa vie intellectuelle. Elle écouta tout.

Parfois en échange de ses théories elle révélait
quelque fait de sa propre existence. Avec une sollicitude presque maternelle elle le poussait à laisser
s'épanouir sa nature ; elle devint son confesseur. Il
lui raconta qu'il avait assisté pendant quelque
temps aux réunions d'un Parti Socialiste Irlandais
où il s'était senti un personnage bien isolé au
milieu d'une vingtaine d'ouvriers pleins de modé-
ration réunis dans un galetas éclairé par une lampe
à huile inefficace. Quand le parti s'était scindé en
trois sections, chacune sous son chef et dans son
galetas, il avait cessé d'assister aux réunions. Les
discussions des ouvriers, disait-il, étaient trop timo-
rées ; l'intérêt qu'ils accordaient aux questions de
salaires était excessif. Il avait le sentiment que
c'étaient des réalistes taillés à coups de serpe,
offensés par une rigueur qui était le produit de loi-
sirs pour eux inaccessibles. On ne pouvait pas s'attendre, lui dit-il, à voir une révolution sociale
s'abattre sur Dublin avant quelques siècles.

Elle lui demanda pourquoi il ne rédigeait pas ses
pensées. À quoi bon ? lui demanda-t-il avec un
mépris bien pesé. Pour faire concurrence à des

phraseurs incapables de pensées suivies pendant soixante secondes ? Pour se soumettre aux critiques d'une bourgeoisie obtuse qui confiait sa moralité aux agents de police et ses beaux-arts aux imprésarios ?

Il allait souvent la voir dans sa petite maison à l'extérieur de Dublin ; souvent ils passaient leurs soirées seuls. Petit à petit, à mesure que leurs pensées s'enchevêtraient, ils abordaient des sujets moins lointains. La compagnie de cette femme avait l'effet d'une terre chaude sur une plante exotique. Bien souvent elle laissa l'obscurité les envelopper, s'abstenant d'allumer la lampe. La pièce sombre et discrète, leur isolement, la musique qui vibrait encore à leurs oreilles, tout les unissait. Lui, cette union l'exalta, adoucit les arêtes rugueuses de son caractère, teinta d'émotions sa vie mentale. Parfois il se surprenait à écouter le son de sa propre voix. Il pensait que sous les yeux de son amie il s'élèverait à une stature angélique ; et, tandis qu'il s'attachait de plus en plus étroitement la nature fervente de sa compagne, il entendait l'étrange voix impersonnelle qu'il reconnaissait pour sienne insister sur l'incurable solitude de l'âme. Nous ne pouvons nous donner, disait cette voix : nous n'appartenons qu'à nous-même. La conclusion de ces discours fut qu'un soir où elle avait montré tous les signes d'une excitation insolite Mrs Sinico s'empara de sa main avec passion et la pressa contre sa joue.

Mr Duffy fut extrêmement surpris. L'interprétation qu'elle donnait de ses paroles le désillusionna. Il ne lui rendit pas visite d'une semaine ; puis il lui écrivit pour lui demander de le rencontrer. Parce qu'il ne souhaitait pas que leur dernier entretien fût troublé par l'influence de leur confessionnal maintenant en ruine, la rencontre eut lieu dans une petite pâtisserie proche de l'entrée de Phoenix Park. Il faisait un temps d'automne, froid, en dépit duquel cependant ils errèrent pendant près de trois heures dans les allées du parc. Ils convinrent de rompre leurs relations : tout lien, dit-il, nous lie à l'affliction. En sortant du parc, ils se dirigèrent sans parler vers le tram ; mais là elle se mit à trembler si violemment que, redoutant de la voir s'effondrer à nouveau, il lui fit rapidement ses adieux et la quitta. Quelques jours plus tard il recevait un paquet contenant ses livres et ses partitions.

Quatre ans s'écoulèrent. Mr Duffy reprit son mode de vie uniforme. Sa chambre témoignait encore de son esprit d'ordre. Quelques nouvelles partitions encombraient le casier à musique de la pièce du bas et sur ses rayons se trouvaient deux volumes de Nietzsche : *Ainsi parlait Zarathoustra* et *Le Gai Savoir*. Il écrivait rarement dans la liasse de papiers déposée dans son pupitre. Une de ses sentences, écrite deux mois après sa dernière entrevue avec Mrs Sinico, était ainsi rédigée : L'amour entre deux hommes est impossible parce qu'il ne doit pas y avoir de relation sexuelle et l'amitié entre un homme et une femme est impossible parce qu'il doit y avoir une relation sexuelle.

Il évitait les concerts de peur de la rencontrer. Son père mourut ; le second associé de la banque se retira des affaires. Et il continuait d'aller en ville tous les matins par le tram et de revenir à pied tous les soirs après avoir dîné frugalement dans George's Street et lu le journal du soir en guise de dessert.

Un soir, alors qu'il allait mettre dans sa bouche un morceau de corned beef au chou, sa main s'arrêta. Ses yeux se fixèrent sur un entrefilet du journal du soir qu'il avait calé contre la carafe d'eau. Il reposa le morceau dans son assiette et lut l'entrefilet avec attention. Puis il but un verre d'eau, écarta son assiette, plaça devant lui entre ses coudes le journal plié en deux et se mit à lire et relire l'entrefilet. Le chou commençait à laisser sur son assiette un dépôt blanc de graisse refroidie. La serveuse vint lui demander si son dîner était mal préparé. Il dit qu'il était très bon et en mangea quelques bouchées avec difficulté. Puis il régla l'addition et sortit.

Il s'en alla d'un pas vif dans le crépuscule de novembre, sa solide canne de coudrier frappant le sol à intervalles réguliers, le bord jaune chamois du *Mail* pointant hors d'une poche de sa capote très ajustée. Sur la route déserte qui conduit de l'entrée de Phoenix Park à Chapelizod, il ralentit le pas. Sa canne frappait le sol avec moins d'assurance et son souffle irrégulier, où l'on aurait presque perçu des soupirs, se condensait dans l'air glacé. Lorsqu'il atteignit sa maison, il monta immédiatement dans sa chambre et, tirant le journal de sa poche, relut l'entrefilet à la lumière défaillante qui tombait de la fenêtre. Il ne le lut pas tout haut, mais en remuant les lèvres comme un prêtre lisant les prières *Secreto*. L'entrefilet était ainsi rédigé :

MORT D'UNE DAME À SYDNEY PARADE

UN CAS DOULOUREUX

Aujourd'hui, à l'Hôpital Civil de Dublin, le coroner adjoint (en l'absence de Mr Leverett) a ouvert une enquête au sujet de la mort de Mrs Emily Sinico, âgée de quarante-trois ans, tuée hier soir à la gare de Sydney Parade. Les témoignages indiquent que la victime a été renversée par la locomotive de l'omnibus de dix heures en provenance de Kingstown, alors qu'elle tentait de traverser la voie, et qu'elle a subi de ce fait des blessures à la tête et au côté droit qui ont entraîné la mort.

James Lennon, conducteur de la locomotive, déclara qu'il était au service de la Compagnie depuis quinze ans. Au coup de sifflet du chef de train, il avait mis la machine en marche et une seconde ou deux plus tard il l'avait immobilisée, en réponse aux grands cris qui se faisaient entendre. Le train allait lentement.

P. Dunne, porteur, déclara que, au moment où le train allait partir, il avait remarqué une dame qui essayait de traverser les voies. Il avait couru vers elle et crié mais, avant qu'il ait pu l'atteindre, elle avait été accrochée par le tampon de la machine et jetée au sol.

Un juré : Vous avez vu tomber cette dame ?

Le témoin : Oui.

Le sergent Croly déclara qu'en arrivant il avait trouvé la défunte étendue sur le quai, apparemment morte. Il avait fait porter le corps dans la salle d'attente, où ce dernier était resté jusqu'à l'arrivée de l'ambulance.

Cette déposition fut corroborée par l'agent 57 E.

Le docteur Halpin, interne en chirurgie de l'Hôpital Civil de Dublin, déclara que la défunte avait eu deux côtes inférieures fracturées et avait subi de graves contusions à l'épaule. Dans sa chute, elle s'était blessée au côté droit de la tête. Les blessures n'étaient pas suffisantes pour entraîner la mort chez une personne normale. La mort, à son avis, était probablement due au choc et à un arrêt brutal du cœur.

Mr H. B. Patterson Finlay, parlant au nom de la Compagnie des Chemins de Fer, exprima ses profonds regrets au sujet de l'accident. La Compagnie avait toujours pris toutes précautions pour empêcher la traversée des voies en dehors des passerelles, à la fois en plaçant des avis dans chaque gare et en utilisant aux passages à niveau des portillons brevetés à fermeture automatique. La défunte avait l'habitude de traverser les voies tard le soir en passant d'un quai à un autre et, eu égard à certains autres aspects de l'affaire, il ne pensait pas que l'on pût incriminer les responsables des Chemins de Fer.

Le capitaine Sinico, de Leoville, Sydney Parade,

époux de la défunte, témoigna également. Il déclara que la défunte était son épouse. Il n'était pas à Dublin au moment de l'accident, étant arrivé ce matin-là seulement de Rotterdam. Ils étaient mariés depuis vingt-deux ans et avaient vécu heureux jusqu'à ces deux dernières années, au cours desquelles sa femme avait pris des habitudes d'intempérance.

Miss Mary Sinico déclara que depuis peu sa mère avait pris l'habitude de sortir le soir pour acheter des spiritueux. Le témoin avait souvent essayé de raisonner sa mère et l'avait persuadée d'adhérer à une ligue antialcoolique. Elle n'était rentrée chez elle qu'une heure après l'accident.

Le jury a rendu un verdict conforme aux résultats de l'examen médical et a dégagé entièrement la responsabilité de Lennon.

Le coroner adjoint a déclaré que c'était un cas des plus douloureux, et exprimé toute sa sympathie au capitaine Sinico et à sa fille. Il a invité la Compagnie à prendre des mesures très strictes pour éviter le retour de pareils accidents. Aucune responsabilité n'a été retenue.

Mr Duffy leva les yeux et contempla par la fenêtre le morne décor vespéral. Le fleuve était là, tranquille, auprès de la distillerie vide, et de temps à autre une lumière apparaissait dans quelque maison sur la route de Lucan. Quelle fin ! Tout le récit de sa mort le révoltait, comme le révoltait l'idée de lui avoir jamais parlé de ce qu'il tenait pour sacré.

Ces formules usées, ces témoignages de sympathie complètement creux, ces mots prudents d'un journaliste qu'on a persuadé de dissimuler les détails d'une mort commune, vulgaire, tout lui tordait le ventre. Non seulement elle s'était avilie, mais elle l'avait avili. Il voyait devant lui toute l'étendue sordide de son vice pitoyable et nauséabond. La compagne de son âme ! Il pensa à ces malheureux qu'il avait vus passer en clopinant, porteurs de bidons et de bouteilles qu'ils allaient faire remplir au bar. Juste Ciel ! Quelle fin ! Manifestement, elle n'avait pu s'adapter à la vie, n'ayant en elle aucune force de caractère, proie facile pour l'habitude ; c'était une de ces épaves sur lesquelles la civilisation a été élevée. Mais qu'elle ait pu tomber aussi bas ! Était-il possible qu'il se fût trompé aussi complètement sur son compte ? Il se souvint de son élan du fameux soir et l'interpréta d'une manière plus déplaisante qu'il ne l'avait jamais fait. Il n'avait pas de difficulté maintenant à approuver la ligne de conduite qu'il avait prise.

Comme la lumière baissait et que sa mémoire commençait à vagabonder il crut que sa main venait toucher la sienne. Après le ventre, c'étaient les nerfs qui subissaient les effets du choc. Il mit rapidement son manteau et son chapeau et sortit. Sur le seuil il rencontra l'air froid qui s'insinua dans les manches de sa veste. Quand il arriva au bistrot du pont de Chapelizod, il entra et commanda un grog.

Le propriétaire le servit obséquieusement, mais

ne se hasarda pas à lui parler. Il y avait cinq ou six ouvriers dans la salle qui discutaient la valeur d'un domaine du comté de Kildare. Ils buvaient de temps en temps dans leurs énormes chopes d'une pinte et fumaient, crachant souvent sur le plancher et parfois ramenant la sciure sur leur crachat avec leurs brodequins. Mr Duffy restait sur son tabouret et les regardait sans les voir ni les entendre. Au bout d'un moment ils sortirent et il commanda un autre grog. Il resta longtemps assis devant son verre. La boutique était très calme. Le propriétaire, avachi sur le comptoir, lisait le *Herald* et bâillait. De temps à autre on entendait au-dehors le bruissement d'un tram passant sur la route déserte.

Assis là, à revivre la vie qu'il avait partagée avec elle et à évoquer tour à tour les deux images grâce auxquelles il pouvait se la représenter maintenant, il prit nettement conscience qu'elle était morte, qu'elle avait cessé d'exister, qu'elle était devenue un souvenir. Il commença à se sentir mal à l'aise. Il se demanda ce qu'il aurait pu faire d'autre. Il n'aurait pas pu continuer à jouer la comédie avec elle ; il n'aurait pas pu vivre avec elle ouvertement. Il avait fait ce qui lui avait paru le mieux. En quoi était-il responsable ? Maintenant qu'elle avait disparu, il comprenait à quel point sa vie avait dû être solitaire, assise soir après soir, seule, dans cette pièce. Sa vie à lui aussi serait solitaire jusqu'à ce que lui aussi meure, cesse d'exister, devienne un souvenir — s'il y avait quelqu'un pour se souvenir de lui.

Il était plus de neuf heures du soir lorsqu'il quitta la boutique. La nuit était froide et lugubre. Il entra dans le parc par le premier portail et avança sous les arbres décharnés. Il suivit les allées balayées par le vent où ils avaient marché quatre ans auparavant. Elle semblait être tout près de lui dans l'obscurité. Par moments il lui semblait sentir sa voix lui effleurer l'oreille, sa main toucher la sienne. Il s'arrêta pour écouter. Pourquoi lui avait-il refusé la vie ? Pourquoi l'avait-il condamnée à mort ? Il sentait sa nature morale se désagréger.

Lorsqu'il atteignit la crête de Magazine Hill il s'arrêta et son regard suivit la rivière en direction de Dublin, dont les lumières brillaient, rouges et accueillantes dans la nuit froide. Son regard descendit la pente et, tout au bas, à l'ombre du mur du parc, il vit quelques formes humaines allongées. Ces amours furtives et vénales l'emplirent de désespoir. Il mettait peu à peu en cause la rectitude de sa vie ; il se sentait banni du festin de la vie. Un seul être humain avait paru l'aimer et il lui avait dénié vie et bonheur : il l'avait condamnée à l'ignominie, à une mort infâme. Il savait que les créatures couchées au pied du mur l'observaient et auraient voulu le voir partir. Personne ne voulait de lui ; il était banni du festin de la vie. Il tourna les yeux vers le fleuve gris et miroitant qui serpentait en direction de Dublin. Au-delà du fleuve il vit un train de marchandises sortir, sinueux, de la gare de Kingsbridge, tel un ver à la tête de feu serpentant dans l'obscurité, obstinément, laborieusement. Il disparut lentement à sa vue ; mais il ne cessait d'entendre résonner dans ses oreilles le laborieux bourdonnement de la machine répétant inlassablement les syllabes de son nom à elle.

Il s'en retourna, prenant le chemin par lequel il était venu, le rythme de la machine cognant dans ses oreilles. Il commençait à mettre en doute la réalité de ce que la mémoire lui contait. Il fit halte sous un arbre et laissa le rythme mourir peu à peu. Il n'arrivait pas à la sentir près de lui dans l'obscurité ni à sentir sa voix lui effleurer l'oreille. Il attendit quelques minutes, à l'écoute. Il ne pouvait rien entendre : la nuit était parfaitement silencieuse. Il écouta de nouveau : parfaitement silencieuse. Il sentit qu'il était seul.

« Ivy Day »
dans la salle des commissions[1]

Le vieux Jack rassembla les charbons à demi consumés avec un morceau de carton et les étala judicieusement sur le dôme de braises en train de blanchir. Lorsque celui-ci fut recouvert d'une mince couche, son visage tomba dans l'obscurité, mais lorsqu'il se remit à attiser le feu en l'éventant, son ombre accroupie grimpa sur le mur opposé et son visage réapparut lentement à la lumière. C'était un visage de vieillard, très osseux et poilu. Les yeux bleus, humides, clignaient devant le feu, et la bouche, humide elle aussi, s'ouvrait toute seule par moments, et avait un ou deux mâchonnements mécaniques lorsqu'elle se fermait. Quand les charbons eurent pris, il posa le morceau de carton contre le mur, soupira et dit :

1. *Ivy Day*, ou Jour du Lierre, est le jour anniversaire de la mort de Parnell, champion de l'autonomie irlandaise, abandonné par ses partisans à la suite de l'action en divorce pour cause d'adultère dans laquelle il avait été impliqué (1889). C'est dans la Salle des Commissions n° 15 du Parlement de Westminster que les députés de son groupe se prononcèrent contre lui au cours d'un débat mémorable.

— Voilà qui est mieux, Mr O'Connor.

Mr O'Connor, un homme jeune aux cheveux gris défiguré par de nombreux boutons et taches, venait juste de rouler le tabac de sa cigarette en un élégant cylindre, mais à cette interpellation défit son œuvre d'un air méditatif. Puis il se mit à rouler le tabac à nouveau d'un air non moins méditatif et, après avoir réfléchi un instant, décida de lécher le papier.

— Mr Tierney a-t-il dit quand il reviendrait ? demanda-t-il d'une voix de tête enrouée.

— Il ne l'a pas dit.

Mr O'Connor mit sa cigarette aux lèvres et commença à fouiller ses poches. Il sortit un paquet de cartes de mince bristol.

— Je vais vous trouver une allumette, dit le vieux.

— Ne vous en faites pas, ceci fera l'affaire, dit Mr O'Connor.

Il choisit une des cartes et lut ce qui était imprimé dessus :

ÉLECTIONS MUNICIPALES
CIRCONSCRIPTION DE LA BOURSE

Mr Richard Tierney, P.L.G.[1], sollicite respectueusement votre vote et votre appui influent à

1. *Poor Law Guardian :* Administrateur des Hospices.

l'occasion des élections qui auront lieu prochaine-
ment dans la circonscription de la Bourse.

Mr O'Connor avait été engagé par l'agent électoral de Mr Tierney pour faire campagne dans une
partie de la circonscription, mais, comme le temps
était inclément, et que ses chaussures prenaient
l'eau, il passait une grande partie de la journée
assis près du feu dans la salle des commissions de
Wicklow Street, en compagnie de Jack, le vieux
gardien. Ils étaient assis de la sorte depuis que
cette courte journée d'octobre s'était assombrie.
C'était le 6 du mois, un 6 octobre lugubre et froid.
Mr O'Connor prit le carton, en déchira une
bande et, l'ayant enflammée, alluma sa cigarette.
Ce faisant, il mit en pleine lumière, sur le revers de
sa veste, une feuille de lierre sombre et luisante. Le
vieux l'observa attentivement puis, reprenant son
morceau de carton, se mit à attiser le feu lentement
tandis que son compagnon fumait.
— Ah oui, poursuivit-il, allez savoir comment
élever les enfants. Mais aussi, qui aurait pensé qu'il
tournerait comme ça ! Je l'ai envoyé chez les
Frères des Écoles Chrétiennes et j'ai fait ce que j'ai
pu pour lui, et le voilà qui se met à picoler. J'avais
pourtant essayé d'en faire un gars un peu correct.
Il reposa le carton avec lassitude.
— Si j'étais pas si vieux maintenant, je lui ferais
changer de musique. Je prendrais une trique et je
te lui donnerais une volée à ne plus pouvoir me
tenir debout — comme je l'ai déjà fait plus d'une

fois. La mère, vous savez, elle est toujours à le chouchouter...

— C'est ce qui perd les enfants, dit Mr O'Connor.

— Pour sûr, dit le vieux. Et en guise de remerciements, vous avez que des insolences. Il le prend de haut avec moi dès qu'il voit que j'ai bu un petit coup. Où est-ce qu'on va si les fils se mettent à parler comme ça à leur père ?

— Quel âge a-t-il ? fit Mr. O'Connor.

— Dix-neuf ans, dit le vieux.

— Pourquoi ne le mettez-vous pas au travail ?

— Sûr que j'ai été après ce poivrot depuis qu'il a quitté l'école ! *Je t'entretiendrai pas,* que je lui dis. *Il faut que tu te trouves un travail.* Mais sûr, c'est pire quand il a du travail ; il boit tout.

Mr O'Connor eut un hochement de tête compatissant et le vieux se tut, le regard fixé sur le feu. Quelqu'un ouvrit la porte de la pièce et s'écria :

— Salut ! C'est une réunion de francs-maçons ?

— Qui est là ? fit le vieux.

— Qu'est-ce que vous faites dans le noir ? dit une voix.

— Est-ce vous, Hynes ? demanda Mr O'Connor.

— Oui. Qu'est-ce que vous faites dans le noir ? dit Mr Hynes, s'avançant dans la lumière du foyer.

C'était un homme jeune, grand et mince avec une petite moustache châtain. Au bord de son chapeau, de petites gouttes de pluie étaient prêtes à tomber et le col de sa jaquette était relevé.

— Alors, Mat, dit-il à Mr O'Connor, comment ça se passe ?

Mr O'Connor hocha la tête. Le vieux quitta la cheminée et, après avoir fait quelques pas hésitants à travers la pièce, revint avec deux bougeoirs qu'il plongea l'un après l'autre dans le feu puis porta sur la table. Une pièce complètement dépouillée apparut et le feu perdit toute sa couleur et sa gaieté. Les murs étaient nus, à l'exception d'un exemplaire de discours électoral. Au milieu de la pièce se trouvait une petite table sur laquelle des papiers étaient entassés.

Mr Hynes s'accouda à la cheminée et dit :

— Vous a-t-il déjà payé ?

— Pas encore, dit Mr O'Connor. Par Dieu, j'espère bien qu'il ne nous laissera pas dans le pétrin ce soir.

Mr Hynes rit.

— Oh, il vous paiera. Ne vous en faites pas, dit-il.

— J'espère qu'il ne traînera pas, s'il veut que les affaires marchent, dit Mr O'Connor.

— Qu'est-ce que tu en penses, Jack ? dit Mr Hynes au vieil homme d'un ton sarcastique.

Le vieux revint prendre place auprès du feu en disant :

— C'est pas qu'il a pas de quoi, en tout cas. Pas comme l'autre romanichel.

— Quel autre romanichel ? dit Mr Hynes.

— Colgan, fit le vieux d'un ton méprisant.

— Est-ce parce que Colgan est un ouvrier que tu dis ça ? Quelle différence y a-t-il entre un honnête homme de maçon et un cabaretier, hein ?

Est-ce que l'ouvrier n'a pas autant le droit qu'un autre d'être au Conseil Municipal — oui, même plus que ces poseurs qui sont toujours chapeau bas devant le premier venu qui a un nom à coulisse ? C'est pas vrai, Mat ? dit Mr Hynes en s'adressant à Mr O'Connor.

— Je pense que vous avez raison, dit Mr O'Connor.

— Il y a d'un côté un homme honnête et sans prétention qui n'a rien d'un flemmard. Il veut représenter les classes laborieuses. Ce type pour qui vous travaillez ne pense qu'à décrocher une situation à droite ou à gauche.

— Bien sûr, la classe ouvrière devrait être représentée, dit le vieux.

— L'ouvrier, dit Mr Hynes, reçoit plus de coups que de sous. C'est pourtant le travail qui produit tout. L'ouvrier n'est pas à la recherche de situations bien pépères pour ses fils, ses neveux et ses cousins. Ça n'est pas lui qui va traîner l'honneur de Dublin dans la boue pour faire plaisir à un monarque allemand.

— Comment ça ? fit le vieux.

— Ne sais-tu pas qu'ils veulent présenter une motion de bienvenue au Bon Roi Édouard s'il vient ici l'an prochain ? Qu'est-ce qu'on a besoin de faire des salamalecs à un roi étranger ?

— Le nôtre ne votera pas la motion, dit Mr O'Connor. Il est candidat sur le programme nationaliste.

— Vraiment, dit Mr Hynes. Attendez d'avoir vu

ce qu'il fera ou ne fera pas. Je le connais. Dicky
Tierney ? D comme débrouillard, T comme trucage.

— Ma foi, vous avez peut-être raison, Joe, dit
Mr O'Connor. En tout cas, j'aimerais qu'il se
ramène avec le pognon.

Les trois hommes se turent. Le vieux se remit à
racler le foyer. Mr Hynes ôta son chapeau, le
secoua, puis rabattit son col, laissant voir ainsi sur
le revers de son manteau une feuille de lierre.

— Si celui-là vivait encore, dit-il en montrant la
feuille, il ne serait même pas question de motion
de bienvenue.

— C'est vrai, dit Mr O'Connor.

— Vrai de vrai, Dieu bénisse ces temps-là ! dit
le vieux. On peut dire que ça ne manquait pas
d'animation.

La pièce retomba dans le silence. Puis un petit
homme remuant, au nez renifleur et aux oreilles
glacées, poussa la porte. Il se dirigea rapidement
vers le feu, se frottant les mains à faire croire qu'il
voulait en tirer une étincelle.

— Pas d'argent, les enfants, dit-il.

— Asseyez-vous ici, Mr Henchy, dit le vieux en
lui offrant sa chaise.

— Oh, ne bouge pas, Jack, ne bouge pas, dit
Mr Henchy.

Il salua sèchement Mr Hynes d'un signe de tête
et s'assit sur la chaise libérée par le vieux.

— Avez-vous fait Aungier Street ? demanda-t-il
à Mr O'Connor.

— Oui, fit celui-ci en commençant à fouiller ses poches à la recherche de notes.

— Êtes-vous allé voir Grimes ?

— Oui.

— Alors ? Quelle est sa position ?

— Il n'a rien voulu promettre. Il a dit : *Je ne dirai à personne comment je vais voter.* Mais je pense qu'il votera bien.

— Pourquoi ça ?

— Il m'a demandé qui avait présenté la candidature ; et je lui ai donné les noms. J'ai cité celui du Père Burke. Je pense que tout ira bien.

Mr Henchy se mit à renifler et à se frotter les mains au-dessus du feu à une vitesse vertigineuse. Puis il dit :

— Pour l'amour de Dieu, Jack, apporte-nous un peu de charbon. Il doit bien en rester.

Le vieux quitta la pièce.

— Rien à faire, dit Mr Henchy en hochant la tête. J'ai demandé à ce va-nu-pieds, mais il m'a répondu : *Oh, eh bien, Mr Henchy, quand je verrai que le travail se fait correctement, je ne vous oublierai pas, soyez-en sûr.* Sale petit romanichel ! Vrai de vrai, qu'est-ce qu'il pourrait être d'autre ?

— Qu'est-ce que je vous disais, Mat ? dit Mr Hynes. Tricky Dicky : T comme trucage, D comme débrouillard...

— Oh, dans le genre débrouillard, on ne fait pas mieux, dit Mr Henchy. Ça n'est pas pour rien qu'il a ces petits yeux de porc. Qu'il aille au diable !

Est-ce qu'il ne pourrait pas payer ce qu'il doit en homme d'honneur au lieu de dire : *Oh, eh bien, Mr Henchy, il faut que j'en parle à Mr Fanning... J'ai eu beaucoup de frais.* Qu'il aille au diable, ce sale petit va-nu-pieds ! J'imagine qu'il oublie le temps où son petit vieux de père tenait le décro-chez-moi-ça de Mary's Lane.

— Mais est-ce que c'est bien vrai ? demanda Mr O'Connor.

— Et comment ! fit Mr Henchy. On ne vous l'a jamais dit ? Les hommes y allaient le dimanche matin avant l'ouverture des bistrots, pour acheter un gilet ou un pantalon — tu parles ! Mais le petit vieux, le père de notre débrouillard, avait toujours une petite bouteille noire dans un coin, son petit truc à lui. Vous voyez ce que je veux dire ? Eh oui, c'est comme ça. C'est là qu'il a vu le jour.

Le vieux revint avec quelques morceaux de charbon qu'il disposa çà et là sur le feu.

— Eh bien, c'est du joli ! dit Mr O'Connor. Est-ce qu'il s'imagine qu'on va travailler pour lui s'il ne veut pas casquer ?

— Je n'y peux rien, dit Mr Henchy. Je m'attends à trouver les huissiers dans mon vestibule, quand je rentrerai.

Mr Hynes rit et, s'écartant de la cheminée d'un coup d'épaules, se prépara à s'en aller.

— Tout ira bien quand le Roi Ted viendra, dit-il. Eh bien, les enfants, en attendant, je m'en vais. À bientôt. 'soir.

Il sortit lentement de la pièce. Ni Mr Henchy ni

le vieux ne dirent mot mais, à l'instant précis où la porte se fermait, Mr O'Connor, qui depuis un moment avait le regard fixé sur le feu d'un air morose, lança tout à coup :

— 'soir, Joe.

Mr Henchy attendit quelques instants puis montra la porte d'un signe de tête.

— Dites-moi, demanda-t-il, de l'autre côté du feu, qu'est-ce qui amène ici notre ami ? Qu'est-ce qu'il veut ?

— Fichtre, ce pauvre Joe ! fit Mr O'Connor en jetant son mégot dans le feu, il est fauché comme le reste d'entre nous.

Mr Henchy renifla énergiquement et cracha si abondamment qu'il faillit éteindre le feu, lequel émit un sifflement de protestation.

— Pour vous dire mon opinion à moi, franchement, dit-il, je pense qu'il vient de l'autre camp. C'est un espion de Colgan, voulez-vous que je vous dise. *Va donc faire un tour pour tâcher de savoir comment ça marche chez eux. Ils se méfieront pas de toi.* Vous pigez ?

— Oh, ce pauvre Joe est un brave bougre, dit Mr O'Connor.

— Son père était un brave homme, tout à fait respectable, reconnut Mr Henchy : ce pauvre vieux Larry Hynes ! Il en a rendu, des services, en son temps ! Mais j'ai bien peur que notre ami ne soit pas franc comme l'or. Bon sang, je peux comprendre qu'on soit fauché, mais ce que je peux pas comprendre, c'est qu'on fasse le pique-assiette.

Est-ce qu'il ne pourrait pas avoir une étincelle de dignité ?

— Je ne le reçois pas trop chaleureusement quand il vient, dit le vieux. Qu'il travaille donc pour ceux qui sont de son côté, sans venir espionner par ici.

— Je ne sais pas, dit Mr O'Connor d'un air dubitatif, en sortant son papier à cigarettes et son tabac. Je pense que Joe Hynes est un homme droit. Et puis, il est doué pour ce qui est de la plume. Vous vous souvenez de ce truc qu'il a écrit... ?

— Voulez-vous que je vous dise, chez ces maquisards et ces Fenians, il y a des gars qui sont un peu trop doués, fit Mr Henchy. Savez-vous mon opinion à moi, franchement, sur certains de ces petits plaisantins ? Je crois que la moitié sont payés par le Château[1].

— On peut pas savoir, dit le vieux.

— Oh, mais c'est un fait, je le sais, dit Mr Henchy. Ils sont à la solde du Château... Hynes, je ne dis pas... Non, que diable ! je pense qu'il est nettement au-dessus de ça... Mais il y a un petit aristocrate de ma connaissance, celui qui a l'œil louche — vous voyez le patriote dont je veux parler ?

Mr O'Connor acquiesça.

— Tenez, en voilà un qui descend en droite

1. Siège de l'administration britannique, et en particulier de l'état-major de la police.

ligne du major Sirr[1] ! Ah, ça a la fibre d'un patriote ! En voilà un qui vendrait son pays pour quatre sous — ouais — et tomberait à genoux pour remercier le Christ Tout-Puissant d'avoir un pays à vendre.

On frappa à la porte.

— Entrez, dit Mr Henchy.

Une personne ressemblant à un clergyman dans l'indigence ou à un comédien pauvre apparut dans l'encadrement de la porte. Ses vêtements noirs étaient boutonnés serré sur sa petite personne et il était impossible de dire si sa chemise était celle d'un clergyman ou d'un laïc, car le col de sa redingote élimée, dont les boutons maintenant dépourvus de tissu réfléchissaient la lumière des bougies, était relevé tout autour du cou. Il portait un chapeau rond et noir en feutre dur. Son visage brillant de gouttes de pluie avait l'apparence d'un fromage jaune et humide, sauf aux pommettes, marquées de deux taches roses. Il ouvrit brusquement sa très longue bouche pour signifier sa déception et en même temps écarquilla ses yeux bleus très vifs pour exprimer plaisir et surprise.

— Oh, Père Keon ! dit Mr Henchy, se levant d'un bond. C'est vous ? Entrez !

— Oh, non, non, non ! dit très vite le Père Keon en pinçant les lèvres comme s'il parlait à un enfant.

---

1. Irlandais, mais responsable du maintien de l'ordre pour le compte de l'administration britannique, Henry Charles Sirr (1764-1841) était connu pour son efficacité. C'est lui qui arrêta les chefs de la rébellion de 1798.

— Ne voulez-vous pas entrer vous asseoir ?

— Non, non, non ! répondit l'autre d'une voix de velours, tout indulgence et réserve. Allons, que je ne vous dérange pas ! Je cherchais seulement Mr Fanning...

— Il est à *L'Aigle Noir,* dit Mr Henchy. Mais ne voulez-vous pas entrer vous asseoir une minute ?

— Non, non, merci. C'était seulement pour une petite affaire, dit le Père Keon. Merci infiniment.

Il battit en retraite, libérant la porte, et Mr Henchy, saisissant un des bougeoirs, alla lui éclairer l'escalier pendant qu'il descendait.

— Oh, ne vous dérangez pas, je vous prie !

— Non, mais l'escalier est si sombre.

— Non, non, j'y vois... Merci infiniment.

— Vous y êtes maintenant ?

— Oui, oui, merci... Merci.

Mr Henchy revint avec le bougeoir et le posa sur la table. Il se rassit près du feu. Le silence régna quelques instants.

— Dis-moi, John, dit Mr O'Connor en allumant sa cigarette avec un autre bristol.

— Hm ?

— Qu'est-ce qu'il est au juste ?

— Ah ça, mon vieux..., dit Mr Henchy.

— Fanning et lui ont l'air d'être comme les doigts de la main. On les voit souvent ensemble chez Kavanagh. Est-ce qu'il est vraiment prêtre ?

— Mmmoui, je crois bien... Je pense que c'est une brebis galeuse, comme on dit. Nous n'en avons pas beaucoup, Dieu merci ! mais nous en avons quelques-unes... C'est un malheureux, dans son genre...

— Et comment est-ce qu'il s'en sort ? demanda Mr O'Connor.

— C'est un autre mystère.

— Est-il rattaché à une chapelle ou à une église ou à une institution ou à...

— Non, dit Mr Henchy, je crois qu'il voyage à son compte... Dieu me pardonne, ajouta-t-il, mais je l'avais pris pour les douze bouteilles de stout.

— Est-ce qu'on peut espérer boire un coup ? demanda Mr O'Connor.

— J'ai le gosier sec, moi aussi, dit le vieux.

— J'ai demandé trois fois à ce va-nu-pieds, dit Mr Henchy, de bien vouloir faire monter douze bouteilles de stout. Je le lui ai redemandé maintenant, mais il était accoudé au comptoir en manches de chemise, en grand conciliabule avec Cowley, le conseiller.

— Pourquoi ne le lui as-tu pas rappelé ?

— Eh bien, je ne pouvais pas le déranger tant qu'il parlait avec le conseiller. J'ai simplement attendu de pouvoir attirer son attention, et j'ai dit : *Au sujet de cette petite affaire dont je vous parlais...* — *C'est entendu, Mr Henchy,* a-t-il répondu. Ouiche, on peut être sûr que le petit nabot a tout oublié.

— Il y a une combine en cours dans ce coin-là, dit pensivement Mr O'Connor. Je les ai vus tous les trois hier au coin de Suffolk Street : ça discutait ferme.

— Je crois savoir à quoi ils jouent, dit Mr Henchy. De nos jours, si vous voulez devenir Lord Maire, il faut devoir de l'argent aux édiles. Alors, ils vous éliront. Bon Dieu ! J'envisage sérieusement d'en devenir un moi-même, d'édile ! Qu'est-ce que vous en pensez ? Est-ce que je ferais l'affaire ?

Mr O'Connor rit.

— Pour ce qui est de devoir de l'argent...

— Vous me voyez sortir de Mansion House, dit Mr Henchy, revêtu de ma grande vermine, avec Jack ici présent debout derrière moi en perruque poudrée — pas mal, hein ?

— Et tu me nommeras secrétaire particulier, John.

— Oui, et je ferai du Père Keon mon chapelain particulier. Ça sera une vraie réunion de famille.

— Ça, Mr Henchy, dit le vieux, vous auriez plus de style que certains. Un jour je parlais au vieux Keegan, le portier. *Et ton nouveau maître, il te plaît, Pat ?* que je lui dis. *Vous ne recevez pas beaucoup maintenant,* je lui dis. — *Recevoir !* qu'il dit. *Il vivrait de l'odeur d'un torchon de cuisine.* Et vous savez ce qu'il m'a raconté ? Alors là, je le jure, je l'ai pas cru.

— Quoi donc ? firent Mr Henchy et Mr O'Connor.

— Il m'a dit : *Qu'est-ce que tu penses d'un Lord Maire de Dublin qui envoie chercher une livre de côtelettes pour son dîner ? C'est pas la grande vie, ça ?* qu'il dit. *Ouiche, ouiche,* que je dis. *Faire*

entrer une livre de côtelettes à Mansion House,
qu'il dit. *Ouiche,* que je dis, *quelle espèce de
gens y a donc bien maintenant?*

À cet instant précis on frappa à la porte et un
garçon passa la tête dans l'entrebâillement.

— Qu'est-ce que c'est? dit le vieux.

— Ça vient de *L'Aigle Noir,* dit le garçon,
qui entra de biais et déposa un panier sur le
plancher dans un bruit de bouteilles entrecho-
quées.

Le vieux l'aida à faire passer les bouteilles du
panier sur la table et vérifia le compte. L'opération terminée, le garçon mit le panier à son bras
et demanda :

— Il y a des bouteilles?

— Quelles bouteilles? dit le vieux.

— Tu ne nous les laisses pas boire d'abord?
dit Mr Henchy.

— On m'a dit de demander des bouteilles.

— Reviens demain, dit le vieux.

— Hé là, petit! dit Mr Henchy, veux-tu courir jusque chez O'Farrell et lui demander de
nous prêter un tire-bouchon — tu diras que
c'est pour Mr Henchy. Et qu'on le lui rend tout
de suite. Laisse le panier ici.

Le garçon sortit et Mr Henchy se mit à se
frotter les mains gaiement en disant :

— Eh bien, il n'est pas si moche après tout. Il
tient parole, en tout cas.

— Y a pas de gobelets, dit le vieux.

— Oh, ne t'inquiète pas pour ça, Jack, dit

Mr Henchy. Ça ne sera pas la première fois qu'un honnête homme boira à la bouteille.

— En tout cas, c'est mieux que rien, dit Mr O'Connor.

— Ça n'est pas un mauvais homme, dit Mr Henchy, si ce n'est que Fanning le tient à sa merci. Vous savez, il n'est pas méchant, tout toquard qu'il soit.

Le garçon revint avec un tire-bouchon. Le vieux ouvrit trois bouteilles, et rendait le tire-bouchon lorsque Mr Henchy dit au gamin :

— Est-ce que tu veux boire un coup, petit ?

— Ma foi, oui, monsieur, fit-il.

Le vieux ouvrit de mauvaise grâce une autre bouteille et la lui tendit.

— Quel âge as-tu ? demanda-t-il.

— Dix-sept ans, dit le garçon.

Comme le vieux n'ajoutait rien il prit la bouteille, dit à Mr Henchy : *À votre bonne santé, monsieur,* but tout le contenu, reposa la bouteille sur la table et s'essuya la bouche sur sa manche. Puis il reprit le tire-bouchon et sortit de biais en marmonnant quelque formule de politesse.

— C'est comme ça que ça commence, dit le vieux.

— Le doigt dans l'engrenage, dit Mr Henchy.

Le vieux distribua les trois bouteilles qu'il avait ouvertes et ils burent de concert. Après quoi chacun plaça sa bouteille sur la cheminée à portée de main et poussa un long soupir de satisfaction.

— Eh bien, j'ai fait du bon travail aujourd'hui, dit Mr Henchy après un silence.

— Ah oui, John ?

— Oui, je lui ai décroché un ou deux trucs sûrs dans Dawson Street, Crofton et moi. Entre nous, vous savez, Crofton (c'est un chic type, bien sûr), il ne vaut pas un clou pour le porte-à-porte. Il ne daigne pas ouvrir le bec. Il reste là à regarder les gens pendant que je cause.

À ce point deux hommes pénétrèrent dans la pièce. L'un d'entre eux était très gros et ses vêtements de serge bleue menaçaient de glisser de ses épaules tombantes. Il avait un gros visage dont l'expression faisait penser à un jeune bœuf, des yeux bleus au regard fixe et une moustache poivre et sel. L'autre homme, beaucoup plus jeune et frêle, avait un mince visage glabre. Il portait un col rabattu très haut et un chapeau melon à larges bords.

— Salut, Crofton ! dit Mr Henchy au gros homme. Quand on parle du loup...

— D'où viennent les chopines ? demanda le jeune homme... Est-ce que la vache a vêlé ?

— Ah, bien sûr, Lyons repère ça tout de suite ! dit Mr O'Connor en riant.

— Dites, les gars, c'est comme ça que vous travaillez, dit Mr Lyons, tandis que Crofton et moi on est dehors, dans le froid et sous la pluie, à essayer de décrocher des voix ?

— Eh là, que le diable vous emporte, dit Mr Henchy, je suis capable de gagner plus de voix en cinq minutes que vous deux en une semaine.

— Ouvre deux bouteilles de stout, Jack, dit Mr O'Connor.

— Comment faire ? dit le vieux. J'ai pas de tire-bouchon.

— Deux secondes, deux secondes ! dit Mr Henchy en se levant rapidement. Est-ce que vous avez jamais vu ce petit truc ?

Il prit deux bouteilles sur la table, les porta à la cheminée et les posa sur la grille du foyer. Puis il se rassit près du feu et but un coup à sa bouteille. Mr Lyons s'assit sur le rebord de la table, repoussa son chapeau vers la nuque et se mit à balancer les jambes.

— Quelle est ma bouteille ? demanda-t-il.

— Cette mignonne-ci, dit Mr Henchy.

Mr Crofton s'assit sur une caisse et regarda fixement l'autre bouteille. Il avait deux raisons d'être silencieux. La première, suffisante en elle-même, c'est qu'il n'avait rien à dire ; la seconde était qu'il considérait ses compagnons comme indignes de lui. Il avait fait campagne pour Wilkins, le Conservateur, mais lorsque les Conservateurs avaient retiré leur candidat et, choisissant de deux maux le moindre, donné leur soutien au Nationaliste, il avait été engagé pour travailler en faveur de Mr Tierney.

Au bout de quelques minutes, on entendit un *Poc !* discret en même temps que le bouchon jaillissait de la bouteille de Mr Lyons. L'intéressé bondit de la table, alla vers la cheminée, prit sa bouteille et la rapporta à sa place.

— Crofton, dit Mr Henchy, j'étais en train de leur raconter qu'on a décroché un bon petit paquet de voix aujourd'hui.

— Qu'avez-vous décroché ? demanda Mr Lyons.

— Eh bien, j'ai eu une voix avec Parkes, et deux avec Atkinson, et j'ai eu Ward, de Dawson Street. C'est un vieux bonhomme bien sympathique, d'ailleurs — un bon vieux bourgeois, un vieux conservateur ! *Mais votre candidat n'est-il pas nationaliste ?* qu'il dit. *C'est un homme respectable,* que je dis. *Il est pour tout ce qui profitera au pays. Il paie de grosses contributions mobilières,* que je dis. *Il possède de nombreux immeubles en ville et trois fonds de commerce : est-ce qu'il n'a pas intérêt à laisser les impôts locaux au plus bas ? C'est un homme en vue et respecté,* que je dis, *il est au Conseil des Hospices, et il n'appartient à aucun parti, qu'il soit de droite, de gauche ou du milieu.* C'est comme ça qu'il faut leur parler.

— Et l'adresse de bienvenue au Roi ? dit Mr Lyons après avoir bu et fait claquer ses lèvres.

— Écoutez voir, dit Mr Henchy. Ce qu'il nous faut dans ce pays, comme j'ai dit au vieux Ward, c'est des capitaux. La visite du Roi ici ça veut dire un afflux d'argent. Ça profitera aux citoyens de Dublin. Regardez toutes les fabriques là-bas du côté des quais, elles ne tournent pas ! Regardez tout l'argent qu'il y a dans le pays, si seulement on faisait marcher les vieilles industries, les usines, les chantiers de construction navale et les fabriques. C'est des capitaux qu'il nous faut.

— Mais dis-moi, John, dit Mr O'Connor. Pourquoi est-ce que nous souhaiterions la bienvenue au Roi d'Angleterre ? Est-ce que Parnell lui-même...

— Parnell, dit Mr Henchy, est mort. Alors, voilà comment je vois les choses. Voilà ce type qui monte sur le trône après avoir été tenu à l'écart par sa vieille mère jusqu'à ce qu'il grisonne. Il connaît la vie et il nous veut du bien. Croyez-moi, c'est un chic type, rudement bien, et qu'on ne me raconte pas d'histoires. Il se dit tout simplement : *La vieille n'est jamais allée voir ces sauvages d'Irlandais. Bon Dieu, je vais y aller moi-même, voir à quoi ils ressemblent.* Et est-ce qu'on va insulter cet homme alors qu'il vient ici en visite amicale ? Hein ? J'ai pas raison, Crofton ?

Mr Crofton approuva du chef.

— Mais après tout dites donc, argumenta Mr Lyons, la vie du Roi Édouard, vous savez, n'est pas précisément...

— Le passé, c'est le passé, dit Mr Henchy. J'admire l'homme personnellement. C'est un gai luron parmi d'autres, comme vous et moi, ni plus ni moins. Il aime son verre de grog, il est peut-être un peu polisson et c'est un bon sportsman. Que diable, on ne peut pas être beaux joueurs, nous autres Irlandais ?

— Tout cela c'est très bien, dit Mr Lyons. Mais regardez donc l'affaire de Parnell.

— Au nom du Ciel, dit Mr Henchy, quelle analogie y a-t-il entre les deux affaires ?

— Je veux dire que nous avons nos idéaux, dit Mr Lyons. Alors pourquoi faire bon accueil à un homme comme ça ? Pensez-vous donc qu'après ce qu'il avait fait, Parnell était le chef qu'il nous fallait ? Et alors, pourquoi l'accepterait-on d'Édouard VII ?

— C'est aujourd'hui l'anniversaire de Parnell, dit Mr O'Connor : ne ranimons pas de vieilles querelles. Nous le respectons tous maintenant qu'il est mort et enterré — même les Conservateurs, ajouta-t-il en se tournant vers Mr Crofton.

Poc ! Le bouchon tardif jaillit de la bouteille de Mr Crofton. Celui-ci se leva de sa caisse et alla vers la cheminée. En revenant avec sa captive il dit d'une voix grave :

— Notre bord le respecte, parce que c'était un gentleman.

— Bien parlé, Crofton ! dit Mr Henchy avec véhémence. C'était le seul homme capable de faire régner l'ordre dans ce panier de crabes. *Bas les pattes, les cabots ! Couchés, les roquets !* C'est comme ça qu'il les traitait. Entre, Joe ! Entre ! cria-t-il en apercevant Mr Hynes dans l'encadrement de la porte.

Mr Hynes entra lentement.

— Ouvre une autre bouteille de stout, Jack, dit Mr Henchy. Oh, j'oubliais qu'il n'y a pas de tire-bouchon ! Par ici, passe-m'en une, que je la mette près du feu.

Le vieux lui tendit une autre bouteille qu'il plaça sur la grille.

— Assieds-toi, Joe, dit Mr O'Connor, on était juste en train de parler du Chef.

— Ouais, ouais, dit Mr Henchy.

Mr Hynes s'assit au bord de la table près de M. Lyons mais ne dit rien.

— En tout cas, fit Mr Henchy, en voilà un qui ne l'a pas renié. Bon Dieu, ça n'est pas à moi de le dire ! Non, ça, Bon Dieu, tu ne l'as pas lâché, tu t'es conduit en homme.

— Oh, Joe, dit tout à coup Mr O'Connor. Récite-nous donc cette chose que tu as écrite — tu te souviens ? Est-ce que tu l'as sur toi ?

— Oh, oui ! dit Mr Henchy. Récite-nous ça. L'avez-vous jamais entendue, Crofton ? Écoutez donc : c'est magnifique.

— Allez, dit Mr O'Connor. Vas-y, Joe.

Mr Hynes ne parut pas se souvenir immédiatement du morceau auquel ils faisaient allusion, mais après avoir réfléchi un instant, il dit :

— Ah oui, c'est de ça que... Mais c'est de la vieille histoire maintenant.

— Allez, mon vieux, sors-nous ça ! dit Mr O'Connor.

— Ch', ch', fit Mr Henchy. Alors, Joe !

Mr Hynes hésita encore un petit instant. Puis, le silence s'étant fait, il ôta son chapeau, le posa sur la table et se leva. Il parut répéter le morceau mentalement. Après une assez longue pause il annonça :

LA MORT DE PARNELL

6 octobre 1891

Il s'éclaircit la voix une ou deux fois puis se mit à réciter :

Il est mort. Notre Roi sans Couronne, il est mort.
Ô, Erin, montre-lui tes larmes et ton chagrin,
Car il est mort, tué par la troupe féroce :
L'hypocrisie du siècle l'a terrassé enfin.

Il est mort, abattu par la meute couarde
Qu'il avait élevée de la fange à la gloire ;
Et périssent aussi au bûcher du monarque
Tous les rêves d'Erin et d'Erin les espoirs.

Dans les palais, dans les cabanes, dans les chaumines,
Le cœur des Irlandais, où qu'il soit en Erin,
Est courbé sous le deuil, car il est trépassé.
Celui-là qui voulait façonner son destin.

Lui, il aurait voulu qu'Erin fût célébrée,
La gloire du vert drapeau se déployant dans l'air,
Ses ministres, ses bardes, ses guerriers, exaltés
Devant le chœur entier des nations de la Terre.

Il rêva (hélas, ce n'était là qu'un songe !)
De Liberté ; alors, tandis qu'il s'approchait
Pour saisir cette idole, le parti du mensonge
Parvint à l'éloigner de l'être qu'il aimait.

Honte aux couards, ceux qui, d'une main scélérate,
Ont su frapper leur Maître ou, d'un baiser de traître,
Le livrer sans merci à tous ses ennemis,
La troupe des canailles et des serviles prêtres.

Puisse à jamais brûler d'une honte éternelle
La mémoire de ceux qui se sont efforcés
De ternir et souiller le nom très glorieux
De celui dont l'orgueil les repoussait du pied.

Il tomba comme tombent les puissants de ce monde,
Jusqu'au bout de sa vie noblement indompté,
Et la mort pour toujours l'a maintenant uni
Aux héros mémorables de l'Erin du passé.

Qu'aucun bruit de dispute ne trouble son sommeil !
Il dort paisiblement ; les souffrances humaines
Ne peuvent le pousser aujourd'hui à chercher,
Par noble ambition, les sommets de la gloire.

Le terrassant, ils sont parvenus à leurs fins.
Mais écoute, Ô Erin, car son esprit peut-être,
Semblable à un Phénix renaissant de ses flammes,
Se lèvera à l'aube du jour qui va paraître,

Ce jour où nous verrons régner la Liberté.
Et alors, ce jour-là, Erin pourra, fidèle,
Retrouver dans la coupe à la Joie élevée
Le goût de sa douleur, la mémoire de Parnell.

Mr Hynes se rassit sur la table. Lorsqu'il eut fini sa récitation il y eut un silence suivi d'une salve d'applaudissements : même Mr Lyons applaudit. Cela dura un petit moment. Lorsque ce fut fini tous les auditeurs burent à leur bouteille en silence.

Poc ! Le bouchon jaillit de la bouteille de Mr Hynes, mais celui-ci resta assis sur la table, tout rouge et nu-tête. Il ne paraissait pas avoir entendu l'invite.

— Bravo, mon vieux Joe ! dit Mr O'Connor en prenant son papier à cigarettes et sa blague pour mieux cacher son émotion.

— Que pensez-vous de ça, Crofton ? s'écria Mr Henchy. Est-ce que c'est pas beau ? Hein ?

Mr Crofton dit que le morceau était très joliment écrit.

Une mère

Mr Holohan, secrétaire adjoint de l'association *Eire Abu*, parcourait Dublin dans tous les sens depuis près d'un mois, les mains et les poches pleines de bouts de papier sales, organisant la série de concerts. Il était boiteux et c'est pourquoi ses amis l'appelaient le Petit Sauteur. Il parcourait la ville sans arrêt dans tous les sens, restait des heures au coin des rues à discuter le coup et prenait des notes ; mais en définitive ce fut Mrs Kearney qui organisa tout.

C'est par dépit que Miss Devlin était devenue Mrs Kearney. Elle avait été élevée dans un couvent huppé où elle avait appris le français et la musique. Comme elle était pâle par nature et raide dans sa manière d'être, elle se fit peu d'amies à l'école. Lorsqu'elle fut en âge de se marier, on l'envoya dans de nombreuses maisons où son jeu et ses manières de biscuit de Saxe furent fort admirés. Elle trônait au milieu du cercle glacial de ses talents, attendant qu'un soupirant bravât ce péril et lui offrît une vie brillante. Mais les jeunes gens

qu'elle rencontra étaient ordinaires et elle ne leur
donna aucun encouragement, essayant de consoler
ses désirs romantiques en consommant secrètement une quantité considérable de rahat loukoum.
Cependant, lorsqu'elle approcha de la limite fati-
dique et que ses amies commencèrent à délier leur
langue à son sujet, elle leur imposa silence en
épousant Mr Kearney, bottier d'Ormond Quay.

Il était beaucoup plus âgé qu'elle. Sa conversation, qui était sérieuse, se déroulait de façon inter-
mittente dans son imposante barbe châtain. Au
bout d'un an de vie conjugale Mrs Kearney sentit
qu'un tel homme ferait plus d'usage qu'un être
romantique mais elle ne se débarrassa jamais de
son propre romantisme. Il était sobre, économe et
pieux ; il allait à la Sainte Table tous les premiers
vendredis[1], parfois avec elle, plus souvent tout seul.
Cependant elle ne fléchit jamais en matière religieuse et fut pour lui une bonne épouse. Lorsque
dans quelque réunion chez des étrangers elle haus-
sait les sourcils imperceptiblement, il se levait pour
prendre congé, et, lorsqu'il souffrait de sa toux, elle
lui mettait la couverture piquée sur les pieds et lui
préparait un punch au rhum corsé... De son côté,
c'était un père modèle. En payant une petite
somme toutes les semaines à une société, il assurait
à chacune de ses deux filles une dot de cent livres
qui devait leur revenir à l'âge de vingt-quatre ans.
Il envoya l'aînée, Kathleen, dans un bon couvent,

1. Voir p. 83.

où elle apprit le français et la musique, et après cela lui paya une inscription au Conservatoire. Chaque année au mois de juillet Mrs Kearney trouvait l'occasion de dire à quelque amie :

— Mon bon époux nous expédie à Skerries pour quelques semaines.

Si ce n'était pas Skerries c'était Howth ou Greystones[1].

Lorsque la Renaissance Irlandaise commença à être digne d'intérêt, Mrs Kearney décida de tirer parti du prénom de sa fille[2] et fit venir à la maison un professeur d'irlandais. Kathleen et sa sœur envoyèrent des cartes postales irlandaises à leurs amies et ces amies répondirent par d'autres cartes postales irlandaises. Les dimanches de fête où Mr Kearney allait avec sa famille à la cathédrale catholique, un petit attroupement se formait après la messe au coin de Cathedral Street. Tous ces gens étaient des amis des Kearney — au titre de la musique ou bien du nationalisme ; et, lorsqu'ils avaient échangé tous les petits commérages, ils se serraient la main tous ensemble, riant de tant de mains entrecroisées et se disaient adieu en irlandais. On ne tarda pas à entendre le nom de Miss Kathleen Kearney sur

1. Skerries, Howth et Greystones sont des lieux de villégiature proches de Dublin.
2. Cathleen Ni Houlihan est l'incarnation légendaire de l'Irlande. La représentation de la pièce de W.B. Yeats, *The Countess Cathleen* (publiée en 1892, jouée en 1899) fut l'un des grands moments de la Renaissance celtique.

bien des lèvres. Les gens disaient qu'elle était très habile musicienne et très gentille et, en outre, qu'elle croyait au mouvement linguistique. Ce dont Mrs Kearney était fort satisfaite. Elle ne fut donc pas surprise lorsqu'un jour Mr Holohan vint la voir pour proposer que sa fille fût accompagnatrice dans une série de quatre grands concerts que son Association allait donner aux Antient Concert Rooms. Elle l'introduisit au salon, le fit asseoir et sortit le carafon et le seau à biscuits en argent. Elle entra cœur et âme jusque dans les détails de l'entreprise, conseilla et dissuada ; et pour finir un contrat fut rédigé aux termes duquel Kathleen devait recevoir huit guinées pour ses services d'accompagnatrice dans les quatre grands concerts[1].

Mr Holohan étant novice en des matières aussi délicates que le libellé d'affiches et l'ordonnance des morceaux sur un programme, Mrs Kearney l'aida. Elle avait du tact. Elle savait quels *artistes* devaient passer en majuscules et quels *artistes* devaient passer en petits caractères. Elle savait que le premier ténor n'aimerait pas venir après le sketch comique de Mr Mead. Pour soutenir l'intérêt de l'assistance elle glissa les morceaux douteux entre les vieux airs à succès. Mr Holohan venait la voir tous les jours pour avoir son avis sur tel ou tel point. Elle ne manquait jamais d'être amicale et de

---

1. Pour apprécier la suite des événements, il faut savoir quels étaient les usages tacites : en cas d'échec financier, les artistes se partageaient le solde restant disponible après le règlement des frais. C'est cette loi non écrite que Mrs Kearney violera.

bon conseil — toujours très simple, en fait. Elle poussait le carafon vers lui en disant :

— Allez, servez-vous, Mr Holohan !

Et, tandis qu'il se servait, elle ajoutait :

— N'ayez pas peur ! N'ayez pas peur, allez-y !

Tout se déroula sans accroc. Mrs Kearney acheta chez Brown Thomas de la charmeuse rose tendre absolument ravissante pour le devant de la robe de Kathleen. Elle valait une jolie somme ; mais il y a des occasions où une petite dépense peut se justifier. Elle prit une douzaine de billets à deux shillings pour le dernier concert et les envoya à ceux de leurs amis dont on n'était pas sûr qu'ils viendraient sans cela. Elle n'oublia rien et, grâce à elle, tout fut fait de ce qui devait l'être.

Les concerts devaient avoir lieu les mercredi, jeudi, vendredi et samedi. Lorsque Mrs Kearney arriva avec sa fille le mercredi soir aux Antient Concert Rooms, la façon dont les choses se passaient ne lui plut pas. Quelques jeunes gens dont la veste s'ornait d'un macaron bleu vif se tenaient sans rien faire dans le hall d'entrée ; aucun d'entre eux n'était en tenue de soirée. Elle passa devant eux avec sa fille, et un coup d'œil rapide par la porte grande ouverte de la salle lui révéla la cause de l'oisiveté des commissaires. D'abord elle se demanda si elle s'était trompée d'heure. Non, il était huit heures moins vingt.

Dans la loge située derrière la scène elle fut présentée au Secrétaire de l'Association, Mr Fitzpatrick. Elle sourit et lui serra la main. C'était un petit homme au visage blanc et inexpressif. Elle remarqua que son chapeau, un feutre mou de couleur marron, était négligemment posé sur le côté du crâne et que son accent était commun. Il tenait à la main un programme et, tandis qu'il lui parlait, en mâchonna une extrémité au point de la réduire en pulpe. Il semblait supporter tous les mécomptes d'un cœur léger. Mr Holohan pénétrait dans la loge à chaque instant avec un bilan des entrées. Les *artistes* parlaient entre eux nerveusement, jetant un coup d'œil au miroir de temps à autre, roulant et déroulant sans cesse leur musique. Quand il fut presque huit heures et demie les quelques personnes qui occupaient la salle se mirent à réclamer leur divertissement. Mr Fitzpatrick entra, lança un sourire inexpressif dans la pièce, et dit :

— Eh bien, mesdames et messieurs, j'imagine que nous ferions bien d'ouvrir le bal.

Mrs Kearney gratifia la vulgarité de la dernière syllabe d'un regard aussi bref que méprisant, puis dit à sa fille d'un ton encourageant :

— Es-tu prête, ma chérie ?

Quand elle en eut l'occasion, elle prit à part Mr Holohan et lui demanda de lui dire ce que cela signifiait. Mr Holohan ignorait ce que cela signifiait. Il dit que le comité avait commis une erreur en organisant quatre concerts : quatre, c'était trop.

— Et les *artistes !* dit Mrs Kearney. Bien sûr ils font de leur mieux, mais vraiment ils ne sont pas bons.

Mr Holohan admit que les artistes ne valaient

rien mais le comité, dit-il, avait décidé de laisser faire pour les trois premiers concerts et de garder tous les talents pour le samedi soir. Mrs Kearney ne dit rien mais, à mesure que les morceaux médiocres se succédaient sur la scène et que l'assistance déjà maigre se clairsemait, elle se mit à regretter d'avoir fait la moindre dépense pour un tel concert. Quelque chose ne lui plaisait pas dans la façon dont tout cela se passait et le sourire inexpressif de Mr Fitzpatrick l'irritait beaucoup. Cependant, elle ne dit rien et attendit de voir comment cela finirait. Le concert expira un peu avant dix heures et chacun rentra chez soi rapidement.

Il y eut plus de monde le jeudi soir, mais Mrs Kearney vit tout de suite que la salle n'était que billets de faveur. L'assistance se conduisait de façon inconvenante, comme si le concert avait été une répétition sans cérémonie. Mr Fitzpatrick semblait s'amuser ; il ne se rendait absolument pas compte que Mrs Kearney prenait avec colère bonne note de sa conduite. Il se tenait tout près du paravent, sortant la tête de temps en temps pour échanger des rires avec deux amis placés au coin des premières galeries. Dans le courant de la soirée, Mrs Kearney apprit que le concert du vendredi devait être supprimé et que le comité allait remuer ciel et terre pour s'assurer une salle comble le samedi soir. Lorsqu'elle apprit cela elle se mit à la recherche de Mr Holohan. Elle l'accrocha au moment où il sortait en hâte de sa démarche claudicante, porteur d'un verre de limonade destiné à une jeune personne, et lui demanda si c'était vrai. Oui, c'était vrai.

— Mais, bien entendu, cela ne modifie pas le contrat, dit-elle. Le contrat portait sur quatre concerts.

Mr Holohan semblait pressé ; il lui conseilla d'en parler à Mr Fitzpatrick. Mrs Kearney commençait à s'alarmer. Elle arracha Mr Fitzpatrick à son paravent, lui dit que sa fille avait signé pour quatre concerts et que, bien entendu, aux termes du contrat, elle devrait recevoir la somme stipulée à l'origine, que la société donnât ou non les quatre concerts. Mr Fitzpatrick, qui ne saisissait pas très rapidement ce qui était en cause, parut incapable de résoudre la difficulté et dit qu'il soumettrait l'affaire au comité. La colère de Mrs Kearney commençait à faire frémir son visage et elle se retint de justesse pour ne pas demander :

— Et qui donc est le *Cometté,* je vous prie ?

Mais elle savait que ce ne serait pas distingué : aussi ne dit-elle mot.

Le vendredi dès le début de la matinée on dépêcha dans les rues principales de Dublin des petits garçons munis de paquets de prospectus. On fit paraître de grandes annonces spéciales dans tous les journaux du soir pour rappeler aux amateurs de musique le plaisir de choix qui les attendait le lendemain soir. Cela rassura un peu Mrs Kearney mais elle jugea bon de communiquer à son mari une partie de ses soupçons. Il écouta attentivement et lui dit qu'il vaudrait peut-être mieux qu'il l'accompagnât le samedi soir. Elle fut d'accord. Elle avait pour son mari un respect analogue à celui qu'elle portait à la Poste centrale : c'était quelque chose de vaste, de sûr et de fixe ; et bien qu'elle sût le petit nombre de ses talents elle appréciait la valeur de principe que lui donnait sa qualité de mâle. Elle fut heureuse qu'il eût suggéré de l'accompagner. Elle médita ses plans.

Vint le soir du grand concert. Mrs Kearney, accompagnée de son mari et de sa fille, arriva aux Antient Concert Rooms trois quarts d'heure avant le moment où le concert devait débuter. Par malchance c'était une soirée pluvieuse. Mrs Kearney confia les vêtements et la musique de sa fille à son mari et parcourut tout le bâtiment à la recherche de Mr Holohan ou de Mr Fitzpatrick. Elle ne trouva ni l'un ni l'autre. Elle demanda aux commissaires s'il se trouvait dans la salle un membre du comité et, non sans peine, un commissaire lui amena une petite femme du nom de Miss Beirne à qui Mrs Kearney expliqua qu'elle voulait voir un des secrétaires. Miss Beirne les attendait d'un instant à l'autre et demanda si elle pouvait faire quelque chose. Mrs Kearney jeta un regard scrutateur au visage vieillot figé dans une expression confiante et enthousiaste et répondit :

— Non, merci !

La petite femme espérait qu'ils auraient une bonne salle. Elle regarda au-dehors la pluie jusqu'à ce que la mélancolie de cette rue humide eût effacé

toute confiance et tout enthousiasme de ses traits
torturés. Puis elle poussa un petit soupir et dit :

— Ah bien ! On a fait de notre mieux, ma
doué !

Mrs Kearney devait retourner à la loge.

Les *artistes* arrivaient. La basse et le second
ténor étaient déjà là. La basse, Mr Duggan, était
un mince jeune homme porteur d'une moustache
noire clairsemée. Son père était concierge dans un
établissement de la ville et lui-même, dans son
enfance, avait poussé des notes basses interminables dans le vestibule sonore. De cette humble
position il s'était élevé jusqu'à devenir un *artiste* de
premier ordre. Il s'était produit dans le grand
opéra. Un soir où un *artiste* était tombé malade, il
s'était chargé du rôle du roi dans *Maritana* au
Queen's Theatre. Il chanta avec beaucoup de sentiment et de volume et fut chaleureusement accueilli
par le poulailler ; mais, malheureusement, gâcha la
bonne impression qu'il avait faite en s'essuyant le
nez une ou deux fois dans sa main gantée, par pure
étourderie. Il était sans prétention et parlait peu. Il
disait *j'étions* si doucement que cela passait ina-
perçu et il ne buvait rien qui fût plus fort que du
lait à cause de sa voix. Mr Bell, le second ténor,
était un petit homme blond qui se présentait
chaque année au concours du *Feis Ceoil*[1]. À sa
quatrième tentative on lui avait donné une
médaille de bronze. Il était extrêmement timide et

---

1. Festival de musique irlandaise fondé en 1897.

extrêmement jaloux des autres ténors et dissimulait jalousie et timidité sous une gentillesse débordante. Il avait la manie plaisante de faire savoir aux gens quelle épreuve était pour lui un concert. C'est pourquoi lorsqu'il vit Mr Duggan il alla vers lui et lui demanda :

— Vous êtes aussi de la fête ?

— Oui, dit Mr Duggan.

Mr Bell adressa un rire à son compagnon de misère, tendit la main et s'écria :

— Condoléances !

Mrs Kearney passa devant ces deux jeunes gens et s'avança jusqu'au bord du paravent pour inspecter la salle. Les rangées se remplissaient rapidement et une agréable rumeur circulait dans l'auditorium. Elle revint et parla en aparté avec son mari. Leur conversation avait évidemment trait à Kathleen car tous deux lui jetaient souvent des regards : elle était en train de bavarder avec une de ses amies nationalistes, Miss Healy, le contralto. Une inconnue solitaire au visage pâle traversa la pièce. Les femmes suivirent avec des regards aigus la robe bleu passé tendue sur un maigre corps. Quelqu'un dit que c'était Madame Glynn, le soprano.

— Je me demande où ils l'ont déterrée, dit Kathleen à Miss Healy. Je suis bien sûre de n'en avoir jamais entendu parler.

Miss Healy fut forcée de sourire. Mr Holohan entrait à ce moment dans la loge et les deux jeunes femmes lui demandèrent qui était l'inconnue.

Mr Holohan dit que c'était Madame Glynn, de Londres. Madame Glynn prit position dans un coin, tenant devant elle d'un air guindé un rouleau de musique et changeant de temps à autre la direction de son regard effarouché. L'ombre protégeait sa robe fanée, mais tombait, vengeresse, sur la petite salière de sa clavicule. Le bruit de la salle se fit plus sensible. Le premier ténor et le baryton arrivèrent ensemble. Ils étaient tous deux bien habillés, solides et contents d'eux, et ils apportèrent une bouffée d'opulence dans le groupe.

Mrs Kearney alla leur présenter sa fille et leur parla aimablement. Elle voulait être en bons termes avec eux, mais, tout en s'efforçant à la politesse, ses yeux suivaient Mr Holohan dans ses évolutions boitillantes et tortueuses. Dès qu'elle le put, elle s'excusa et alla le rejoindre.

— Mr Holohan, je voudrais vous parler un instant, dit-elle.

Ils se réfugièrent dans un coin discret du corridor. Mrs Kearney lui demanda quand sa fille allait être payée. Mr Holohan dit que Mr Fitzpatrick était chargé de cela. Mrs Kearney dit qu'elle ne voulait rien savoir de Mr Fitzpatrick. Sa fille avait signé un contrat pour huit guinées et il faudrait qu'on la paie. Mr Holohan dit que ce n'était pas son affaire.

— Pourquoi n'est-ce pas votre affaire ? demanda Mrs Kearney. Ne lui avez-vous pas vous-même apporté le contrat ? De toute façon, si ce n'est pas votre affaire, c'est la mienne, et j'ai bien l'intention d'y veiller.

— Vous feriez mieux d'en parler à Mr Fitzpatrick, dit Mr Holohan avec distance.

— Je ne veux rien savoir de Mr Fitzpatrick, répéta Mrs Kearney. J'ai mon contrat et je compte veiller à son exécution.

Quand elle revint dans la loge ses joues étaient légèrement colorées. Il régnait une certaine animation. Deux hommes en tenue de ville s'étaient emparés de la cheminée et bavardaient familièrement avec Miss Healy et le baryton. C'étaient le journaliste du *Freeman* et Mr O'Madden Burke. Le journaliste était venu dire qu'il ne pouvait attendre le concert car il avait à rendre compte d'une conférence faite par un prêtre américain à Mansion House. Il leur dit de lui faire porter le compte rendu au bureau du *Freeman* ; il veillerait à ce qu'il passe. C'était un homme à cheveux gris, à la voix enjôleuse et aux manières étudiées. Il tenait à la main un cigare éteint et une odeur de cigare flottait autour de lui. Il n'avait pas eu l'intention de s'arrêter un instant parce que concerts et *artistes* l'ennuyaient considérablement, mais il restait appuyé contre la cheminée. Miss Healy se tenait devant lui, bavardant et riant. Il était assez vieux pour deviner une raison au moins de sa politesse et assez jeune d'esprit pour profiter de ce moment. La chaleur, le parfum et la couleur du corps de la jeune fille sollicitaient ses sens. Il avait le sentiment agréable que le sein qu'il voyait palpiter sous ses yeux palpitait en cet instant pour lui, que le rire et le parfum et les coups d'œil calculés étaient un tribut à lui adressé. Lorsqu'il lui fut impossible de rester plus longtemps il prit congé d'elle à regret.

— O'Madden Burke écrira le compte rendu, expliqua-t-il à Mr Holohan, et je le ferai passer.

— Merci beaucoup, Mr Hendrick, dit Mr Holohan. Vous le ferez passer, je le sais. Mais vous allez bien prendre un petit quelque chose avant de partir ?

— Je ne dis pas non, dit Mr Hendrick.

Les deux hommes suivirent des couloirs tortueux, montèrent un escalier sombre et arrivèrent dans une pièce écartée où l'un des commissaires débouchait des bouteilles pour quelques messieurs. L'un de ceux-ci était Mr O'Madden Burke, qui avait découvert la pièce par instinct. C'était un monsieur suave d'un certain âge, dont le corps imposant était, au repos, tenu en équilibre par un grand parapluie de soie. Son nom grandiloquent, bien de l'Ouest, était le parapluie moral qui assurait l'équilibre du subtil problème de ses finances. Il jouissait d'une large considération.

Tandis que Mr Holohan régalait le journaliste du *Freeman,* Mrs Kearney parlait avec tant d'animation à son mari qu'il dut lui demander de baisser la voix. La conversation des autres occupants de la loge avait pris un tour contraint. Mr Bell, qui passait le premier, se tenait prêt avec sa musique mais l'accompagnatrice ne faisait aucun signe. De toute évidence quelque chose n'allait pas. Mr Kearney regardait droit devant lui, se caressant la barbe, cependant que Mrs Kearney parlait à l'oreille de

Kathleen avec une énergie contenue. De la salle venaient des bruits d'encouragement, des applaudissements et des piétinements. Le premier ténor, le baryton et Miss Healy se tenaient ensemble, attendant tranquillement, mais l'énervement de Mr Bell était considérable parce qu'il avait peur que l'assistance ne le crût arrivé en retard.

Mr Holohan et Mr O'Madden Burke entrèrent dans la pièce. En un instant Mr Holohan perçut le silence. Il se dirigea vers Mrs Kearney et lui parla avec conviction. Tandis qu'ils parlaient le bruit grandissait dans la salle. Mr Holohan devenait très rouge et s'animait. Il était très volubile, mais Mrs Kearney répétait sèchement par intervalles :

— Elle ne continuera pas. Il faut qu'elle ait ses huit guinées.

Mr Holohan désignait désespérément la salle où l'on applaudissait et tapait des pieds. Il en appela à Mr Kearney et à Kathleen. Mais Mr Kearney continuait de caresser sa barbe et Kathleen regardait le plancher, bougeant l'extrémité de son soulier neuf : ce n'était pas sa faute. Mrs Kearney répétait :

— Elle ne continuera pas si elle n'a pas son argent.

Après une rapide passe d'armes Mr Holohan sortit rapidement en boitillant. Le silence régna dans la pièce. Lorsque cette tension fut devenue passablement pénible, Miss Healy demanda au baryton :

— Avez-vous vu Mrs Pat Campbell cette semaine ?

Le baryton ne l'avait pas vue, mais on lui avait

dit qu'elle allait très bien. La conversation en resta
là. Le premier ténor baissa la tête et se mit à
compter les maillons de la chaîne d'or qui lui cei-
gnait la taille, souriant et fredonnant quelques
notes au hasard pour observer l'effet que cela avait
sur ses sinus frontaux. Chacun de temps à autre
jetait un coup d'œil à Mrs Kearney.

Dans l'auditorium le bruit s'était changé en cla-
meur, lorsque Mr Fitzpatrick entra en coup de vent
dans la pièce, suivi de Mr Holohan, qui haletait.
Là-bas applaudissements et piétinements étaient
maintenant ponctués de coups de sifflet. Mr Fitzpatrick tenait quelques billets de banque à la main.
Il en compta quatre à Mrs Kearney et dit qu'elle
aurait l'autre moitié à l'entracte. Mrs Kearney dit :
— Il manque quatre shillings.

Mais Kathleen ramassa sa robe et dit : *Allons-y,
Mr Bell,* au premier interprète, qui tremblait
comme une feuille. Le chanteur et l'accompagnatrice sortirent ensemble. Dans la salle le bruit mourut peu à peu. Il y eut un silence de quelques
secondes : puis on entendit le piano.

La première partie du concert eut beaucoup de
succès à l'exception du morceau de Madame
Glynn. La pauvre dame chanta *Killarney* d'une
voix haletante et sans corps, avec tous les manié-
rismes démodés d'intonation et de prononciation
qui, croyait-elle, donnaient de l'élégance à son exécution. Elle paraissait ressuscitée d'un vieux magasin de costumes, et aux places populaires on se
moquait de ses notes aiguës et plaintives. Le pre-

mier ténor et le contralto, cependant, firent crouler la salle sous les applaudissements. Kathleen joua un choix d'airs irlandais qui fut généreusement applaudi. La première partie s'acheva sur une récitation patriotique profondément émouvante donnée par une jeune personne qui organisait des spectacles d'amateurs. La déclamation reçut des applaudissements mérités ; et, lorsqu'elle fut terminée, les hommes sortirent pour l'entracte, satisfaits.

Pendant tout ce temps la loge bourdonnait d'agitation. Dans un coin se trouvaient Mr Holohan, Mr Fitzpatrick, Miss Beirne, deux des commissaires, le baryton, la basse et Mr O'Madden Burke. Mr O'Madden Burke disait que c'était l'exhibition la plus scandaleuse dont il eût jamais été le témoin. Après cela la carrière de Miss Kathleen Kearney à Dublin était terminée, disait-il. On demanda au baryton ce qu'il pensait de la conduite de Miss Kearney. Il était gêné pour dire quoi que ce fût. Il avait reçu son argent et souhaitait vivre en paix avec les hommes. Il dit cependant que Mrs Kearney aurait pu songer aux *artistes*. Les commissaires et les secrétaires discutaient avec vivacité pour savoir ce qu'il faudrait faire quand on serait à l'entracte.

— Je suis de l'avis de Miss Beirne, dit Mr O'Madden Burke. Ne lui donnez rien.

Dans un autre coin de la pièce se tenaient Mrs Kearney et son mari, Mr Bell, Miss Healy et la jeune femme qui avait eu à réciter le poème patriotique. Mrs Kearney disait que le comité l'avait trai-

tée de façon scandaleuse. Elle n'avait épargné ni sa
peine ni son argent et c'était ainsi qu'elle était
payée de retour.

Ils pensaient n'avoir affaire qu'à une enfant et
par conséquent pouvoir agir de façon outrageuse-
ment cavalière. Mais elle leur montrerait leur
erreur. Ils n'auraient pas osé la traiter de cette
façon, si elle avait été un homme. Mais elle veillerait à ce que sa fille obtînt son dû : on ne la dupe-
rait pas comme ça. Si on ne la payait pas jusqu'au
dernier sou, tout Dublin en entendrait parler. Bien
sûr elle était ennuyée pour les *artistes*. Mais que
pouvait-elle faire d'autre ? Elle en appela au
second ténor, qui dit qu'à son avis on ne l'avait pas
traitée comme il fallait. Puis elle en appela à Miss
Healy. Celle-ci voulait rejoindre l'autre groupe,
mais était gênée pour le faire, parce qu'elle était
une des grandes amies de Kathleen et que les
Kearney l'avaient souvent invitée chez eux.

Dès la fin de la première partie, Mr Fitzpatrick
et Mr Holohan s'en furent auprès de Mrs Kearney
et lui dirent que les quatre autres guinées lui
seraient payées après la réunion du comité le
mardi suivant et que, au cas où sa fille ne jouerait
pas dans la seconde partie, le comité considérerait
le contrat comme rompu et ne paierait rien.

— Je n'ai pas vu de comité, dit Mrs Kearney en
colère. Ma fille a son contrat. On lui donnera
quatre livres huit shillings ou elle ne mettra pas les
pieds sur cette estrade.

— Vous me surprenez, Mrs Kearney, dit

Mr Holohan. Je n'aurais jamais pensé que vous nous traiteriez de cette façon.

— Et de quelle façon m'avez-vous traitée, moi ? demanda Mrs Kearney.

La fureur inondait son visage et elle semblait prête à se ruer sur quelqu'un toutes griffes dehors.

— Je demande ce qui m'est dû, dit-elle.

— Vous pourriez avoir un peu de pudeur, dit Mr Holohan.

— Ah vraiment !... Et lorsque je demande quand on paiera ma fille je ne peux obtenir une réponse civile.

Elle eut un mouvement de tête altier et prit un ton de voix hautain :

— Vous devez vous adresser au secrétaire. Ce n'est pas mon affaire. Je suis un grrand môssieu, tralala, lalaire.

— Je vous croyais bien élevée, dit Mr Holohan en la quittant brusquement.

Après cela la conduite de Mrs Kearney fut condamnée par tous : tout le monde approuva ce qu'avait fait le comité. Elle se tenait près de la porte, le visage décomposé par la rage, discutant avec son mari et sa fille, gesticulant avec eux. Elle attendit jusqu'au moment où devait commencer la seconde partie dans l'espoir que les secrétaires feraient une démarche auprès d'elle. Mais Miss Healy avait aimablement consenti à jouer un ou deux accompagnements. Mrs Kearney dut céder le passage au baryton et à son accompagnatrice qui allaient gagner l'estrade. Elle resta figée un instant telle une image de la colère taillée dans la pierre et, lorsque les premières notes de la chanson frappèrent son oreille, elle attrapa la cape de sa fille et dit à son mari :

— Va chercher un fiacre !

Il sortit immédiatement. Mrs Kearney enveloppa sa fille dans la cape et le suivit. Au moment de passer la porte elle s'arrêta et fixa Mr Holohan d'un regard furibond.

— Je n'en ai pas fini avec vous, dit-elle.

— Mais moi, j'en ai bien fini avec vous, dit Mr Holohan.

Kathleen suivit sa mère humblement. Mr Holohan se mit à arpenter la pièce, afin de se calmer car il se sentait l'épiderme en feu.

— Que voilà une belle dame ! dit-il. Ah, c'est vraiment une bien belle dame.

— Tu as fait ce qu'il fallait faire, Holohan, dit Mr O'Madden Burke, appuyé en une pose approbatrice sur le parapluie qui assurait son équilibre.

La grâce

Deux messieurs qui étaient à ce moment-là dans les toilettes essayèrent de le soulever : mais il était complètement inerte. Il gisait par terre en chien de fusil au pied de l'escalier qu'il avait dévalé dans sa chute. Ils parvinrent à le retourner. Son chapeau avait roulé à quelques mètres de là et ses vêtements étaient maculés par la saleté et la boue du sol sur lequel il s'était étalé, le nez à terre. Il avait les yeux fermés et respirait en poussant des sortes de grognements. Un mince filet de sang coulait du coin de sa bouche.

Ces deux messieurs et l'un des desserveurs le remontèrent et le déposèrent à nouveau par terre dans le bar. En deux minutes un cercle se forma autour de lui. Le gérant demanda à chacun qui était l'homme et qui l'accompagnait. Personne ne savait qui il était, mais l'un des desserveurs déclara avoir servi au monsieur un petit rhum.

— Était-il seul ? demanda le gérant.

— Non, monsieur. Il y avait deux messieurs avec lui.

— Et où sont-ils ?

Personne ne savait ; une voix dit :

— Donnez-lui de l'air. Il s'est évanoui.

Le cercle des spectateurs s'étira et se referma élastiquement. Une sombre médaille de sang s'était formée près de la tête de l'homme sur la mosaïque du sol. Le gérant, que la pâleur grisâtre du visage inquiétait, envoya chercher un agent.

On dénoua son col et on défit sa cravate. Il ouvrit les yeux un instant, soupira et les referma. L'un des messieurs qui l'avaient remonté tenait à la main un haut-de-forme cabossé. Le gérant demanda à plusieurs reprises si personne ne savait qui était le blessé ni où ses amis étaient allés. La porte du bar s'ouvrit et un immense agent entra. La foule de curieux qui l'avait suivi dans la ruelle s'agglutina à la porte, se bousculant pour regarder à travers les panneaux vitrés.

Le gérant se mit tout de suite à raconter ce qu'il savait. L'agent, un homme jeune aux traits épais et immobiles, écoutait. Il déplaçait lentement la tête vers la droite et vers la gauche, et du gérant à la personne étendue sur le sol, comme s'il craignait d'être la victime de quelque hallucination. Puis il ôta son gant, sortit de sa ceinture un petit calepin, donna un coup de langue à la mine de son crayon et s'apprêta à rédiger le procès-verbal. L'accent provincial et soupçonneux, il demanda :

— Quel est cet homme ? Quels sont ses nom et adresse ?

Un jeune homme en tenue de cycliste se fraya un

chemin à travers le cercle des badauds. Il s'agenouilla promptement auprès du blessé et demanda
de l'eau. L'agent s'agenouilla aussi pour aider. Le
jeune homme nettoya le sang de la bouche et
demanda un peu de cognac. L'agent répéta l'ordre
d'une voix péremptoire jusqu'à ce qu'un desserveur
eût apporté le verre en courant. On fit avaler le
cognac de force. Au bout de quelques secondes
l'homme ouvrit les yeux et regarda autour de lui. Il
considéra le cercle de visages et alors, comprenant,
s'efforça de se remettre sur ses pieds.

— Vous vous sentez bien maintenant ? demanda
le jeune homme en tenue de cycliste.

— Chû', ch'est 'ien, dit le blessé en essayant de
se mettre debout.

On l'aida à se mettre sur ses pieds. Le gérant
parla d'hôpital et quelques-uns des assistants donnèrent des conseils. On plaça le haut-de-forme
cabossé sur sa tête. L'agent demanda :

— Où habitez-vous ?

L'homme, sans répondre, se mit à tortiller l'extrémité de ses moustaches. Il minimisa son
accident. Ce n'était rien, disait-il : seulement un
petit accident. Sa voix était très pâteuse.

— Où habitez-vous ? répéta l'agent.

L'homme dit qu'il fallait lui faire venir un fiacre.
Tandis qu'on en discutait, un grand monsieur agile
au teint clair, vêtu d'un ulster jaune, arriva de l'autre
extrémité du bar. À la vue du spectacle il s'écria :

— Salut, mon vieux Tom ! Qu'est-ce qui
t'arrive ?

— Chû, ch'est 'ien, dit l'homme.

Le nouvel arrivant contempla la triste forme humaine qu'il avait devant lui et ensuite se tourna vers l'agent en disant :

— Très bien, ça ira comme ça. Je le ramènerai chez lui.

L'agent toucha son casque et répondit :

— Très bien, Mr Power !

— Allons, Tom, dit Mr Power en prenant son ami par le bras. Rien de cassé. Hein ? Tu peux marcher ?

Le jeune homme en tenue de cycliste prit l'homme par l'autre bras et la foule s'écarta.

— Comment t'es-tu mis dans ce pétrin ? demanda Mr Power.

— Ce monsieur est tombé dans l'escalier, dit le jeune homme.

— Ch' vous chuis très reconnaissant, 'sieur, dit le blessé.

— Mais non, ce n'est rien.

— On 'a 'endre un 'tit... ?

— Pas maintenant. Pas maintenant.

Les trois hommes quittèrent le bar et la foule s'écoula lentement par les portes dans la ruelle. Le gérant conduisit l'agent jusqu'à l'escalier afin d'examiner les lieux de l'accident. Ils furent d'accord pour penser que ce monsieur avait dû faire un faux pas. Les clients retournèrent au comptoir et un desserveur se mit en devoir de faire disparaître les traces de sang sur le sol.

Lorsqu'ils sortirent dans Grafton Street,

Mr Power siffla un outsider[1]. Le blessé dit à nouveau du mieux qu'il put :

— Ch 'ous 'uis 'rès obligé, 'onsieur. J'espère qu'on ch' 'everra. Je 'appelle 'ernan.

Le choc et la douleur naissante l'avaient en partie dégrisé.

— N'en parlons plus, dit le jeune homme.

Ils se serrèrent la main. On hissa Mr Kernan dans la voiture et, pendant que Mr Power donnait des instructions au cocher, il exprima au jeune homme sa gratitude et le regret qu'ils ne pussent prendre ensemble un petit verre.

— Une autre fois, dit le jeune homme.

La voiture prit la direction de Westmoreland Street. Lorsqu'elle passa devant le Bureau du Port l'horloge indiquait neuf heures et demie. Un vent d'est très vif les frappa de plein fouet, soufflant de l'embouchure de la rivière. Mr Kernan était recroquevillé de froid. Son ami lui demanda de raconter comment l'accident s'était produit.

— Je 'eux 'as, 'on 'ieux, répondit-il, 'e 'uis 'lessé à la 'angue.

— Montre.

L'autre se pencha entre les sièges et scruta l'intérieur de la bouche de Mr Kernan, mais il n'y voyait pas. Il gratta une allumette et, l'abritant dans ses mains mises en conque, scruta à nouveau la bouche que Mr Kernan ouvrait docilement. Les balance-

---

1. Petite voiture irlandaise dont les passagers, adossés les uns aux autres, regardaient vers l'extérieur.

ments de la voiture rapprochaient et éloignaient
tour à tour l'allumette de la bouche ouverte. Les
dents et les gencives inférieures étaient couvertes
de sang coagulé et un tout petit bout de la langue
semblait avoir été sectionné d'un coup de dents. Le
vent éteignit l'allumette.

— Ça n'est pas beau à voir, dit Mr Power.

— 'ûr, 'est 'ien, dit Mr Kernan en fermant la
bouche et en relevant le col de son pardessus
maculé.

Mr Kernan était un voyageur de commerce de la
vieille école, laquelle croyait à la dignité de son état.
On ne l'avait jamais vu en ville sans un haut-de-
forme assez correct et une paire de guêtres. Par la
grâce de ces deux effets, disait-il, un homme était
toujours présentable. Il maintenait la tradition de
son Napoléon, le grand Blackwhite, dont il évoquait
de temps en temps le souvenir par les moyens de la
légende et de la mimique. Les méthodes commer-
ciales modernes ne l'avaient épargné qu'au point de
lui concéder un petit bureau dans Crowe Street sur
le store duquel était inscrit le nom de sa firme
accompagné de son adresse — London, E.C. Sur la
cheminée de ce petit bureau était aligné un petit
bataillon de boîtes couleur plomb et sur la table
devant la fenêtre se trouvaient quatre ou cinq bols
de porcelaine d'ordinaire à demi pleins d'un liquide
noir. C'est dans ces bols que Mr Kernan goûtait le
thé. Il en prenait une gorgée, l'aspirait, s'en impré-
gnait le palais et puis la recrachait dans la cheminée. Puis il faisait une pause pour porter jugement.

Mr Power, homme beaucoup plus jeune, travaillait au Royal Irish Constabulary Office, au château de Dublin[1]. L'arc de son ascension sociale coupait celui du déclin de son ami, mais le déclin de Mr Kernan était adouci du fait que certains de ces amis qui l'avaient connu à l'apogée de la réussite l'estimaient encore, en tant que personnage. Mr Power était l'un de ces amis. Ses dettes inexplicables étaient proverbiales dans son cercle ; c'était un homme jeune et jovial.

La voiture s'arrêta devant une petite maison sur la route de Glasnevin et l'on aida Mr Kernan à entrer. Sa femme le mit au lit cependant que Mr Power restait assis en bas à la cuisine demandant aux enfants où ils allaient à l'école et quel livre ils lisaient. Les enfants — deux filles et un garçon, conscients de l'impuissance de leur père et de l'absence de leur mère, se mirent à jouer avec lui de façon cavalière. Leurs manières et leur accent le surprirent, et son front devint pensif. Au bout d'un moment, Mrs Kernan entra dans la cuisine en s'écriant :

— C'est du beau ! Oh, un jour il se détruira, il n'y aura plus qu'à tirer l'échelle. Il ne s'est pas arrêté de boire depuis vendredi.

Mr Power prit soin de lui expliquer qu'il n'avait aucune responsabilité dans l'affaire, qu'il était arrivé sur les lieux de la façon la plus accidentelle. Se souvenant des bons offices de Mr Power lors de

1. Voir p. 207, note 1.

querelles domestiques, ainsi que de nombreux prêts, de faible importance, mais opportuns, Mrs Kernan dit :

— Oh, vous n'avez pas besoin de me dire ça, Mr Power. Je sais que vous êtes un de ses amis, pas comme certains autres qu'on le voit avec. Ils sont parfaits tant qu'il a assez d'argent en poche pour rester dehors loin de sa femme et de sa famille. Jolis amis ! Avec qui il était ce soir, je voudrais bien savoir ?

Mr Power secoua la tête, mais ne dit rien.

— Je suis bien fâchée, continua-t-elle, de ne rien avoir dans la maison à vous offrir. Mais si vous attendez une minute j'enverrai chercher quelque chose au coin chez Fogarty.

Mr Power se leva.

— On attendait qu'il revienne à la maison avec l'argent. Il n'a jamais l'air de penser qu'il en a une, de maison.

— Ah, cette fois, Mrs Kernan, dit Mr Power, nous lui ferons tourner une nouvelle page. J'en parlerai à Martin. C'est l'homme qu'il nous faut. Nous viendrons ici un de ces soirs et nous en parlerons sérieusement.

Elle l'accompagna jusqu'à la porte. Le cocher arpentait le trottoir en tapant des pieds et en balançant les bras pour se réchauffer.

— C'est très gentil à vous de l'avoir ramené à la maison, dit-elle.

— Mais non, ce n'est rien, dit Mr Power.

Il monta dans la voiture. Et, tandis que celle-ci s'éloignait, il salua gaiement d'un coup de chapeau.

— Nous en ferons un autre homme, dit-il. Bonsoir, Mrs Kernan.

. . . .

L'œil perplexe, Mrs Kernan suivit la voiture du regard jusqu'à ce que celle-ci eût disparu. Puis elle détourna les yeux, entra dans la maison et vida les poches de son mari.

C'était une femme d'un certain âge, active, pratique. Peu de temps auparavant elle avait célébré ses noces d'argent et avait retrouvé une certaine intimité avec son mari en valsant avec lui, Mr Power les accompagnant au piano. Du temps de leurs fiançailles, Mr Kernan lui était apparu comme ne manquant pas d'allure ; et elle se précipitait encore à la porte de la chapelle chaque fois qu'un mariage était annoncé et, en voyant le couple des jeunes mariés, se rappelait avec un plaisir très vif comment elle était sortie de l'église de l'Étoile de la Mer à Sandymount, appuyée au bras d'un homme enjoué et bien nourri qui était élégamment vêtu d'une redingote et de pantalons lavande et portait gracieusement en équilibre sur son autre bras un chapeau haut de forme. Au bout de trois semaines elle avait trouvé la vie de femme mariée irritante et, plus tard, alors qu'elle commençait à la trouver insupportable, elle était devenue mère. Le rôle de mère ne présentait pour elle aucune difficulté insurmontable et pendant vingt-cinq ans elle avait été pour son mari une maîtresse de maison avisée. Ses deux fils aînés étaient lancés dans la vie. L'un était dans un maga-

sin de nouveautés à Glasgow et l'autre employé
chez un négociant en thé de Belfast. C'étaient de
bons fils, ils écrivaient régulièrement et parfois
envoyaient de l'argent à la maison. Les autres
enfants étaient encore à l'école.

Mr Kernan envoya une lettre à son bureau le
lendemain et resta au lit. Elle lui fit du viandox et
le morigéna d'importance. Elle acceptait ses fré-
quents accès d'intempérance comme faisant partie
du climat, le soignait consciencieusement chaque
fois qu'il était malade et essayait toujours de lui
faire prendre un petit déjeuner. Il y avait pire en
fait de mari. Il n'avait jamais été violent depuis que
les garçons étaient devenus grands et elle savait
qu'il était prêt à aller à pied jusqu'au bout de Thomas Street et retour pour prendre une commande,
même modeste.

Le surlendemain dans la soirée ses amis vinrent
le voir. Elle les fit monter dans sa chambre, dont
l'air était imprégné d'une odeur personnelle, et
leur donna des chaises près du feu. La langue de
Mr Kernan, qui, par les douleurs cuisantes qu'elle
lui donnait de temps en temps, l'avait rendu quelque peu irritable pendant la journée, se fit plus
policée. Il était assis dans son lit, soutenu par des
oreillers, et la petite tache de couleur de ses joues
bouffies les faisaient ressembler à des cendres encore
ardentes. Il s'excusa auprès de ses hôtes pour le
désordre de la chambre, mais en même temps les
regarda avec un brin d'orgueil, à la manière d'un
ancien combattant.

Il était totalement inconscient d'être la victime d'un complot que ses amis, Mr Cunningham, Mr M'Coy et Mr Power avaient dévoilé à Mrs Kernan au salon. L'idée avait été lancée par Mr Power, mais Mr Cunningham était chargé de l'exploiter. Mr Kernan était de souche protestante et, bien que converti à la foi catholique au moment de son mariage, il était resté hors de l'Église pendant vingt ans. De plus, il aimait bien lancer des pointes sournoises contre le catholicisme.

Mr Cunningham était exactement l'homme qu'il fallait en pareille affaire. C'était un collègue de Mr Power, plus âgé que lui. Sa propre vie domestique n'était pas très heureuse. Les gens avaient beaucoup de sympathie pour lui, car on le savait marié à une femme qui n'était pas présentable, une incurable ivrognesse. Il lui avait monté la maison six fois ; et chaque fois elle lui avait engagé le mobilier.

Tout le monde respectait le pauvre Martin Cunningham. C'était un homme extrêmement sensé, influent et intelligent. Sa connaissance particulière des hommes, une sagacité naturelle affinée et aiguisée par la longue fréquentation des tribunaux de police, avait été trempée par de brèves immersions dans les eaux de la philosophie générale. Il était bien informé. Ses amis s'inclinaient devant ses opinions, et trouvaient que son visage ressemblait à celui de Shakespeare.

Quand le complot avait été dévoilé à Mrs Kernan, elle avait dit :

— Je laisse tout cela entre vos mains,
Mr Cunningham.

Après un quart de siècle de vie conjugale il ne
lui restait que fort peu d'illusions. La religion était
pour elle une habitude, et elle soupçonnait qu'un
homme de l'âge de son mari ne changerait guère
avant sa mort. Elle était tentée de trouver à son
accident quelque chose de curieusement approprié
et, n'était qu'elle ne désirait pas paraître sangui-
naire, elle aurait volontiers dit à ces messieurs que
la langue de Mr Kernan ne perdrait pas grand-
chose à être raccourcie. Pourtant, Mr Cunningham
était un homme capable ; et la religion, c'était la
religion. Le plan pouvait avoir d'heureux effets, et
du moins ne pouvait pas en avoir de mauvais. Ses
articles de foi n'avaient rien d'extravagant. Elle
croyait fermement que le Sacré-Cœur était, de
toutes les dévotions de l'Église catholique, la plus
utile d'une façon générale[1], et les sacrements
avaient son approbation. Sa foi ne dépassait pas les
limites de sa cuisine mais, mise au pied du mur, elle
pouvait croire aussi à la banshee[2] et au Saint-
Esprit.

Ces messieurs se mirent à parler de l'accident.
Mr Cunningham dit qu'il avait connu autrefois un
cas similaire. Un homme âgé de soixante-dix ans

1. Voir p. 83.
2. Dans la tradition irlandaise, la *banshee* est un esprit qui
vient gémir sous les fenêtres de la maison où quelqu'un est sur le
point de mourir.

s'était coupé un bout de la langue au cours d'une crise d'épilepsie et la langue avait repoussé de telle manière que personne ne pouvait distinguer une trace de la morsure.

— Eh bien, je n'ai pas soixante-dix ans, dit le malade.

— À Dieu ne plaise, dit Mr Cunningham.

— Vous n'avez plus mal, maintenant ? demanda Mr M'Coy.

Mr M'Coy avait été à une certaine époque un ténor assez réputé. Sa femme, jadis soprano, apprenait encore le piano aux jeunes enfants pour des cachets modiques. Sa ligne de vie n'avait pas suivi le plus court chemin d'un point à un autre et, pendant de brèves périodes, il avait été acculé à vivre d'expédients. Successivement employé au Midland Railway, courtier en publicité pour *The Irish Times* et pour *The Freeman's Journal,* placier à la commission pour un négociant en charbons, enquêteur privé, employé dans les bureaux du sous-shérif, il était devenu récemment secrétaire du City Coroner. Ses nouvelles fonctions l'amenaient à porter un intérêt professionnel au cas de Mr Kernan.

— Mal ? Pas beaucoup, répondit Mr Kernan. Mais c'est tellement écœurant. J'ai l'impression d'avoir envie de vomir.

— C'est la cuite, dit Mr Cunningham d'un ton ferme.

— Non, dit Mr Kernan. Je crois que j'ai pris froid dans la voiture. Il y a quelque chose qui me coule sans arrêt dans la gorge, du flegme ou...

— Du mucus, dit Mr M'Coy.

— Ça n'arrête pas de couler pour ainsi dire du fond de ma gorge ; un truc écœurant.

— Oui, oui, dit Mr M'Coy, c'est le thorax.

En même temps il regarda Mr Cunningham et Mr Power d'un air de défi. Mr Cunningham eut un rapide signe d'acquiescement et Mr Power dit :

— Ah bien, tout est bien qui finit bien.

— Je vous suis très reconnaissant, mon vieux, dit le malade.

Mr Power eut un geste vague de la main.

— Ces deux autres avec qui j'étais...

— Avec qui étiez-vous ? demanda Mr Cunningham.

— Un type. Je ne sais pas son nom. Bon sang de bon sang, comment s'appelle-t-il ? Un petit type avec des cheveux blond-roux...

— Et qui d'autre ?

— Harford.

— Hm, fit Mr Cunningham.

Lorsque Mr Cunningham faisait cette remarque, les gens restaient silencieux. On savait que celui qui parlait avait des sources secrètes d'information. Dans le cas présent, le monosyllabe avait une portée morale. Mr Harford faisait quelquefois partie d'un petit détachement qui quittait la ville le dimanche peu après midi dans le dessein d'arriver le plus tôt possible dans quelque pub de la banlieue, où ses membres ne manquaient pas de se

présenter comme des voyageurs *bona fide* [1]. Mais
ses compagnons de route n'avaient jamais consenti
à oublier ses origines. Il avait débuté dans la vie
comme obscur homme de finance en prêtant de
petites sommes d'argent à des ouvriers, à des taux
usuraires. Plus tard il s'était associé à un petit monsieur très gras, Mr Goldberg, de la Société de Crédit de la Liffey. Bien qu'il n'eût jamais embrassé
du judaïsme autre chose que le code éthique, ses
coreligionnaires catholiques, lorsqu'ils avaient pâti,
en personne ou par procuration, de ses exactions,
le traitaient aigrement de juif irlandais et d'illettré,
et voyaient dans l'idiotie de son fils le signe de la
réprobation divine pour l'usure. À d'autres
moments, ils se souvenaient de ses bons côtés.

— Je me demande où est-ce qu'il est allé, dit
Mr Kernan.

Il souhaitait que les détails de l'incident demeu-
rassent vagues. Il souhaitait que ses amis pensent
qu'il y avait eu quelque méprise, que Mr Harford
et lui s'étaient manqués. Ses amis, qui savaient parfaitement la manière dont Mr Harford se conduisait au café, gardèrent le silence. Mr Power répéta :

— Tout est bien qui finit bien.

Mr Kernan changea immédiatement de sujet :

— C'était un très chic type, ce jeune carabin,
dit-il. Sans lui...

---

1. Le voyageur « de bonne foi » avait le droit de consommer
des boissons alcooliques en dehors des heures d'ouverture
légale.

— Oh, sans lui, dit Mr Power, c'est sept jours ferme qui auraient pu tomber.

— Oui, oui, dit Mr Kernan en essayant de se souvenir. Je me souviens maintenant qu'il y avait un agent. Un jeune bien chic, du moins il en avait l'air. Comment est-ce que ça a bien pu arriver ?

— Ce qui est arrivé, c'est que vous étiez rond comme une bille, Tom, dit Mr Cunningham avec gravité.

— Accepté, j'encaisse, dit Mr Kernan avec une égale gravité.

— Je suppose que vous avez arrangé les choses avec l'agent, Jack, dit Mr M'Coy.

Mr Power n'apprécia pas l'utilisation de son prénom. Il n'était pas collet monté, mais ne pouvait oublier que Mr M'Coy était récemment parti en croisade pour rassembler des sacs de voyage en tous genres devant permettre à Mrs M'Coy d'honorer des engagements imaginaires en province. Plus que d'avoir été dupé, il lui en voulait d'avoir joué à un jeu aussi dégradant. C'est pourquoi il répondit à la question comme si c'était Mr Kernan qui l'avait posée.

Le récit indigna Mr Kernan. Il avait une conscience aiguë de sa qualité de citoyen, souhaitait vivre avec sa cité sur un pied de respect mutuel, et s'offensait de tout affront à lui fait par ceux qu'il appelait des rustauds.

— Est-ce que c'est pour ça qu'on paye des impôts ? dit-il. Pour nourrir et habiller ces minables ignares... parce qu'ils ne sont pas autre chose.

Mr Cunningham rit. Ses fonctions officielles au Château cessaient en dehors des heures ouvrables.

— Comment pourraient-ils être autre chose, Tom ? dit-il.

Il prit un accent provincial épais pour dire sur le ton du commandement :

— Le 65, attrape ton chou !

Tout le monde rit. Mr M'Coy, désireux d'entrer dans la conversation par n'importe quelle porte, fit semblant de n'avoir jamais entendu l'histoire. Mr Cunningham dit :

— La scène en principe se passe — c'est ce qu'on raconte, vous savez — dans le dépôt où ces formidables costauds de campagnards, des oma-dhauns, vous savez, sont mis à l'entraînement. Le sergent instructeur les fait s'aligner le long du mur, l'assiette tendue.

Il illustrait l'histoire de gestes grotesques.

— À l'heure de la soupe, vous savez. Et puis il a une sacrée gamelle de chou devant lui sur la table, et une sacrée cuiller, une vraie pelle. Il ramasse une portion de chou avec la cuiller et te vous la balance à travers le réfectoire, et les pauvres diables doivent essayer de l'attraper sur leur assiette : *65, attrape ton chou.*

Et chacun de se remettre à rire : mais Mr Kernan n'avait pas épuisé son indignation. Il parlait d'écrire une lettre aux journaux.

— Ces sauvages débarquent ici, dit-il, et s'ima-ginent qu'ils peuvent faire marcher les gens. Martin, je n'ai pas besoin de vous dire le genre d'hommes que c'est.

Mr Cunningham donna une approbation nuancée.

— C'est comme toutes choses en ce monde, dit-il. Vous en avez des mauvais et vous en avez des bons.

— Oh oui, il y en a de bons, je l'admets, dit Mr Kernan, qui avait eu gain de cause.

— Mieux vaut ne pas avoir affaire à eux, dit Mr M'Coy. Voilà mon opinion !

Mrs Kernan entra et, disposant un plateau sur la table, dit :

— Servez-vous, messieurs.

Mr Power se leva pour officier, lui offrant sa chaise. Elle déclina l'offre, disant qu'elle était en train de repasser en bas et, après avoir échangé un signe de tête avec Mr Cunningham dans le dos de Mr Power, elle se prépara à quitter la pièce. Son mari l'appela :

— Et pour moi, il n'y a rien, mon lapin ?

— Oh, toi ! Ma main sur la figure, oui ! dit-elle vertement.

Son mari lança une dernière fois :

— Rien pour le pauvre petit mari chéri !

Il avait pris un visage et une voix tellement comiques que la distribution des bouteilles de stout se déroula dans l'allégresse générale.

Ces messieurs burent, posèrent les verres sur la table et marquèrent un temps. Puis Mr Cunningham se tourna vers Mr Power et dit négligemment :

— Vous avez bien dit jeudi soir, Jack ?

— Jeudi oui, répondit Mr Power.

— Bien ! reprit Mr Cunningham promptement.

— Nous pouvons nous retrouver chez M'Auley, dit Mr M'Coy. Ça sera l'endroit le plus pratique.

— Mais il ne faudra pas être en retard, dit Mr Power d'un ton pénétré, parce que ce sera sûrement plein à craquer.

— Nous pouvons nous retrouver à sept heures et demie, dit Mr M'Coy.

— Voilà qui est bien ! dit Mr Cunningham.

— Entendu pour sept heures et demie chez M'Auley !

Il y eut un petit silence. Mr Kernan attendait de voir s'il serait mis dans la confidence de ses amis. Puis il demanda :

— Qu'est-ce qu'il y a dans l'air ?

— Oh, rien de particulier, dit Mr Cunningham. Seulement une petite affaire qu'on met sur pied pour jeudi.

— L'opéra peut-être ? dit Mr Kernan.

— Non, non, dit Mr Cunningham d'un ton évasif, simplement une petite affaire de caractère... spirituel.

— Ah, fit Mr Kernan.

Le silence régna à nouveau. Puis Mr Power dit à brûle-pourpoint :

— Pour dire la vérité, Tom, nous allons faire une retraite.

— Oui, voilà, dit Mr Cunningham, Jack, moi-même et M'Coy ici présent — nous allons tous les trois faire le grand nettoyage.

Il lança la métaphore avec une certaine énergie familière et, encouragé par sa propre voix, poursuivit :

— Voyez-vous, autant admettre que nous sommes une belle collection de fripouilles, tous autant que nous sommes. Je dis bien, tous autant que nous sommes, ajouta-t-il, charitable et bourru en se tournant vers Mr Power. Allez, avouez !

— J'avoue, dit Mr Power.

— Et moi aussi, dit Mr M'Coy.

— Alors, nous allons tous faire le grand nettoyage, dit Mr Cunningham.

Une idée parut le frapper brusquement. Il se tourna tout à coup vers le malade et dit :

— Savez-vous ce qui me vient à l'esprit, Tom ? Vous pourriez vous joindre à nous et cela compléterait la fine équipe.

— Bonne idée, dit Mr Power. On serait ensemble tous les quatre.

Mr Kernan resta silencieux. La proposition n'avait pas grand sens pour lui mais, comprenant que certains agents spirituels allaient s'occuper de lui, il croyait devoir, par pure dignité, paraître rétif. Pendant un long moment il ne prit aucune part à la conversation mais écouta, d'un air calmement hostile, tandis que ses amis débattaient des Jésuites. Il finit par intervenir.

— Je n'ai pas si mauvaise opinion des Jésuites, dit-il. C'est un ordre instruit. Et puis je crois que leurs intentions sont bonnes.

— C'est l'ordre le plus prestigieux de l'Église,

Tom, dit Mr Cunningham avec enthousiasme. Le Général des Jésuites vient juste après le Pape.

— Il n'y a pas à s'y tromper, dit Mr M'Coy, si vous voulez du bon travail sans bavures, adressez-vous à un Jésuite. Ce sont les gars qu'ont de l'influence. Je vais vous donner l'exemple d'une affaire...

— Les Jésuites, dit Mr Power, sont un corps d'élite.

— Il y a quelque chose de curieux à propos des Jésuites, dit Mr Cunningham. Tous les autres ordres de l'Église ont dû être réformés à un moment ou à un autre, mais le leur ne l'a jamais été une seule fois. Ils n'ont jamais failli.

— Vraiment ? s'enquit Mr M'Coy.

— C'est un fait, dit Mr Cunningham. Historiquement reconnu.

— Et puis regardez leur église, dit Mr Power. Regardez les fidèles qu'ils ont.

— Le secteur des Jésuites c'est la haute société, dit Mr M'Coy.

— Bien sûr, dit Mr Power.

— Oui, dit Mr Kernan. C'est pour ça que j'ai un faible pour eux. C'est certains de ces prêtres séculiers, ignorants, suffisants...

— Ce sont tous des hommes de bien, dit Mr Cunningham, chacun à sa façon. Le prêtre irlandais est honoré dans le monde entier.

— Oh oui, fit Mr Power.

— C'est pas comme certains autres prêtres du continent, dit Mr M'Coy, qui sont indignes de ce nom.

— Vous avez peut-être raison, dit Mr Kernan, s'adoucissant.

— Bien sûr que j'ai raison, dit Mr Cunningham. J'ai assez vécu et vu le monde sous la plupart de ses aspects pour être à même de juger les hommes.

Ces messieurs burent à nouveau, chacun suivant l'exemple donné par son voisin. Mr Kernan semblait peser quelque chose mentalement. Il était impressionné. Il avait une haute opinion de Mr Cunningham pour ce qui était de juger les hommes et lire les visages. Il demanda des détails.

— Oh, c'est simplement une retraite, vous savez, dit Mr Cunningham. C'est le Père Purdon qui la dirige. C'est pour les hommes d'affaires, vous savez.

— Il ne sera pas trop dur avec nous, Tom, fit Mr Power, persuasif.

— Le Père Purdon ? Le Père Purdon ? dit le malade.

— Oh, vous devez le connaître, Tom, dit Mr Cunningham résolument. Un type vraiment bien. Il connaît le monde, comme nous.

— Ah... oui. Je crois que je le connais. Le visage plutôt rouge ; grand.

— C'est bien l'homme.

— Et dites-moi, Martin... Est-ce que c'est un bon prédicateur ?

— Mmnnon... Ça n'est pas à proprement parler un sermon, vous savez. C'est simplement une sorte de causerie amicale, vous savez, quelque chose qui s'adressera au bon sens.

Mr Kernan délibérait. Mr M'Coy dit :

— Le Père Tom Burke, ça c'était un gars !

— Oh, le Père Tom Burke, ça c'était un ora-teur-né. L'avez-vous jamais entendu, Tom ?

— Si je l'ai jamais entendu ! dit le malade, piqué au vif. Et comment ! Je l'ai entendu...

— Et pourtant on dit qu'il n'était pas grand clerc en théologie, dit Mr Cunningham.

— Vraiment ? dit Mr M'Coy.

— Oh, bien sûr, rien de mal, vous savez. Simple-ment, on dit que quelquefois il ne prêchait pas des choses tout à fait orthodoxes.

— Ah !... c'était un homme sensationnel, dit Mr M'Coy.

— Je l'ai entendu une fois, poursuivit Mr Ker-nan. J'ai oublié le sujet de son discours. Crofton et moi étions au fond du... parterre, vous savez... le...

— La nef, dit Mr Cunningham.

— Oui, au fond près de la porte. J'ai oublié ce que... Oh oui, c'était sur le Pape, le défunt Pape. Je me souviens bien. Mais, parole, c'était magnifique, ce style oratoire. Et sa voix ! Mon Dieu ! Ça, c'était une voix ! *Le Prisonnier du Vatican,* c'est comme ça qu'il l'appelait. J'entends encore Crofton me dire, quand nous sommes sortis...

— Mais c'est un Orangiste[1], Crofton, n'est-ce pas ? dit Mr Power.

1. Fondé en 1795, l'Ordre d'Orange se donna pour tâche de « maintenir [...] la constitution protestante, et de défendre le Roi et ses héritiers aussi longtemps qu'ils maintiendront la suprématie protestante ».

— Sûr que c'en est un, dit Mr Kernan, et diablement chic avec ça. On est entré chez Butler, dans Moore Street — ça, ma foi, j'étais sincèrement ému, je le jure devant Dieu — et je me souviens bien des mots qu'il a utilisés. *Kernan,* a-t-il dit, *nous prions devant des autels différents,* a-t-il dit, *mais notre croyance est la même.* Ça m'a frappé, j'ai trouvé ça très bien tourné.

— Il y a beaucoup de vrai là-dedans, dit Mr Power. Il y avait toujours des foules de protestants à la chapelle quand le Père Tom prêchait.

— Il n'y a pas grande différence entre nous, dit Mr M'Coy. Les uns et les autres nous croyons en...

Il hésita un moment.

— ...au Rédempteur. Simplement ils ne croient pas au Pape et à la mère de Dieu.

— Mais, bien sûr, dit Mr Cunningham d'un ton tranquille et bien senti, notre religion est la *vraie* religion, la vieille foi des origines.

— Aucun doute là-dessus, dit Mr Kernan avec chaleur.

Mrs Kernan vint à la porte de la chambre et annonça :

— Voilà une visite pour toi !

— Qui est-ce ?

— Mr Fogarty.

— Oh, entrez, entrez !

Un visage ovale et pâle s'avança dans la lumière. L'arc de sa moustache blonde tombante était répété par les sourcils blonds qui s'arrondissaient sur des yeux agréablement étonnés. Mr Fogarty était un modeste épicier. Il avait fait de mauvaises affaires avec un débit de boissons qu'il avait tenu en ville, parce que sa situation financière l'avait obligé à se lier à des distillateurs et des brasseurs de second ordre. Il avait ouvert une petite boutique dans Glasnevin Road où, il s'en flattait, ses manières lui vaudraient les bonnes grâces des ménagères du quartier. Il avait le port assez gracieux, les petits enfants avaient droit à ses compliments, et il s'exprimait distinctement. Il ne manquait pas de culture.

Mr Fogarty apportait un cadeau, un quart de litre de whisky spécial. Il s'enquit poliment de la santé de Mr Kernan, déposa son cadeau sur la table et prit place dans le groupe, sur un pied d'égalité. Mr Kernan apprécia d'autant plus le cadeau qu'un petit compte d'épicerie, il en avait conscience, restait à régler entre lui et Mr Fogarty. Il dit :

— Je savais qu'on pouvait compter sur vous, mon vieux. Débouchez ça, voulez-vous, Jack ?

Mr Power officia à nouveau. On rinça les verres et on versa cinq petites mesures de whisky. Ce nouvel élément anima la conversation. Mr Fogarty, assis sur un petit bout de sa chaise, était particulièrement intéressé.

— Le Pape Léon XIII, disait Mr Cunningham, fut une des lumières du temps. Sa grande idée, vous savez, c'était l'union des Églises latine et grecque. Ce fut l'objectif de sa vie.

— J'ai souvent entendu dire que c'était l'une

des têtes les plus intellectuelles d'Europe, dit
Mr Power. Je veux dire indépendamment du fait
qu'il était Pape.

— C'est bien vrai, dit Mr Cunningham, sinon
même la première de toutes. Sa devise de Pape, vous
savez, était *Lux sur Lux — Lumière sur Lumière.*

— Non, non, dit Mr Fogarty avec feu. Je crois que
vous vous trompez sur ce point. C'était *Lux in Tene-
bris,* je pense— *Lumière dans les Ténèbres.*

— Ah oui, dit Mr M'Coy, l'office des Ténèbres.

— Permettez, dit Mr Cunningham de façon caté-
gorique, c'était *Lux sur Lux.* Et la devise de son prédécesseur Pie IX était *Crux sur Crux* — c'est-à-dire
Croix sur Croix — pour bien montrer la différence
entre leurs deux pontificats.

On admit l'inférence. Mr Cunningham poursuivit.

— Le pape Léon, vous savez, était un érudit et un
poète.

— Il avait le visage puissant, dit Mr Kernan.

— Oui, dit Mr Cunningham. Il écrivait des vers
latins.

— Vraiment ? fit Mr Fogarty.

Mr M'Coy goûta son whisky d'un air satisfait et
eut un hochement de tête à double entente, en
disant :

— Ça n'est pas de la plaisanterie, je peux vous le
dire.

— Nous n'avons pas appris cela, Tom, dit
Mr Power en suivant l'exemple de Mr M'Coy, du
temps que nous allions à la communale.

— Plus d'un honnête homme est allé à la communale avec son morceau de tourbe sous le bras, dit Mr Kernan sentencieusement. Le vieux système, c'était le meilleur : une éducation simple et honnête. Et pas votre camelote moderne...

— Tout à fait juste, fit Mr Power.

— Pas de superfluités, dit Mr Fogarty.

Ayant énoncé le mot, il but avec gravité.

— Je me souviens d'avoir lu, dit Mr Cunningham, que l'un des poèmes du Pape Léon était consacré à l'invention de la photographie — en latin bien sûr.

— À la photographie ! s'écria Mr Kernan.

— Oui, dit Mr Cunningham.

Il but lui aussi.

— Eh bien, vous savez, dit Mr M'Coy, ça n'est pas merveilleux, la photographie, quand on y pense ?

— Oh bien sûr, dit Mr Power, les grands esprits peuvent voir de ces choses !

— Comme dit le poète : *Les grands esprits sont bien proches de la folie,* dit Mr Fogarty.

Mr Kernan ne semblait pas avoir l'esprit en repos. Il fit un effort pour retrouver ce que la théologie protestante avait à dire sur quelques points épineux, et finit par s'adresser à Mr Cunningham.

— Dites-moi, Martin, dit-il. N'est-il pas vrai que certains papes — bien sûr, pas l'homme d'aujourd'hui, ni son prédécesseur, quelques-uns des anciens papes — n'étaient pas tout à fait... vous savez... à la hauteur ?

Il y eut un silence. Mr Cunningham dit :

— Oh bien sûr, il y en a eu qui ne valaient pas cher... Mais la chose étonnante, c'est ceci : pas un seul d'entre eux, fût-il le dernier des ivrognes, le... pire des coquins, pas un seul d'entre eux n'a jamais prêché *ex cathedra* une seule parole qui fût de fausse doctrine. Alors, est-ce que ce n'est pas quelque chose d'étonnant ?

— C'est vrai, dit Mr Kernan.

— Oui, parce que lorsque le Pape parle *ex cathedra,* expliqua Mr Fogarty, il est infaillible.

— Oui, dit Mr Cunningham.

— Oh, je sais, l'infaillibilité du Pape. Je me souviens, j'étais plus jeune à l'époque... Ou bien était-ce... ?

Mr Fogarty intervint. Il prit la bouteille et servit une petite tournée. Mr M'Coy, voyant qu'il n'y en avait pas assez pour tout le monde, allégua qu'il n'avait pas fini sa première ration. Les autres acceptèrent après quelques protestations. La légère musique du whisky tombant dans les verres créa un agréable intermède.

— Qu'est-ce que vous disiez, Tom ? demanda Mr M'Coy.

— L'infaillibilité pontificale, dit Mr Cunningham, cela a donné lieu à la scène la plus grandiose de toute l'histoire de l'Église.

— Comment cela, Martin ? demanda Mr Power.

Mr Cunningham leva deux gros doigts.

— Dans le sacré collège, vous savez, des cardinaux et archevêques et évêques, deux hommes maintenaient leur opposition tandis que les autres étaient tout à fait favorables. Le conclave tout entier était unanime à l'exception de ces deux-là. Non ! Ils ne voulaient pas en entendre parler !

— Ha ! fit Mr M'Coy.

— Et c'étaient un cardinal allemand du nom de Dolling... ou Dowling... ou...

— Dowling n'était pas allemand, je vous en fiche mon billet, dit Mr Power en riant.

— Eh bien, ce grand cardinal allemand, peu importe son nom, était l'un d'entre eux ; et l'autre était John MacHale.

— Quoi ? s'écria Mr Kernan. Vous voulez dire l'archevêque de Tuam ?

— En êtes-vous sûr, dites-moi ? demanda Mr Fogarty d'un air dubitatif. Je croyais que c'était quelque Italien ou Américain.

— L'archevêque de Tuam, répéta Mr Cunningham ; c'était bel et bien lui.

Il but et les autres suivirent son exemple. Puis il reprit :

— Ils étaient donc là à discuter ferme, tous les cardinaux et évêques et archevêques venus de tous les coins de la terre, et ces deux-là se débattaient comme diables en bénitier jusqu'au moment où le Pape lui-même finit par se lever et proclama *ex cathedra* l'infaillibilité dogme de l'Église. À ce moment précis John MacHale, qui n'avait cessé d'opposer argument sur argument, se leva et rugit comme un lion : *Credo !*

— *Je crois !* dit Mr Fogarty.

— *Credo !* dit Mr Cunningham. Cela montrait la foi qu'il avait. Il a fait soumission dès l'instant où le Pape a parlé.

— Et Dowling ? demanda Mr M'Coy.

— Le cardinal allemand ne voulut pas se soumettre. Il quitta l'Église.

Les paroles de Mr Cunningham avaient fait surgir dans l'esprit de ses auditeurs l'image grandiose de l'Église. Sa voix grave et rauque, en prononçant la parole de foi et de soumission, avait fait passer sur eux un frisson. Lorsque Mrs Kernan pénétra dans la pièce en se séchant les mains, elle se trouva au milieu d'une compagnie solennelle. Elle ne troubla pas le silence, mais s'appuya sur la barre au pied du lit de fer.

— J'ai vu John MacHale une fois, dit Mr Kernan, et je ne l'oublierai pas aussi longtemps que je vivrai.

Il se tourna vers sa femme pour solliciter une confirmation.

— Je t'ai souvent raconté cela ?

Mrs Kernan acquiesça.

— C'était à l'inauguration de la statue de John Gray. Edmund Dwyer Gray parlait, discourant à n'en plus finir, et le vieux était là, tout renfrogné, à le regarder par-dessous ses sourcils broussailleux.

Mr Kernan fronça les sourcils et, baissant la tête comme un taureau furieux, regarda férocement sa femme.

— Dieu ! s'écria-t-il en reprenant son visage naturel, je n'ai jamais vu un être humain avec un œil pareil. Il avait l'air de dire : *Je t'ai bien jaugé, mon gars.* Il avait l'œil d'un faucon.

— Aucun des Gray ne valait grand-chose, dit Mr Power.

Il y eut à nouveau une pause. Mr Power se tourna vers Mrs Kernan et dit avec une jovialité brusque :

— Eh bien, Mrs Kernan, nous allons faire de votre homme ici présent un bon catholique, sanctifié et pieux et craignant Dieu.

Il fit un large geste qui embrassait toute la compagnie.

— Nous allons tous faire une retraite ensemble et confesser nos péchés — et Dieu sait que nous en avons méchamment besoin.

— Je n'ai rien contre, dit Mr Kernan avec un sourire un peu tendu.

Mrs Kernan pensa qu'il serait plus sage de dissimuler sa satisfaction. C'est pourquoi elle dit :

— Je plains le pauvre prêtre qui devra écouter ton histoire.

L'expression de Mr Kernan changea.

— Si ça ne lui plaît pas, dit-il carrément, il peut... aller se faire voir ailleurs. Je me contenterai de lui raconter ma triste petite histoire. Je ne suis pas si mauvais sujet que ça...

Mr Cunningham intervint promptement.

— Nous renoncerons tous au diable, dit-il, tous ensemble, sans oublier ses œuvres et ses pompes.

— *Vade retro, Satanas !* dit Mr Fogarty en riant et en regardant les autres.

Mr Power ne dit rien. Il se sentait débordé tactiquement. Mais une expression fugitive de satisfaction parcourut son visage.

— Tout ce que nous devons faire, dit Mr Cunningham, c'est nous lever, nos cierges allumés à la main, et renouveler les vœux du baptême.

— Oh, n'oubliez pas le cierge, Tom, dit Mr M'Coy, quoi que vous fassiez.

— Quoi ? dit Mr Kernan. Faut-il que j'aie un cierge ?

— Oh oui, dit Mr Cunningham.

— Non, bon Dieu ! dit Mr Kernan sur le ton du bon sens, là je ne marche plus. D'accord pour participer au machin. D'accord pour l'affaire de la retraite et la confession, et... pour toute cette affaire. Mais... pas de cierge ! Non, bon Dieu, pas question de cierges !

Il secoua la tête avec une gravité bouffonne.

— Écoutez-moi ça ! dit sa femme.

— Pas question de cierges, dit Mr Kernan qui, conscient d'avoir fait son petit effet sur l'auditoire, continuait à secouer la tête à droite et à gauche. Pas question d'accepter le coup de la lanterne magique.

Tout le monde rit de bon cœur.

— Eh bien, si vous voulez voir un bon catholique... ! dit sa femme.

— Pas de cierges ! répétait Mr Kernan avec obstination. C'est tout vu.

. . . .

Le transept de l'église des Jésuites de Gardiner

Street était presque plein ; et pourtant à chaque instant des messieurs entraient par la porte latérale et, dirigés par le frère convers, longeaient les bas-côtés sur la pointe des pieds jusqu'à ce qu'ils eussent trouvé à s'asseoir. Tous ces messieurs étaient bien habillés et se tenaient de façon parfaite. La lumière des lampes de l'église tombait sur une assemblée de vêtements noirs et de cols blancs égayés çà et là par des tweeds, sur de sombres piliers de marbre vert moucheté et sur de lugubres tableaux. Les messieurs s'asseyaient sur les bancs, après avoir légèrement tiré leur pantalon au-dessus des genoux et déposé leur chapeau en sécurité. Confortablement adossés, ils contemplaient selon les formes la toute petite tache de lumière rouge suspendue là-bas devant le maître-autel.

Dans l'un des bancs situés près de la chaire étaient assis Mr Cunningham et Mr Kernan. Derrière eux se trouvait Mr M'Coy seul : et derrière celui-ci étaient assis Mr Power et Mr Fogarty. Mr M'Coy avait sans succès tenté de prendre place sur le banc avec les autres et, lorsque le groupe s'était disposé en quinconce, il avait sans succès tenté de faire des remarques drôles. Celles-ci n'ayant pas été bien accueillies, il avait renoncé. Même lui était sensible à l'atmosphère de bien-séance, même lui commençait à répondre au stimulus religieux. Dans un murmure, Mr Cunningham attira l'attention sur Mr Harford, l'usurier, assis un peu plus loin, et sur Mr Fanning, greffier municipal et grand électeur pour la mairie, assis juste au-dessous de la chaire à côté d'un des conseillers de l'arrondissement nouvellement élu. À droite était assis le vieux Michael Grimes, propriétaire de trois boutiques de prêt sur gages, et le neveu de Dan Hogan, candidat au poste de secrétaire général de la mairie. Plus en avant se trouvaient Mr Hendrick, reporter en chef au *Freeman's Journal,* et ce pauvre O'Carroll, un vieil ami de Mr Kernan, qui avait été à une certaine époque une figure considérable du négoce. Peu à peu, à mesure qu'il identifiait des visages familiers, Mr Kernan commençait à se sentir un peu plus chez lui. Son chapeau, qui avait été remis en état par sa femme, était posé sur ses genoux. Une ou deux fois il fit redescendre ses manchettes d'une main, tandis que de l'autre il tenait légèrement, mais fermement, le bord de son chapeau.

Apparut alors, grimpant péniblement dans la chaire, une figure puissante, dont la partie supérieure était drapée dans un surplis blanc. Simultanément il y eut des mouvements parmi les assistants, qui sortirent des mouchoirs sur lesquels ils s'agenouillèrent avec soin. Mr Kernan suivit l'exemple général. La silhouette du prêtre se dressa présentement toute droite dans la chaire, les deux tiers de sa masse, couronnée par un visage rouge et massif, dépassant au-dessus de la balustrade.

Le Père Purdon s'agenouilla, se tourna vers la toute petite tache de lumière rouge et, se couvrant le visage de ses mains, pria. Au bout d'un moment il découvrit son visage et se leva. L'assistance se leva elle aussi et s'installa à nouveau sur les bancs. Mr Kernan rendit son chapeau à sa position initiale sur son genou et offrit au prédicateur un visage attentif. Celui-ci releva chacune des larges manches de son surplis d'un geste ample et étudié, et son regard parcourut lentement les rangées de visages. Puis il dit :

— *Car les enfants de ce monde-ci sont plus avisés avec leurs semblables que les enfants de lumière. En vérité, je vous le dis : faites-vous des amis avec l'argent malhonnête afin qu'au jour où il viendra à manquer, ceux-ci vous reçoivent dans les demeures éternelles.*

Le Père Purdon développa ce texte avec une sonore assurance. C'était, disait-il, l'un des textes les plus difficiles de toutes les Écritures à interpréter correctement. C'était un texte qui, aux yeux d'un observateur superficiel, pouvait sembler en contradiction avec la haute moralité prêchée par le Christ en d'autres endroits. Mais, disait-il à ses auditeurs, ce texte lui avait paru spécialement propre à guider ceux dont c'était le lot de mener la vie de ce monde, et qui, cependant, ne souhaitaient pas mener cette vie à la manière des mondains. C'était un texte adressé aux hommes d'affaires et aux professions libérales. Jésus-Christ, dans Son intelligence divine de toutes les petites failles de notre nature humaine, a compris que tous les hommes n'étaient pas appelés à la vie religieuse, que, dans leur très grande majorité, ils étaient for-

cés de vivre dans le monde et, jusqu'à un certain
point, pour le monde ; et dans cette sentence il
avait pour dessein de leur donner un petit
conseil, leur proposant comme exemples de la vie
religieuse précisément ces adorateurs de Mam-
mon qui, entre tous les hommes, étaient les
moins soucieux des choses de la religion.

Il dit à ses auditeurs qu'il n'était pas là ce soir
dans quelque dessein terrifiant et extravagant ;
mais en tant qu'homme de ce monde parlant à
d'autres hommes. Il venait parler à des hommes
d'affaires et il le ferait en homme d'affaires. Si
on lui passait la métaphore, disait-il, il était leur
comptable spirituel ; et il souhaitait que ses auditeurs, tous autant qu'ils étaient, ouvrissent leurs
livres, les livres de leur vie spirituelle, pour voir
s'ils concordaient exactement avec la conscience.

Jésus-Christ n'était pas un maître tyrannique. Il
comprenait nos petites défaillances, comprenait la
faiblesse de notre pauvre nature déchue, comprenait les tentations de cette vie. Nous pouvions
avoir eu, nous avions tous de temps en temps
nos tentations ; nous pouvions avoir, nous avions
tous nos défaillances. Mais il était une chose,
disait-il, qu'il demanderait à ses auditeurs, une
seule. Et c'était celle-ci : d'être droit et viril
devant Dieu. Si les comptes concordaient en tout
point, dire :

Eh bien, j'ai vérifié mes comptes. Je trouve que
tout est en règle.

Mais si, comme cela pouvait arriver, il y avait

quelques différences, admettre la vérité, être franc
et dire en homme :

*Eh bien, j'ai regardé mes comptes. Je découvre
que telle et telle chose ne va pas. Mais, avec la grâce
de Dieu, je rectifierai telle et telle chose. Je mettrai
mes comptes en règle.*

Les morts

Lily, la fille de la concierge, ne tenait littéralement plus debout. Elle n'avait pas plus tôt amené
un monsieur dans l'office, derrière le bureau du rez-
de-chaussée, où elle l'aidait à enlever son manteau,
que la sonnette asthmatique de la porte d'entrée
résonnait à nouveau et qu'il lui fallait détaler dans
le corridor nu pour faire entrer un autre invité.
Heureusement pour elle qu'elle n'avait pas à s'occuper aussi des dames. Mais Miss Kate et Miss Julia
avaient pensé à ça et avaient transformé la salle de
bains du haut en vestiaire pour les dames. Miss Kate
et Miss Julia étaient là, à bavarder et à rire et à faire
des embarras, s'avançant l'une derrière l'autre jusqu'au sommet de l'escalier, jetant un regard scrutateur par-dessus la rampe et appelant Lily pour
savoir qui était arrivé.

C'était toujours une grande affaire, le bal annuel
des Misses Morkan. Toutes les personnes qui les
connaissaient y venaient, membres de la famille,
vieux amis de la famille, membres de la chorale de
Julia, éventuellement élèves de Kate en âge de sor-

tir et même aussi quelques élèves de Mary Jane. Il n'avait jamais fait fiasco. Il se déroulait toujours dans un style magnifique, et cela depuis des années et des années, aussi loin que pouvait remonter le souvenir ; très précisément depuis le moment où Kate et Julia, après la mort de leur frère Pat, avaient quitté la maison de Stoney Batter et emmené Mary Jane, leur unique nièce, pour vivre avec elles dans cette maison sombre et lugubre de Usher's Island, dont elles avaient loué le haut à Mr Fulham, le courtier en grains du rez-de-chaussée. Cela faisait trente ans bien comptés. Mary Jane, qui était alors une fillette en robe courte, était maintenant le principal soutien de la maison, car c'est elle qui tenait l'orgue à l'église de Haddington Road. Elle était passée par le Conservatoire et elle donnait un concert d'élèves chaque année aux Antient Concert Rooms, dans la salle du haut. Nombre de ses élèves appartenaient à des familles d'un assez bon milieu habitant dans la direction de Kingstown et de Dalkey. Tout âgées qu'elles étaient, ses tantes faisaient aussi leur part. Julia, bien qu'entièrement grise maintenant, était encore le premier soprano de la paroisse d'Adam et Ève, et Kate, qui était trop débile pour sortir beaucoup, donnait des leçons de musique pour débutants sur le vieux piano carré, dans la pièce du fond. Lily, la fille de la concierge, leur faisait le travail domestique. Bien que leur vie fût modeste, elles tenaient à bien manger ; toujours ce qu'il y avait de mieux : de l'aloyau de premier choix, du thé à trois shillings et le meilleur stout en bouteille. Mais Lily se trompait rarement dans les commandes, de sorte qu'elle s'entendait bien avec ses trois maîtresses. Elles faisaient des embarras, c'était tout. Mais la seule chose qu'elles ne supportaient pas, c'était qu'on leur réponde.

Bien sûr, elles avaient de bonnes raisons de faire des embarras un soir pareil. Et puis il était dix heures largement passées et toujours aucun signe de Gabriel et de sa femme. Par-dessus le marché, elles avaient une peur bleue que Freddy Malins n'arrivât éméché. Pour rien au monde elles ne voulaient qu'une des élèves de Mary Jane le vît sous l'empire de la boisson ; et quand il était comme ça, il arrivait qu'on ne sût plus comment le prendre. Freddy Malins arrivait toujours en retard, mais elles se demandaient ce qui pouvait bien retenir Gabriel : et c'est ce qui les amenait toutes les deux minutes à la rampe pour demander à Lily si Gabriel ou Freddy était arrivé.

— Oh, Mr Conroy, dit Lily à Gabriel lorsqu'elle lui ouvrit la porte, Miss Kate et Miss Julia pensaient que vous arriveriez jamais. Bonsoir, Mrs Conroy.

— Oui, je le gage, dit Gabriel, mais elles oublient que ma femme ici présente met trois heures mortelles à s'habiller.

Il restait sur le paillasson, à racler la neige de ses caoutchoucs, tandis que Lily conduisait sa femme au pied de l'escalier, et appelait :

— Miss Kate, voici Mrs Conroy.

Tout de suite Kate et Julia descendirent à petits pas chancelants les escaliers sombres. Toutes deux embrassèrent la femme de Gabriel, dirent qu'elle avait dû attraper la mort et demandèrent si Gabriel était avec elle.

— Je suis là, fidèle comme la poste, Tante Kate ! Allez, montez. Je suivrai, cria Gabriel dans l'obscurité.

Il continua à racler ses pieds vigoureusement, tandis que les trois femmes montaient en riant en direction du vestiaire des dames. Une légère frange de neige s'était déposée telle une cape sur les épaules de son manteau et, tels des bouts rapportés, à l'extrémité de ses caoutchoucs ; et à mesure que les boutons de son manteau glissaient avec un crissement contre la ratine raidie par la neige, un peu d'air froid et odorant venu de l'extérieur s'échappait des plis et replis.

— Est-ce qu'il neige à nouveau, Mr Conroy ? demanda Lily.

Elle l'avait précédé dans l'office pour l'aider à se débarrasser de son manteau. Gabriel sourit en entendant les trois syllabes qu'elle avait données à son nom de famille et lui jeta un coup d'œil. C'était une adolescente mince, encore en pleine croissance, au teint pâle et aux cheveux filasse. La lumière du gaz accentuait encore sa pâleur. Gabriel l'avait connue enfant, toujours assise sur la première marche à bercer une poupée en chiffon.

— Oui, Lily, répondit-il, et je pense que nous en avons pour la nuit.

Il leva le regard vers le plafond, qui tremblait sous les piétinements et les frottements de pieds là-haut à l'étage, écouta un moment le piano, puis jeta un coup d'œil à la jeune fille en train de plier soigneusement son manteau au bout d'un rayonnage.

— Dis-moi, Lily, fit-il d'un ton amical, vas-tu encore à l'école ?

— Oh non, monsieur, répondit-elle, ça fait plus d'un an que j'ai terminé l'école.

— Eh bien, dit Gabriel gaiement, j'imagine qu'un de ces jours nous irons assister à ton mariage avec ton bon ami, hein ?

La jeune fille lui lança un coup d'œil par-dessus son épaule, et dit avec une grande amertume :

— Les hommes qu'il y a au jour d'aujourd'hui, c'est tout des belles paroles et ce qu'ils peuvent tirer de vous.

Gabriel rougit, comme s'il sentait qu'il avait fait une bévue et, sans la regarder, se débarrassa de ses caoutchoucs en deux coups de pied, et épousseta énergiquement ses escarpins vernis avec son cache-nez.

C'était un homme jeune, corpulent et plutôt grand. La couleur soutenue de ses joues montait jusqu'à son front, où elle se dispersait en quelques petites taches informes de rouge pâle ; et sur son visage glabre scintillaient, sans repos, les verres polis et la monture dorée des lunettes qui abritaient ses yeux délicats et inquiets. Ses cheveux noirs luisants étaient divisés par une raie au milieu, et la brosse leur avait fait décrire une longue courbe aboutissant derrière les oreilles ; là, ils frisaient légèrement au-dessous de la marque laissée par son chapeau.

Lorsqu'il eut bien lustré ses chaussures, il se leva et tira son gilet pour mieux l'ajuster sur son corps replet. Puis il prit rapidement une pièce dans sa poche.

— Oh, Lily, dit-il en la lui fourrant dans les mains, c'est Noël, n'est-ce pas ? Tiens..., juste un petit...

Il marcha rapidement vers la porte.

— Oh non, monsieur ! s'écria la jeune fille en le suivant, vraiment, je ne peux pas accepter.

— C'est Noël ! C'est Noël ! dit Gabriel en se hâtant presque vers l'escalier et en lui adressant de la main un geste vague de déprécation.

Voyant qu'il avait gagné les marches, elle lui lança :

— Eh bien, merci, monsieur.

Il attendit la fin de la valse derrière la porte du salon, écoutant les robes qui la frôlaient, et les frottements de pieds. Il était encore décontenancé par la réplique brusque et amère de l'adolescente. Son humeur s'en trouvait assombrie et il tenta de dissiper le nuage en arrangeant ses manchettes et les ailes de son nœud de cravate. Puis il prit dans sa poche de gilet un petit bout de papier et jeta un coup d'œil aux rubriques qu'il avait préparées pour son discours. Il était indécis quant aux vers de Robert Browning car il craignait qu'ils ne passent au-dessus de la tête de ses auditeurs. Mieux vaudrait une citation qu'ils pussent identifier, tirée de Shakespeare ou des Mélodies[1]. Ces claquements de talons indiscrets et ces frottements de semelles lui rappelaient que le degré de culture de ces gens était différent du sien. Il réussirait seulement à se ridiculiser en leur citant de la poésie qu'ils ne pouvaient pas comprendre. Ils penseraient qu'il faisait parade de son éducation supérieure. Il échouerait avec eux tout comme il avait échoué avec la jeune fille de l'office. Il n'avait pas pris le ton qu'il fallait. Tout son discours était une bévue du commencement à la fin, c'était un échec complet.

À ce moment précis, ses tantes et sa femme sortirent du vestiaire des dames. Ses tantes étaient deux vieilles femmes de petite taille, habillées simplement. Tante Julia avait deux ou trois centimètres de plus que sa sœur. Ses cheveux, qu'elle faisait descendre bas au point de couvrir le haut des oreilles, étaient gris ; et gris aussi, avec des ombres plus foncées, était son grand visage flasque. Bien qu'elle fût solidement bâtie et se tînt très droite, ses yeux lents et ses lèvres entrouvertes lui donnaient l'apparence d'une femme qui ne savait pas où elle était ni où elle allait. Tante Kate avait plus de vivacité. Son visage, plus florissant que celui de sa sœur, n'était que rides et plis, comme une pomme rouge toute recroquevil-

1. Les *Irish Melodies* de Thomas Moore (1779-1852), publiées entre 1807 et 1835, étaient particulièrement populaires dans l'Irlande de Joyce. L'une d'entre elles, « Oh, Ye Dead », dialogue entre les vivants et les revenants, est à l'arrière-plan de cette nouvelle.

lée, et ses cheveux, nattés à la même mode désuète, n'avaient pas perdu leur chaude couleur noisette.

Elles embrassèrent toutes deux Gabriel, de bon cœur. C'était leur neveu préféré, le fils de leur sœur aînée décédée, Ellen, qui avait épousé T. J. Conroy, du Service portuaire.

— Gretta me dit que vous n'allez pas retourner en fiacre à Monkstown ce soir, Gabriel, dit Tante Kate.

— Non, dit Gabriel en se tournant vers sa femme, l'expérience de l'an dernier a suffi, n'est-ce pas ? Ne vous souvenez-vous pas, Tante Kate, de ce refroidissement que Gretta en a rapporté ? Des fenêtres qui n'arrêtaient pas de trembler et à partir de Merrion le vent d'est qui s'est mis à souffler. Vraiment charmant. Gretta a attrapé un rhume carabiné.

Tante Kate fronçait les sourcils d'un air sévère et approuvait du chef à chaque mot.

— Tu as tout à fait raison, Gabriel, tout à fait, disait-elle. On n'est jamais trop prudent.

— Mais pour ce qui est de Gretta, dit Gabriel, elle rentrerait à pied dans la neige, si on la laissait faire.

Mrs Conroy rit.

— Ne faites pas attention, Tante Kate, dit-elle. C'est un vrai tyran domestique : un jour il faut des abat-jour verts pour que Tom ne s'abîme pas les yeux le soir, une autre fois il lui fait faire des haltères, ensuite il faut forcer Éva à manger son porridge. La pauvre enfant ! Elle qui ne peut pas voir ça !... Oh, mais vous ne devinerez jamais ce qu'il me fait porter maintenant !

Elle partit d'un grand éclat de rire et jeta un coup d'œil à son mari dont les yeux admiratifs et ravis s'étaient promenés de sa robe à son visage et à sa chevelure. Les deux tantes se mirent elles aussi à rire de bon cœur, car la sollicitude de Gabriel était chez elles l'objet d'une plaisanterie rituelle.

— Des caoutchoucs ! dit Mrs Conroy. C'est sa dernière idée. Chaque fois que le sol est humide, je dois mettre mes caoutchoucs. Même ce soir il voulait que je les mette, mais j'ai refusé. La prochaine fois c'est un scaphandre qu'il m'achètera.

Gabriel rit d'un air gêné et tapota sa cravate comme pour se rassurer, cependant que Tante Kate se pliait presque en deux, tant la plaisanterie lui mettait le cœur en joie. Le sourire disparut bientôt du visage de Tante Julia et ses yeux sans gaieté se dirigèrent vers le visage de son neveu. Après un silence elle demanda :

— Et qu'est-ce que c'est des caoutchoucs, Gabriel ?

— Des caoutchoucs, Julia ! s'exclama sa sœur. Mon Dieu, tu ne sais pas ce que c'est ? Ça se porte par-dessus les... par-dessus les chaussures, n'est-ce pas, Gretta ?

— Oui, dit Mrs Conroy. Des choses en gutta-percha. Nous en avons chacun une paire maintenant. Gabriel dit que tout le monde en porte sur le Continent.

— Ah oui, sur le Continent, murmura Tante Julia, en hochant la tête lentement.

Gabriel fronça les sourcils et dit, comme s'il était un peu en colère :

— Cela n'a rien de bien extraordinaire mais Gretta trouve que c'est très drôle parce que le nom, dit-elle, lui rappelle les Christy Minstrels.

— Mais, dis-moi, Gabriel, lança vivement Tante Kate avec tact. Tu t'es bien sûr occupé de la chambre. Gretta était en train de dire...

— Oh, tout va bien du côté de la chambre, répliqua Gabriel. J'en ai pris une au Gresham.

— Assurément, c'était de loin ce qu'il y avait de mieux à faire, dit Tante Kate. Et les enfants, Gretta, tu ne te fais pas de souci pour eux ?

— Oh, pour une nuit, fit Mrs Conroy. D'ailleurs, Bessie s'occupera d'eux.

— Assurément, répéta Tante Kate. Quelle tranquillité d'avoir une jeune fille comme ça, à qui on peut faire toute confiance. Tenez, cette Lily, vraiment je ne sais pas ce qui lui arrive ces temps derniers. Elle n'est plus du tout ce qu'elle était.

Gabriel allait poser à sa tante quelques questions à ce sujet, mais elle s'interrompit tout à coup pour suivre du regard sa sœur qui s'en était allée, descendant l'escalier et tendant le cou par-dessus la rampe.

— Enfin, je vous demande, fit-elle, presque avec humeur, où s'en va-t-elle ? Julia ! Julia ! Où vas-tu ?

Julia, qui avait descendu la moitié d'une volée de marches, revint et annonça d'un ton doux :

— Voilà Freddy.

Au même moment des applaudissements et le finale enlevé de la pianiste leur annoncèrent que la valse était terminée. La porte du salon fut ouverte de l'intérieur et quelques couples sortirent. Tante Kate tira Gabriel à part précipitamment et lui glissa à l'oreille :

— Gabriel, sois gentil, descends voir s'il est dans un état acceptable, et s'il est éméché ne le laisse pas monter. Je suis sûre qu'il est éméché. J'en suis sûre.

Gabriel s'approcha de l'escalier et tendit l'oreille par-dessus la rampe. Il pouvait entendre deux personnes en train de parler dans l'office. Puis il reconnut le rire de Freddy Malins. Il descendit l'escalier bruyamment.

— Quel soulagement que Gabriel soit là ! dit Tante Kate à Mrs Conroy. J'ai toujours l'esprit plus libre quand il est là... Julia, voici Miss Daly et Miss Power qui je crois prendraient volontiers quelque chose. Merci pour votre très belle valse, Miss Daly. Elle était très bien rythmée.

Un homme de haute taille, aux traits ratatinés, dont le visage hâlé s'ornait d'une moustache grisonnante et raide, dit en s'en allant avec sa cavalière :

— Pouvons-nous aussi prendre quelque chose, Miss Morkan ?

— Julia, dit Tante Kate brièvement, voici encore Mr Browne et Miss Furlong. Conduis-les, Julia, avec Miss Daly et Miss Power.

— Je suis le chevalier servant de toutes ces dames, dit Mr Browne en pinçant les lèvres, ce qui eut pour effet de hérisser sa moustache, et en souriant de toutes ses rides. Vous savez, Miss Morkan, si je leur plais tant, c'est que...

Il ne finit pas sa phrase mais, voyant que Tante Kate n'était plus à portée de voix, il conduisit tout de suite les trois jeunes filles dans la pièce du fond. Le milieu de celle-ci était occupé par deux tables carrées, placées bout à bout, sur lesquelles Tante Julia et la concierge étaient en train d'arranger et de lisser une grande nappe. Sur le buffet étaient alignés des plats et des assiettes, des verres et des séries de couteaux, de fourchettes et de cuillers. Le dessus du piano carré, qu'on avait fermé, servait aussi de buffet pour les mets et les sucreries. Près d'un buffet plus petit, dans un coin, deux jeunes gens étaient en train de boire des hop-bitters[1].

Mr Browne conduisit ses protégées de ce côté-là et les invita toutes, en manière de plaisanterie, à prendre du punch pour dames, brûlant, fort et doux. Lorsqu'elles répondirent qu'elles ne prenaient jamais rien de fort, il leur ouvrit trois bouteilles de limonade. Puis il demanda à l'un des jeunes gens de se pousser et, s'emparant de la carafe, se servit une belle et bonne ration de whisky. Les jeunes gens le considérèrent avec respect tandis qu'il goûtait une première petite gorgée.

— Dieu merci, dit-il en souriant, mon médecin me l'a ordonné.

Son sourire s'élargit sur son visage ratatiné, et les trois jeunes filles rirent en écho musical à sa facétie,

1. Sorte de boisson non fermentée au houblon.

ployant le corps de côté et d'autre, avec de petits
gestes nerveux des épaules. La plus hardie répliqua :

— Allons, Mr Browne, je suis sûre que votre
docteur n'a rien ordonné de tel.

Mr Browne prit une autre petite gorgée de
whisky et dit, avec une mimique enjôleuse :

— Eh bien, voyez-vous, je suis comme la célèbre
Mrs Cassidy, qui a dit, rapporte-t-on : *Allons, Mary
Grimes, si je n'en prends pas, force-moi à en
prendre, car je sens que j'en ai besoin.*

Son visage échauffé s'était penché de façon un
peu trop confidentielle et il avait pris un accent
dublinois canaille de sorte que les jeunes filles, d'un
accord instinctif, reçurent son discours en silence.
Miss Furlong, qui était une élève de Mary Jane,
demanda à Miss Daly le nom de la jolie valse qu'elle
avait jouée ; et Mr Browne, voyant qu'on ne faisait
pas cas de lui, se tourna promptement vers les deux
jeunes gens qui étaient mieux disposés à l'apprécier.

Une jeune femme rougeaude, dans une robe de
couleur pensée, entra dans la pièce, très excitée,
frappant dans ses mains et s'écriant :

— Un quadrille ! Un quadrille !

Juste sur ses talons arriva Tante Kate, qui s'écria :

— Mary Jane, il me faut deux messieurs et trois
dames !

— Oh, voici Mr Bergin et Mr Kerrigan, dit Mary
Jane. Mr Kerrigan, voulez-vous prendre Miss
Power ? Miss Furlong, puis-je vous donner pour
cavalier Mr Bergin. Oh, voilà qui est parfait.

— Trois dames, Mary Jane, fit Tante Kate.

Les deux jeunes gens demandèrent s'ils pouvaient avoir le plaisir, et Mary Jane se tourna vers Miss Daly.

— Miss Daly, c'est si gentil à vous, après avoir joué ces deux dernières danses, mais vraiment nous avons tellement peu de dames ce soir.

— Je n'y vois pas le moindre inconvénient, Miss Morkan.

— Mais j'ai un charmant cavalier pour vous : Mr Bartell D'Arcy, le ténor. Je m'arrangerai pour le faire chanter plus tard. C'est la coqueluche de Dublin.

— Très jolie voix, très jolie ! dit Tante Kate.

Le piano ayant déjà joué deux fois le prélude de la première figure, ces nouvelles recrues quittèrent rapidement la pièce sous la conduite de Mary Jane. À peine étaient-ils sortis que Tante Julia entra lentement, l'air perdu, regardant quelque chose derrière elle.

— Qu'y a-t-il, Julia ? fit Tante Kate d'un air inquiet. De qui s'agit-il ?

Julia, qui apportait une pile de serviettes de table, se tourna vers sa sœur et dit, avec simplicité, comme si la question l'avait surprise :

— Ce n'est que Freddy, Kate, et Gabriel est avec lui.

Et, de fait, derrière elle, on pouvait voir Gabriel traverser le palier en pilotant Freddy Malins. Ce dernier, homme encore jeune, aux environs de la quarantaine, avait la taille et le gabarit de Gabriel,

avec des épaules très arrondies. Le visage était
empâté et blême, relevé d'une touche colorée seulement aux lobes des oreilles, épais et tombants, et
aux ailes de son nez épaté. Ses traits étaient vulgaires, son nez obtus, son front convexe et fuyant, sa
lippe gourmande. Ses yeux aux paupières lourdes et
le désordre de ses cheveux clairsemés lui donnaient
l'air ensommeillé. Il était en train de rire de bon
cœur, sur un ton haut perché, de l'histoire qu'il
venait de raconter à Gabriel dans l'escalier et, en
même temps, il se frottait l'œil gauche avec la dernière vigueur, dans un sens puis dans l'autre, à l'aide
de son poing gauche.

— Bonsoir, Freddy, dit Tante Julia.

Freddy Malins souhaita le bonsoir aux demoi-
selles Morkan d'une manière qui paraissait cavalière en raison de sa voix comme d'habitude fêlée,
puis, apercevant près du buffet Mr Browne qui lui
adressait un large sourire, il traversa la pièce d'une
démarche quelque peu incertaine et se mit à répéter
à mi-voix l'histoire qu'il venait de raconter à
Gabriel.

— Il n'est pas trop mal en point, n'est-ce pas ? dit
Tante Kate à Gabriel.

Le front de ce dernier était sombre mais il leva
vite les sourcils et répondit :

— Oh, non, cela se remarque à peine.

— Vraiment, ce garçon est incorrigible ! fit-elle.
Dire que la veille du Nouvel An sa mère lui a fait
prendre l'engagement de ne plus boire. Mais viens
donc au salon, Gabriel.

Avant de quitter la pièce avec Gabriel, elle s'adressa par signes à Mr Browne, fronçant les sourcils et faisant de l'index un geste négatif d'avertissement. Mr Browne répondit par un acquiescement du chef et, après son départ, dit à Freddy Malins :

— Allons, Teddy, je vais te servir un bon verre de limonade, histoire de te ravigoter.

Freddy Malins, dont l'histoire approchait de sa conclusion, écarta l'offre d'un geste impatient, mais Mr Browne, après avoir attiré son attention sur certain désordre de ses vêtements, lui remplit et lui tendit un plein verre de limonade. La main gauche de Freddy Malins accepta le verre machinalement, sa main droite étant occupée non moins machinalement à rectifier sa tenue. Mr Browne, dont le visage était à nouveau plissé par l'hilarité, se versa un verre de whisky cependant que Freddy Malins explosait, avant même d'avoir vraiment atteint le point culminant de son histoire, d'un rire maniaque, haut perché, bronchitique, et, posant, sans y porter les lèvres, son verre en train de déborder, se mettait à frotter son œil gauche avec la dernière vigueur, dans un sens puis dans l'autre à l'aide de son poing gauche, répétant des mots de sa dernière formule, autant que son fou rire le lui permettait.

. . . .

Gabriel n'arrivait pas à être attentif pendant que Mary Jane jouait pour le salon maintenant silencieux son morceau du Conservatoire, plein de roulades et de passages difficiles. Il était amateur de musique mais le morceau qu'elle jouait était pour

lui dépourvu de mélodie, et il doutait qu'il en eût
pour les autres auditeurs, bien qu'ils eussent supplié
Mary Jane de leur jouer quelque chose. Quatre
jeunes gens, qui, abandonnant le buffet aux premières notes du piano, étaient venus se poster dans
l'embrasure de la porte, étaient repartis discrètement deux par deux au bout de quelques minutes.
Les seules personnes qui semblaient suivre la
musique étaient Mary Jane elle-même, dont les
mains couraient sur le clavier ou bien, aux pauses,
restaient suspendues comme celles d'une prêtresse
prononçant une brève imprécation, et Tante Kate,
debout à son côté pour tourner la page.

Les yeux de Gabriel, irrités par l'éclat excessif
que le lustre lourd donnait au plancher bien ciré, se
mirent à errer, au-dessus du piano, vers le mur. Il y
avait là, côte à côte, un tableau de la scène du balcon de *Roméo et Juliette* et une tapisserie de laines
rouge, bleue et marron représentant les deux
princes assassinés de la Tour de Londres, œuvre
d'adolescence de Tante Julia. C'est probablement à
l'école qu'elles fréquentaient dans leur jeunesse
qu'on leur avait enseigné ce genre de travail, car,
une année, comme cadeau d'anniversaire, sa mère
lui avait confectionné un gilet de popeline d'Irlande
violet, décoré de petites têtes de renard et doublé
de satin brun, avec des boutons de mûrier. Il était
étrange que sa mère n'ait eu aucun talent pour la
musique bien que Tante Kate eût coutume de l'appeler la tête pensante de la famille Morkan. Elle et
Julia avaient toujours semblé assez fières de cette

sœur sérieuse, incarnation des vertus domestiques. Sa photographie était disposée devant le trumeau. Elle tenait sur les genoux un livre ouvert dans lequel elle montrait quelque chose à Constantin qui, habillé en costume marin, était étendu à ses pieds. C'est elle qui avait choisi le nom de ses fils, car elle avait une haute conscience de la dignité de la vie de famille. Grâce à elle, Constantin était maintenant premier vicaire à Balbriggan, et c'est grâce à elle encore que Gabriel avait pris son diplôme à l'Université Royale. Une ombre passa sur le visage de Gabriel au souvenir de l'opposition butée qu'elle avait marquée à son mariage. Certaines expressions méprisantes qui lui revenaient en mémoire l'ulcéraient encore ; elle avait un jour qualifié Gretta de matoise et cela, ce n'était pas vrai du tout de Gretta. C'est Gretta qui l'avait soignée tout au long de sa dernière maladie dans leur maison de Monkstown.

Il savait que Mary Jane devait approcher de la fin de son morceau, car elle rejouait la mélodie initiale entrecoupée de gammes après chaque mesure et, tandis qu'il attendait la fin, le ressentiment s'éteignit dans son cœur. Le morceau s'acheva sur un trille à l'octave dans l'aigu et un octave final grave dans les basses. Des applaudissements nourris saluèrent Mary Jane lorsque, toute rougissante et roulant nerveusement sa musique, elle s'échappa du salon. Les plus bruyants vinrent des quatre jeunes gens postés près de la porte, qui étaient allés au buffet au début du morceau, mais étaient revenus lorsque le piano s'était tu.

On organisa un quadrille des lanciers. Gabriel se retrouva le cavalier de Miss Ivors, jeune personne aux manières directes, volubile, le visage criblé de taches de rousseur, les yeux noisette proéminents. Son corsage n'était pas décolleté, et la grosse broche fixée sur le devant de son col portait un emblème irlandais.

Lorsqu'ils eurent pris place, elle dit avec brusquerie :

— J'ai un vilain petit compte à régler avec vous.

— Avec moi ? fit Gabriel.

Elle hocha la tête gravement.

— De quoi s'agit-il ? demanda Gabriel, souriant de son air solennel.

— Qui est G. C. ? répondit Miss Ivors, en tournant les yeux sur lui.

La couleur monta au visage de Gabriel, et il allait froncer les sourcils, comme s'il ne comprenait pas, lorsqu'elle dit carrément :

— Oh, innocent Amy ! J'ai découvert que vous écriviez pour le *Daily Express.* Alors, vous n'avez pas honte ?

— Pourquoi aurais-je honte ? demanda Gabriel, clignant les yeux et s'efforçant de sourire.

— Eh bien, moi, j'ai honte de vous, dit Miss Ivors avec franchise. Dire que vous écrivez pour un pareil torchon. Je ne pensais pas que vous étiez Angliche.

La perplexité se peignit sur le visage de Gabriel. Il était exact qu'il écrivait une chronique littéraire tous les mercredis dans le *Daily Express,* pour laquelle on le payait quinze shillings. Mais ce n'était sûrement pas cela qui faisait de lui un Angliche. Les livres qu'il recevait ainsi comptaient presque plus pour lui que le misérable chèque. Il aimait palper les couvertures et tourner les pages de livres nouvellement imprimés. Presque chaque jour, une fois ses cours terminés au collège, il avait coutume de vaguer le long des quais du côté des bouquinistes, que ce soit Hickey sur Bachelor's Walk, Webb ou Massey sur Aston's Quay, ou O'Clohissey dans la ruelle. Il ne savait comment répondre à son accusation. Il avait envie de dire que la littérature était au-dessus de la politique. Mais ils étaient amis de longue date et avaient eu des carrières parallèles, d'abord à l'Université puis en tant que professeurs : avec elle il ne pouvait risquer une formule grandiloquente. Il continua à cligner les yeux et à essayer de sourire en murmurant gauchement qu'il ne voyait pas comment le fait d'écrire des chroniques littéraires avait une signification politique.

Quand ce fut leur tour de se croiser, il était encore perplexe et inattentif. Miss Ivors prit vivement sa main en une chaude étreinte et lui dit d'un ton doucement amical :

— Bien sûr, c'était pure plaisanterie de ma part. Allons, maintenant nous nous croisons.

Lorsqu'ils furent ensemble à nouveau, elle lui parla de la question universitaire et Gabriel se sentit plus à l'aise. Une amie à elle lui avait montré le compte rendu qu'il avait fait des poèmes de Browning. C'est ainsi qu'elle avait découvert le secret :

mais elle aimait énormément ce compte rendu. Puis elle dit tout à coup :

— Oh, dites, Mr Conroy, voulez-vous venir en excursion aux îles d'Aran cet été ? Nous allons y rester un mois entier. Ce sera merveilleux d'être en plein Atlantique. Vous devriez venir. Il y aura Mr Clancy, et Mr Killkelly et Kathleen Kearney. Ce serait merveilleux pour Gretta aussi, si elle venait. Elle est bien originaire du Connacht ?

— Sa famille, oui, répondit Gabriel brièvement.

— Mais vous viendrez, vous, n'est-ce pas ? dit-elle en posant avec ardeur une main chaude sur son bras.

— À vrai dire, fit Gabriel, j'ai déjà pris mes dispositions pour aller...

— Aller où ? demanda-t-elle.

— Eh bien, vous savez, chaque année je pars faire un tour à bicyclette avec quelques camarades et de ce fait...

— Mais où ? demanda Miss Ivors.

— Eh bien, d'ordinaire nous allons en France ou en Belgique ou en Allemagne à l'occasion, dit Gabriel d'un ton gêné.

— Et pourquoi allez-vous en France et en Belgique, dit Miss Ivors, au lieu de visiter votre propre pays ?

— Eh bien, c'est en partie pour ne pas perdre le contact avec ces langues et en partie pour le changement.

— Et n'avez-vous pas aussi à garder le contact avec votre propre langue — l'irlandais ? demanda Miss Ivors.

— Eh bien, si vous y allez par là, vous savez, l'irlandais n'est pas ma langue.

Leurs voisins s'étaient détournés pour assister à
cet interrogatoire en règle. Gabriel jetait à droite et
à gauche des regards gênés et tentait de garder sa
bonne humeur dans cette épreuve qui lui faisait
monter le rouge au front.

— Et n'avez-vous pas votre propre pays à visiter,
dont vous ignorez tout, poursuivait Miss Ivors,
votre pays et votre peuple ?

— Oh, pour vous dire la vérité, riposta Gabriel
tout à coup, j'en ai par-dessus la tête de mon pays,
par-dessus la tête !

— Pourquoi ? demanda Miss Ivors.

Gabriel ne répondit pas, car sa riposte l'avait par
trop échauffé.

— Pourquoi ? répéta Miss Ivors.

C'était leur tour d'aller en visite et, comme il ne
lui avait pas répondu, elle dit avec chaleur :

— Bien sûr, vous n'avez rien à répondre.

Gabriel tenta de dissimuler son agitation en participant à la danse avec une énergie accrue. Il évita
ses yeux, car il avait vu sur son visage une expression d'aigreur. Mais lorsqu'ils se rencontrèrent dans
la longue file, il fut surpris de sentir sa main pressée
fermement. Elle le regarda un moment en dessous
d'un air énigmatique jusqu'à ce qu'il sourît. Alors,
au moment précis où la file allait repartir, elle se
haussa sur la pointe des pieds et lui murmura dans
l'oreille :

— Angliche !

Une fois les lanciers terminés, Gabriel se dirigea vers un coin éloigné de la pièce où était assise la mère de Freddy Malins. C'était une vieille femme à cheveux blancs, corpulente et débile. Sa voix était fêlée comme celle de son fils et elle bégayait légèrement. On lui avait dit que Freddy était arrivé et qu'il était presque correct. Gabriel lui demanda si elle avait fait une bonne traversée. Elle vivait chez sa fille mariée à Glasgow et venait en visite à Dublin une fois par an. Elle répondit placidement qu'elle avait fait une merveilleuse traversée et que le capitaine avait été extrêmement prévenant. Elle lui parla également de la merveilleuse maison que sa fille avait à Glasgow, et de tous les charmants amis qu'ils avaient là-bas. Tandis que sa langue continuait à vagabonder, Gabriel, lui, s'efforçait de bannir de son esprit tout souvenir du désagréable incident qui l'avait opposé à Miss Ivors. Bien sûr, cette jeune fille, ou jeune femme, ou Dieu sait quoi, était pleine d'enthousiasme, mais il y avait temps pour tout. Peut-être n'aurait-il pas dû répondre de la sorte. Mais rien ne l'autorisait à le traiter d'Angliche devant les gens, même pour plaisanter. Elle avait essayé de le ridiculiser devant les gens, le harcelant et le regardant sous le nez de ses yeux de lapin.

Il aperçut sa femme en train de se frayer un chemin vers lui au milieu des couples de valseurs. Lorsqu'elle le rejoignit, elle lui dit dans l'oreille :

— Gabriel, Tante Kate vous fait demander si vous voulez bien découper l'oie comme d'habitude.

Miss Daly découpera le jambon et je m'occuperai du pudding.

— C'est entendu, dit Gabriel.

— Elle fait entrer les jeunes gens en premier dès la fin de cette valse afin que nous ayons la table pour nous.

— Dansiez-vous ? demanda Gabriel.

— Oui, bien sûr. Ne m'avez-vous pas vue ? Quels mots avez-vous eus avec Molly Ivors ?

— Nous n'avons pas eu de mots. Pourquoi ? Est-ce là ce qu'elle a dit ?

— Quelque chose comme ça. J'essaie de convaincre ce Mr D'Arcy de chanter. Je le crois très prétentieux.

— Il n'y a pas eu de mots, dit Gabriel, morose, mais elle voulait que j'aille faire un petit voyage dans l'ouest de l'Irlande et j'ai dit que je ne voulais pas.

Sa femme se pressa les mains l'une contre l'autre, tout excitée, et eut un petit saut de joie.

— Oh, Gabriel, il faut y aller, s'écria-t-elle. J'aimerais tant revoir Galway.

— Allez-y si vous y tenez, fit Gabriel, avec froideur.

Elle le regarda un instant, puis, se tournant vers Mrs Malins, dit :

— Avez-vous vu, Mrs Malins, le gentil mari que j'ai ?

Tandis qu'elle se faufilait comme elle était venue, Mrs Malins, sans prendre garde à l'interruption,

continuait, lui disant quels endroits merveilleux il y
avait en Écosse, et quels décors merveilleux... Son
gendre les emmenait chaque année au bord des lacs
et ils allaient à la pêche. Son gendre était un
pêcheur remarquable. Un jour, il avait pris un poisson, un gros, gros poisson, merveilleux, et l'homme
de l'hôtel l'avait fait cuire au court-bouillon pour
leur dîner.

Gabriel entendait à peine ce qu'elle disait. Maintenant que le souper approchait, il se mettait à
repenser à son discours et à la citation. Lorsqu'il vit
Freddy Malins traverser la pièce pour aller saluer sa
mère, Gabriel lui libéra la chaise et se retira dans
l'embrasure de la fenêtre. Le salon s'était déjà
dégarni et un bruit d'assiettes et de couteaux lui
parvenait de la pièce du fond. Ceux qui restaient
encore au salon semblaient las de danser et conver-
saient tranquillement par petits groupes. Les doigts
chauds et tremblants de Gabriel pianotaient sur la
vitre glacée. Comme il devait faire froid dehors !
Comme il serait agréable d'aller se promener seul,
d'abord le long du fleuve, puis à travers le parc ! Il y
aurait de la neige sur les branches des arbres et elle
formerait une calotte éblouissante sur le Monument
de Wellington. Mon Dieu, comme il serait plus
agréable d'être là-bas qu'à la table du souper !

Il récapitula les rubriques de son discours : l'hospitalité irlandaise, de tristes souvenirs, les Trois
Grâces, Pâris, la citation de Browning. Il se répéta
une formule qu'il avait utilisée dans son compte
rendu : *On a le sentiment d'écouter une musique*

tourmentée par la pensée. Miss Ivors avait fait l'éloge de l'article. Était-elle sincère ? Y avait-il une vie personnelle véritable derrière son propagandisme ? Jusqu'à ce soir, il n'y avait jamais eu entre eux d'animosité. Il était découragé à la pensée qu'elle serait à la table du souper, levant vers lui ses yeux critiques et railleurs, tandis qu'il parlerait. Peut-être ne serait-elle pas fâchée de le voir rater son discours. Une idée surgit dans son esprit qui lui donna du courage. Il dirait, faisant allusion à Tante Kate et à Tante Julia : *Mesdames et messieurs, la génération qui autour de nous est sur son déclin a peut-être eu ses défauts, mais, pour ma part, je pense qu'elle avait certaines qualités : le sens de l'hospitalité, celui de l'humour, de l'humanité, qui semblent faire défaut à la nouvelle génération très réfléchie et hyperinstruite qui se lève parmi nous.* Très bien : voilà pour Miss Ivors. Que lui importait à lui, après tout, que ses tantes ne fussent que deux vieilles femmes ignorantes ?

Un murmure parcourut la pièce, attirant son attention. Mr Browne s'avançait, donnant galamment le bras à Tante Julia, souriante et tête baissée. Des applaudissements irréguliers, tel un feu de mousqueterie, l'accompagnèrent jusqu'au piano, puis moururent peu à peu lorsque Mary Jane se fut installée sur le tabouret et que Tante Julia, cessant de sourire, se fut tournée légèrement afin de placer sa voix correctement dans la pièce. Gabriel reconnut le prélude. C'était celui d'une vieille chanson du répertoire de Tante Julia, *En ses atours de noces*. Sa voix, d'un timbre fort et clair, attaqua avec beaucoup d'entrain les roulades qui enjolivent l'air, et bien que chantant très rapidement, elle ne manqua pas la moindre note de passage. Suivre cette voix sans regarder le visage de la chanteuse, c'était ressentir et partager l'émotion d'un vol rapide et sûr. Gabriel applaudit bruyamment avec tous les autres à la fin de la chanson, et d'autres applaudissements bruyants parvinrent de la table invisible des dîneurs. Ils paraissaient tellement sincères qu'un peu de couleur parvint à monter au visage de Tante Julia lorsqu'elle se pencha pour replacer dans le casier à musique le vieux recueil de chansons relié en cuir dont la couverture portait ses initiales. Freddy Malins, qui avait suivi avec la tête tendue de côté pour mieux l'entendre, applaudissait encore alors que tout le monde avait cessé, et parlait avec animation à sa mère qui hochait lentement la tête avec gravité en signe d'acquiescement. À la fin, lorsqu'il ne put plus applaudir, il se leva brusquement et, traversant la pièce en hâte, alla s'emparer de la main de Tante Julia, qu'il retint dans les siennes, la secouant lorsque les mots lui manquaient ou qu'il ne parvenait pas à maîtriser sa voix fêlée.

— Je disais à l'instant à ma mère, fit-il, que je ne vous avais jamais entendue chanter aussi bien, jamais. Non, je ne vous ai jamais entendu la voix aussi bonne que ce soir. Dites-moi ! Le croiriez-vous, dites-moi ? C'est la vérité. Parole d'honnête homme, c'est la vérité. Je n'ai jamais entendu votre voix aussi fraîche et aussi... aussi claire et fraîche, jamais.

Tante Julia eut un large sourire et murmura quelque chose sur les compliments, tout en libérant sa main de l'étreinte. Mr Browne lui tendit sa main grande ouverte et dit à ses voisins, du ton d'un bonimenteur présentant un prodige à quelque auditoire :

— Miss Julia Morkan, ma dernière découverte.

Il riait encore lui-même de très bon cœur de ce mot lorsque Freddy Malins se tourna vers lui et dit :

— Eh bien, Browne, au cas où vous parleriez sérieusement, sachez que vous pourriez faire plus mauvaise découverte. Tout ce que je peux dire c'est que je ne l'ai jamais entendue chanter aussi bien, et de loin, depuis que je viens ici. Et c'est la stricte vérité.

— Moi non plus, fit Mr Browne. J'estime que sa voix s'est considérablement améliorée.

Tante Julia haussa les épaules et dit avec un orgueil mêlé d'humilité :

— Il y a trente ans, j'avais une voix qui en valait bien une autre.

— J'ai souvent expliqué à Julia, fit Tante Kate avec énergie, qu'elle gaspillait son talent dans cette chorale. Mais elle n'a jamais rien voulu entendre.

Elle se détourna comme pour en appeler au bon sens des autres contre une enfant indocile tandis que Tante Julia regardait droit devant elle, un vague sourire de réminiscence jouant sur son visage.

— Non, poursuivit Tante Kate, elle n'a jamais rien voulu entendre, ni voulu accepter de directives, travaillant comme une malheureuse jour et nuit dans cette chorale, jour et nuit. Pensez, six heures du matin le jour de Noël ! Et tout cela pour quoi ?

— Eh bien, n'est-ce pas pour honorer Dieu, Tante Kate ? demanda Mary Jane, se tournant de côté sur le tabouret du piano et souriant.

Tante Kate se retourna véhémentement contre sa nièce et dit :

— Honorer Dieu, oui, oui, je sais tout cela, Mary Jane, mais je pense que ce n'est pas du tout à l'honneur du Pape de chasser des chorales les femmes qui ont travaillé là comme des malheureuses toute leur vie et de les faire passer au-dessous de petits freluquets[1]. J'imagine que c'est pour le bien de l'Église que le Pape agit de la sorte. Mais ce n'est pas juste, Mary Jane, et ce n'est pas bien.

Elle s'était montée toute seule, et aurait poursuivi la défense de sa sœur, car c'était pour elle une plaie toujours à vif, mais Mary Jane, voyant que tous les danseurs étaient revenus, intervint pacifiquement :

— Allons, Tante Kate, vous êtes une occasion de scandale pour Mr Browne, qui est de l'autre confession.

Tante Kate se tourna vers Mr Browne, que cette allusion à sa religion faisait ricaner, et se hâta de dire :

— Oh, le Pape a raison, je ne mets pas cela en question. Je ne suis qu'une vieille femme très sotte

1. Le *Motu Proprio* de Pie X, *Inter Sollicitudines* (1903), excluait les femmes des chœurs de l'Église, et demandait que pour les voix de soprano et de contralto l'on eût recours à des garçons, conformément aux anciens usages.

et je n'aurais pas pareille audace. Mais il y a dans la vie de tous les jours des choses qui s'appellent tout bonnement la politesse et la gratitude. Et si j'étais à la place de Julia, c'est ce que je dirais au Père Healey en pleine figure...

— Et en plus, Tante Kate, dit Mary Jane, nous avons tous vraiment faim, et quand nous avons faim nous devenons tous querelleurs.

— Et quand nous avons soif nous sommes aussi querelleurs, ajouta Mr Browne.

— De sorte que nous ferions mieux d'aller souper, dit Mary Jane, et de terminer la discussion plus tard.

Sur le palier, devant le salon, Gabriel trouva sa femme et Mary Jane en train d'essayer de persuader Miss Ivors de rester pour le souper. Mais Miss Ivors, qui avait mis son chapeau et boutonnait son manteau, ne voulait pas rester. Elle n'avait pas faim le moins du monde et était déjà restée trop longtemps.

— Mais seulement dix minutes, Molly, dit Mrs Conroy. Ce n'est pas cela qui vous retardera.

— Pour prendre juste un petit quelque chose, dit Mary Jane, après avoir tant dansé.

— Je ne pourrais vraiment pas, dit Miss Ivors.

— Vous ne vous êtes pas amusée du tout, j'en ai bien peur, dit Mary Jane navrée.

— Mais si, mais si, je vous assure, fit Miss Ivors ; mais il faut vraiment que je me sauve maintenant, croyez-moi.

— Mais comment allez-vous rentrer chez vous ? demanda Mrs Conroy.

— Oh, ce n'est qu'à deux pas en remontant le quai.

Gabriel hésita un moment et dit :

— Permettez-moi de vous raccompagner, Miss Ivors, si vraiment vous êtes forcée de vous en aller.

Mais Miss Ivors se dégagea de leur groupe.

— Je ne veux pas en entendre parler, s'écria-t-elle. Pour l'amour du Ciel, rentrez prendre votre souper et ne vous occupez pas de moi. Je suis parfaitement capable de me tirer d'affaire par moi-même.

— Eh bien, Molly, vous voilà dans le rôle comique, dit Mrs Conroy carrément.

— *Beannacht libh*[1], s'écria Miss Ivors, avec un petit rire, et elle descendit l'escalier en courant.

Mary Jane la suivit du regard, le visage empreint d'une perplexité morose, cependant que Mrs Conroy se penchait sur la rampe pour écouter le bruit de la porte d'entrée. Gabriel se demanda s'il était la cause de son brusque départ. Elle ne semblait pourtant pas de mauvaise humeur : elle était partie en riant. Son regard déconcerté plongeait dans l'escalier.

C'est à ce moment que Tante Kate sortit en trottinant de la salle à manger, se tordant presque les mains de désespoir.

— Où est Gabriel ? s'écria-t-elle. Où est-il, au nom du Ciel ? Tout le monde est là, à l'attendre, le décor est en place, et il n'y a personne pour découper l'oie !

— Me voici, Tante Kate ! s'écria Gabriel, s'ani-

---

1. Adieu en forme de bénédiction.

mant tout à coup, je suis prêt à découper un troupeau d'oies, si c'est nécessaire.

Une oie dodue, bien rissolée, reposait à une extrémité de la table, tandis que de l'autre côté, sur un lit de papier froncé semé de brins de persil, était déposé un magnifique jambon, dépouillé de sa couenne et saupoudré de chapelure, une jolie petite collerette de papier autour du jarret ; à côté se trouvait un rôti de bœuf aux épices. Entre ces deux extrémités rivales couraient des lignes parallèles d'entremets : deux petites cathédrales de gelée, rouge et jaune ; un plat peu profond empli de blocs de blanc-manger et de confiture de fruits rouges, un grand plat vert en forme de feuille dont la tige faisait office de poignée et sur lequel reposaient des grappes de raisins secs violets et des amandes décortiquées, un plat symétrique contenant un rectangle massif de figues de Smyrne, un plat de crème au lait recouvert de noix muscade râpée, une petite coupe pleine de chocolats et de bonbons en papillotes d'or et d'argent et un vase de verre d'où sortaient quelques longues tiges de céleri. Au centre de la table se dressaient en sentinelles auprès d'une corbeille de fruits composée d'une pyramide d'oranges et de reinettes d'Amérique, deux carafes trapues à l'ancienne mode, en cristal taillé ; l'une contenait du porto et l'autre du sherry rouge. Sur le piano carré, en ce moment fermé, un pudding reposait majestueusement dans un énorme plat jaune et derrière lui se trouvaient trois escouades de bouteilles de stout et d'ale et de boissons gazeuses, rangées selon les couleurs de leur uniforme, les deux premières en noir, avec des étiquettes brunes et rouges, la troisième escouade, plus petite, en blanc, avec un grand cordon vert transversal.

Gabriel prit place hardiment au haut bout de la table et, après avoir vérifié le fil du couteau à découper, plongea sa fourchette dans l'oie d'une main ferme. Il se sentait maintenant tout à fait à l'aise, car découper était sa spécialité, et rien ne lui plaisait plus que de se trouver à la tête d'une table bien garnie.

— Miss Furlong, que vous ferai-je passer ? demanda-t-il. Une aile ou un blanc ?

— Juste un petit morceau de blanc.

— Miss Higgins, que prendrez-vous ?

— Oh, ce que vous voudrez, Mr Conroy.

Tandis que Gabriel et Miss Daly échangeaient assiettes d'oie et assiettes de jambon et de bœuf aux épices, Lily passait de l'un à l'autre avec un plat de pommes de terre farineuses, brûlantes et enveloppées d'une serviette blanche. L'idée venait de Mary Jane, et elle avait aussi suggéré de la compote de pommes pour aller avec l'oie, mais Tante Kate avait dit que de l'oie rôtie toute simple, sans compote de pommes, lui avait toujours suffi et qu'elle espérait ne jamais manger plus mal que cela. Mary Jane servait ses élèves et veillait à ce qu'elles eussent les meilleurs morceaux, cependant que Tante Kate et Tante Julia ouvraient sur le piano et apportaient à table des bouteilles de stout et d'ale pour les messieurs et des boissons gazeuses pour les dames. Il y avait beaucoup de confusion, de rires et de bruit, le bruit des ordres et des contrordres, des couteaux et des fourchettes, des bouchons de bouteilles et des bouchons de carafes. Dès qu'il eut fini le premier service pour tout le monde, Gabriel se remit à découper un second service sans rien prendre lui-même. Tout le monde protesta bruyamment, tant et si bien qu'à titre de concession il but une longue gorgée de stout, car le découpage avait fini par l'échauffer. Mary Jane se mit tranquillement à manger, mais Tante Kate et Tante Julia trottinaient encore autour de la table, se marchant sur les talons, se gênant mutuellement et échangeant des ordres auxquels ni l'une ni l'autre ne prêtait attention. Mr Browne les pria de s'asseoir et de souper et Gabriel fit de même, mais elles dirent qu'elles avaient le temps, de sorte que Freddy Malins finit par se lever et, s'étant emparé de Tante Kate, l'assit sur sa chaise sans autre forme de procès au milieu des rires de l'assistance.

Lorsque tout le monde fut bien servi, Gabriel dit en souriant :

— Maintenant, si quelqu'un veut encore un peu de ce que le vulgaire appelle de la farce, qu'il ou elle parle.

Un véritable chœur l'invita à commencer son repas, et Lily vint lui apporter trois pommes de terre qu'elle lui avait réservées.

— Voilà qui est bien, fit Gabriel aimablement en prenant une autre gorgée préliminaire, oubliez mon existence pendant quelques minutes, je vous prie, mesdames et messieurs.

Il s'attaqua à son souper sans prendre part à la conversation grâce à laquelle les convives couvrirent le bruit des assiettes desservies par Lily. Le sujet en était la troupe d'opéra qui jouait alors au Théâtre Royal. Mr Bartell D'Arcy, le ténor, jeune homme au teint basané et à la moustache élégante, disait le plus grand bien du premier contralto, mais Miss Furlong trouvait sa mise de voix assez vulgaire. Freddy Malins dit qu'un chef nègre qui chantait dans la seconde partie de la pantomime au Théâtre de la Gaieté avait une des plus belles voix de ténor qu'il eût jamais entendues.

— L'avez-vous entendu ? demanda-t-il à Mr Bartell D'Arcy par-dessus la table.

— Non, répondit celui-ci négligemment.

— Parce que je serais vraiment curieux, expliqua Freddy Malins, d'avoir votre opinion à son sujet. Je trouve qu'il a une voix magnifique.

— Il n'y a que Teddy pour découvrir ce qui est vraiment fameux, fit Mr Browne en s'adressant familièrement aux convives.

— Et pourquoi n'aurait-il pas lui aussi une belle voix ? fit vivement Freddy Malins. Peut-être parce que ce n'est qu'un Noir ?

Personne ne répondit à cette question et Mary Jane ramena les convives sur le sujet de l'opéra authentique. Une de ses élèves lui avait donné un billet de faveur pour *Mignon*. C'était très joli certes, disait-elle, mais cela lui faisait penser à la pauvre Georgina Burns. Mr Browne pouvait remonter plus loin encore : jusqu'aux vieilles troupes italiennes qui venaient jadis à Dublin — Tietjens, Ilma de Murzka, Campanini, le grand Trebelli, Giuglini, Ravelli, Aramburo. C'était l'époque, disait-il, où l'on pouvait entendre à Dublin des chanteurs dignes de ce nom. Il racontait encore comment le poulailler du vieux Théâtre Royal était plein à craquer tous les soirs, comment un soir un ténor italien avait dû chanter cinq rappels de *Qu'on me laisse tomber en soldat,* poussant chaque fois un contre-ut, et comment il arrivait que les enfants du paradis, dans leur enthousiasme, dételaient les chevaux de la voiture de quelque *prima donna* pour la tirer eux-mêmes jusqu'à son hôtel. Pourquoi, demandait-il, ne jouait-on jamais maintenant les grands opéras d'autrefois, *Le Pardon de Poermel, Lucrèce Borgia* ? Parce qu'on ne trouvait plus de voix pour les chanter : tout simplement.

— Mon Dieu, dit Mr Bartell D'Arcy, je présume qu'il y a aujourd'hui d'aussi bons chanteurs qu'en ce temps-là.

— Où sont-ils ? demanda Mr Browne d'un air de défi.

— À Londres, à Paris, à Milan, dit Mr Bartell D'Arcy avec chaleur. J'imagine que Caruso, par exemple, est tout aussi bon, sinon meilleur, que n'importe lequel des chanteurs que vous avez cités.

— Peut-être, peut-être, dit Mr Browne. Mais permettez-moi de vous dire que j'en doute fort.

— Oh, je donnerais n'importe quoi pour entendre chanter Caruso, dit Mary Jane.

— Pour moi, dit Tante Kate, qui venait de racler un os, il n'y a jamais eu qu'un ténor. Pour mon goût, veux-je dire. Mais j'imagine qu'aucun d'entre vous n'en a jamais entendu parler.

— Qui était-ce, Miss Morkan ? s'informa poliment Mr Bartell D'Arcy.

— Il avait nom Parkinson, dit Tante Kate. Je l'ai entendu quand il était au sommet de sa carrière et j'estime qu'il avait alors la voix de ténor la plus pure que Dieu ait jamais mise dans une gorge humaine.

— Étrange, fit Mr Bartell D'Arcy. Je n'en ai même jamais entendu parler.

— Si, si, Miss Morkan a raison, dit Mr Browne. Je me souviens avoir entendu parler du vieux Parkinson, mais c'est trop loin pour moi.

— Une magnifique voix de ténor anglais, pure, mélodieuse, une voix de velours, dit Tante Kate pleine d'enthousiasme.

Gabriel ayant terminé, on fit passer le pudding sur la table. Le cliquetis des fourchettes et des cuillers reprit. La femme de Gabriel servait des cuillerées de pudding et faisait circuler les assiettes autour de la table. Elles étaient arrêtées à mi-chemin par Mary Jane, qui les remplissait de gelée à la framboise ou à l'orange, ou de blanc-manger et de confiture. Le pudding était l'œuvre de Tante Julia et on lui en faisait des louanges de tous côtés. Elle dit pour sa part qu'il n'était pas tout à fait assez brun.

— Eh bien, Miss Morkan, fit Mr Browne,

j'espère que je suis assez brun pour vous parce que, savez-vous, je le suis de la tête aux pieds[1].

Tous les messieurs, à l'exception de Gabriel, mangèrent un peu de pudding par égard pour Tante Julia. Gabriel ne mangeant jamais d'entremets, on lui avait laissé le céleri. Freddy Malins lui aussi prit une branche de céleri et la mangea avec son pudding. On lui avait dit que c'était excellent pour le sang et il était en ce moment même en traitement. Mrs Malins, qui avait gardé le silence pendant tout le souper, déclara que son fils devait descendre à Mount Melleray dans une huitaine de jours. Les convives se mirent alors à parler de Mount Melleray, de son air vivifiant, de l'hospitalité des moines, qui ne demandaient jamais un sou à leurs hôtes.

— Voulez-vous donc dire, fit Mr Browne incrédule, qu'on peut arriver là, s'y installer comme à l'hôtel, vivre sur l'habitant et puis s'en aller sans donner un centime ?

— Oh, la plupart des gens laissent un don pour le monastère à leur départ, dit Mary Jane.

— Je regrette que nous n'ayons pas une institution comme celle-là dans notre Église, dit Mr Browne non sans franchise.

Il fut stupéfait d'apprendre que les moines ne parlaient jamais, se levaient à deux heures du matin et dormaient dans leur cercueil. Il demanda pourquoi ils faisaient cela.

---

1. Jeu de mots éculé sur son nom de famille : Browne.

— C'est la règle de l'ordre, dit Tante Kate d'un ton ferme.

— Oui, mais pourquoi ? demanda Mr Browne.

Tante Kate répéta que c'était la règle, un point c'est tout. Mr Browne semblait toujours ne pas comprendre. Freddy Malins lui expliqua, du mieux qu'il put, que les moines essayaient d'expier les fautes commises par tous les pécheurs vivant dans le monde extérieur. L'explication ne fut pas très claire, car Mr Browne ricana et dit :

— L'idée me plaît beaucoup, mais est-ce qu'un bon lit à sommier ne leur conviendrait pas aussi bien qu'un cercueil ?

— Le cercueil, dit Mary Jane, est là pour leur rappeler leur fin dernière.

Le sujet étant devenu lugubre, les convives l'enterrèrent dans un silence, pendant lequel on entendit Mrs Malins glisser à son voisin dans un murmure indistinct :

— Ce sont des hommes de bien, ces moines, des hommes très pieux.

On fit circuler les raisins secs, les amandes, les figues, les pommes, les oranges, les chocolats, les bonbons et Tante Julia invita tout le monde à prendre du porto ou du sherry. Mr Bartell D'Arcy commença par refuser l'un et l'autre, mais l'une de ses voisines lui donna un coup de coude et lui murmura quelque chose, sur quoi il se laissa remplir son verre. Peu à peu, à mesure que les derniers verres se remplissaient, la conversation cessa. Une pause s'ensuivit, rompue seulement par le bruit du vin que

l'on versait et celui de chaises dérangées. Les Misses
Morkan, toutes les trois, avaient les yeux baissés sur
la nappe. Quelqu'un toussota, puis quelques messieurs tapotèrent doucement la table pour demander le silence. Il finit par s'établir et Gabriel,
repoussant sa chaise, se leva.

En signe d'encouragement les tapotements se
firent immédiatement plus forts, et puis cessèrent
tout à fait. Gabriel appuya ses dix doigts tremblants
sur la nappe et adressa à la compagnie un sourire
intimidé. Rencontrant une rangée de visages tour-
nés vers lui, il leva les yeux sur le lustre. Le piano
jouait un air de valse et il entendait le froufrou des
robes contre la porte du salon. Peut-être y avait-il
dehors, sur le quai, dans la neige, des gens qui
levaient les yeux vers les fenêtres éclairées et écou-
taient cette musique de valse. Là-bas, l'air était pur.
Au loin, c'était le parc, avec ses arbres chargés de
neige. Le Monument de Wellington portait un res-
plendissant bonnet de neige, qui envoyait son éclat
en direction de l'Ouest par-dessus le champ tout
blanc de Fifteen Acres.

Il commença :

— Mesdames et messieurs.

« Il m'est échu ce soir, comme dans les années
passées, d'accomplir une tâche fort agréable, pour
laquelle cependant, je le crains, mes piètres capacités d'orateur sont par trop inadéquates.

— Non, non ! s'écria Mr Browne.

— Pourtant, quoi qu'il en soit, je peux seulement
vous demander ce soir de ne prendre en considéra-

tion que ma seule bonne volonté et de m'accorder
votre attention quelques instants pendant que je
m'efforcerai d'exprimer par des mots la nature des
sentiments qui m'animent en cette occasion.

« Mesdames et messieurs. Ce n'est pas la première fois que nous nous rassemblons sous ce toit
hospitalier, autour de cette table hospitalière. Ce
n'est pas la première fois que nous sommes les heureux bénéficiaires — ou peut-être, devrais-je plutôt
dire, les victimes — de l'hospitalité de certaines
bonnes dames.

Son bras décrivit un large cercle, et il fit une
pause. Tout le monde rit ou sourit à Tante Kate, à
Tante Julia et à Mary Jane, qui toutes trois
devinrent cramoisies de plaisir. Gabriel reprit avec
plus d'assurance :

— Ma conviction se fait plus forte, au retour de
chaque année, que notre pays n'a pas de tradition
qui l'honore autant et qui soit aussi digne d'être
jalousement gardée que celle de son hospitalité. Il
s'agit d'une tradition absolument unique, autant
que j'aie pu me rendre compte (et j'ai visité bien des
villes étrangères) parmi les nations modernes. Certains diraient peut-être qu'il s'agit là d'une faiblesse
plutôt que d'un titre d'orgueil. Mais même si tel est
le cas, il s'agit, à mon sens, d'une faiblesse princière
qui, je l'espère bien, sera longtemps cultivée parmi
nous. Je suis assuré d'une chose au moins. Aussi
longtemps que ce toit abritera les susdites bonnes
dames — et je souhaite du fond du cœur que ce soit
pour de longues et de très nombreuses années

encore — l'authentique tradition de l'hospitalité irlandaise, empreinte de chaleur et de courtoisie, que nos ancêtres nous ont léguée et que nous devons à notre tour transmettre à nos descendants, cette tradition vivra encore parmi nous.

Un chaleureux murmure d'approbation fit le tour de la table. Dans un éclair Gabriel se souvint que Miss Ivors n'était pas là et qu'elle était partie de façon discourtoise ; et il reprit, plein de confiance en lui :

— Mesdames et messieurs.

« Une nouvelle génération grandit parmi nous, génération animée par des idées nouvelles et des principes nouveaux. Elle a l'esprit de sérieux et s'enthousiasme pour ces idées nouvelles, et cet enthousiasme, même lorsqu'il est mal employé, est, je le crois, pour l'essentiel sincère. Mais nous vivons en un siècle sceptique et, si l'on me permet l'expression, tourmenté par la pensée ; et, parfois, je crains que cette nouvelle génération, avec son instruction ou son hyperinstruction, ne vienne à manquer de ces qualités d'humanité, d'hospitalité, d'humour bienveillant qui furent l'apanage de temps plus anciens. En écoutant ce soir le nom de tous ces grands chanteurs du passé, il me semblait, je dois le confesser, que nous vivions en un siècle moins vaste. Ces temps-là pouvaient bien, sans exagération, être qualifiés de vastes[1] ; et s'il est maintenant

---

1. *Spacious age* est un écho, devenu cliché, de Tennyson : « The spacious times of great Elizabeth » (in *A dream of Fair Women*).

hors de notre pouvoir de les faire revivre, souhaitons du moins qu'en de telles réunions nous parlions d'eux avec fierté et affection, que nous chérissions encore en nos cœurs le souvenir de ces morts illustres qui nous ont quittés pour toujours et dont le monde ne laissera pas volontiers s'éteindre la renommée[1].

— Bravo, bravo ! s'écria bruyamment Mr Browne.

— Et pourtant, poursuivit Gabriel, baissant la voix et prenant une inflexion plus douce, il est toujours, en des réunions telles que celle-ci, des pensées plus tristes qui font obstinément retour en nos esprits : celles qui nous parlent du passé, de la jeunesse, des changements, des visages dont l'absence ce soir nous est cruelle. Le sentier de notre vie est tout jonché de tristes souvenirs de cet ordre : et si nous devions les ressasser toujours, nous ne trouverions pas le courage de poursuivre bravement la tâche qui est la nôtre parmi les vivants. Nous avons tous des devoirs et des affections bien vivants, qui réclament, et réclament à bon droit, nos efforts opiniâtres.

« C'est pourquoi je ne m'attarderai pas sur le passé. Je ne laisserai pas de sombres considérations moralisantes s'immiscer parmi nous ce soir. Nous voici tous réunis un court moment loin de l'agita-

---

1. Milton, *Du gouvernement d'Église* : « Par le labeur et l'étude assidue (que je considère comme mon lot en cette vie), joints à une forte propension de nature, je peux espérer léguer aux temps à venir une œuvre écrite de telle sorte qu'ils ne devront pas la laisser volontiers s'éteindre. »

tion et de la précipitation de nos habitudes quotidiennes. Nous nous retrouvons ici en amis, entre bons compagnons, en collègues, jusqu'à un certain point aussi, dans l'esprit de la *camaraderie* authentique, et en hôtes de celles que j'appellerai — voyons — les Trois Grâces du monde musical de Dublin.

À cette saillie les convives éclatèrent en applaudissements et en rires. Tante Julia demanda en vain à chacun de ses voisins tour à tour de lui répéter ce que Gabriel avait dit.

— Il dit que nous sommes les Trois Grâces, Tante Julia, dit Mary Jane.

Tante Julia ne comprit pas mais, souriante, leva les yeux vers Gabriel qui poursuivit dans la même veine :

— Mesdames et messieurs.

« Je n'essaierai pas ce soir de jouer le rôle que Pâris joua en une autre occasion. Je n'essaierai pas de choisir entre elles. La tâche serait odieuse et dépasserait mes faibles capacités. Car, lorsque je les considère tour à tour, qu'il s'agisse de notre principale hôtesse, dont le bon cœur, le trop bon cœur, est devenu proverbial pour tous ceux qui la connaissent, ou sa sœur, qui paraît douée d'une éternelle jeunesse et dont le chant a dû être ce soir pour nous tous une surprise et une révélation, ou enfin, dernière nommée mais non la moindre, lorsque je considère la plus jeune de nos hôtesses, talentueuse, gaie, laborieuse, la meilleure des nièces, je le confesse, mesdames et messieurs, je ne sais à laquelle je devrais accorder la palme.

Gabriel jeta un coup d'œil sur ses tantes et, voyant le large sourire qui s'épanouissait sur le visage de Tante Julia et les larmes montées aux yeux de Tante Kate, il se hâta de conclure. Levant galamment son verre de porto, cependant que tous les membres de la compagnie tripotaient le leur, dans l'expectative, il dit d'une voix forte :

— Unissons-les dans le même toast. Buvons à leur santé, souhaitons-leur richesse, longue vie, bonheur et prospérité, et puissent-elles longtemps continuer à occuper la fière position qu'elles se sont acquise grâce à leurs seuls mérites dans leur profession, et celle, où le respect le dispute à l'affection, qu'elles occupent dans nos cœurs.

Tous les invités se levèrent, le verre à la main et, se tournant vers les trois dames restées assises, chantèrent à l'unisson, sous la direction de Mr Browne :

> Car ce sont de gais lurons,
> Car ce sont de gais lurons,
> Car ce sont de gais lurons,
> Personne ne le niera.

Tante Kate utilisait ouvertement son mouchoir et même Tante Julia semblait émue. Freddy Malins battait la mesure avec sa fourchette à gâteau et les chanteurs se tournèrent les uns vers les autres, comme s'ils conféraient en musique, pour chanter avec une énergie accrue :

> Ou bien il mentira,
> Ou bien il mentira.

Puis, se tournant à nouveau vers leur hôtesse, ils chantèrent :

> Car ce sont de gais lurons,
> Car ce sont de gais lurons,
> Car ce sont de gais lurons,
> Personne ne le niera.

L'acclamation qui suivit fut reprise au-delà de la porte de la salle à manger par nombre d'autres invités, et fut maintes fois renouvelée, sous l'autorité de Freddy Malins, la fourchette haut brandie.

. . . .

L'air pénétrant du matin entrait dans le vestibule où ils se tenaient, de sorte que Tante Kate finit par dire :

— Que quelqu'un ferme la porte. Mrs Malins va attraper la mort.

— Browne est là dehors, Tante Kate, fit Mary Jane.

— Browne est partout, dit Tante Kate en baissant la voix.

Mary Jane rit du ton qu'elle avait pris.

— Vraiment, dit-elle d'un ton malicieux, il est plein d'attentions.

— On n'a vu que lui, dit Tante Kate sur le même ton, pendant toute la Noël.

Elle rit à son tour, cette fois sur le ton de la bonne humeur, et puis ajouta rapidement :

— Mais dis-lui de rentrer, Mary Jane, et ferme la porte. Je prie le Ciel qu'il ne m'ait pas entendue.

À ce moment-là la porte d'entrée s'ouvrit et Mr Browne, qui était sur le pas de la porte, entra, riant à perdre le souffle. Il était vêtu d'un long manteau vert à col et manchettes de simili-astrakan, et portait un bonnet de fourrure ovale. Il indiquait la direction du quai recouvert de neige, d'où parvenait le bruit de coups de sifflet aigus et prolongés.

— Teddy va faire sortir tous les fiacres de Dublin, dit-il.

Gabriel émergea du petit office situé derrière le bureau en enfilant péniblement son manteau et dit, après avoir parcouru l'entrée du regard :

— Gretta n'est pas encore descendue ?

— Elle est en train de mettre ses affaires, Gabriel, dit Tante Kate.

— Qui donc est en train de jouer là-haut ? demanda Gabriel.

— Personne. Ils sont tous partis.

— Oh non, Tante Kate, fit Mary Jane. Bartell D'Arcy et Miss O'Callaghan ne sont pas encore partis.

— Quelqu'un pianote, en tout cas, dit Gabriel.

Mary Jane jeta un coup d'œil à Gabriel et à Mr Browne et dit en frissonnant :

— Cela me donne froid de vous regarder tous les deux, emmitouflés de cette façon. Je n'aimerais pas devoir affronter votre voyage de retour à cette heure-ci.

— En ce moment même, rien ne me ferait plus plaisir, dit Mr Browne résolument, qu'une bonne petite marche dans la campagne, ou que filer sur les routes avec un trotteur de première entre les traits.

— Nous avions autrefois à la maison un très bon attelage de cabriolet, dit Tante Julia avec tristesse.

— L'inoubliable Johnny, dit Mary Jane en riant.

Tante Kate et Gabriel rirent également.

— Eh bien, qu'avait-il donc d'extraordinaire, ce Johnny ? demanda Mr Browne.

— Le regretté Patrick Morkan, c'est-à-dire feu notre grand-père, expliqua Gabriel, couramment appelé vers la fin de sa vie le vieux monsieur, était fabricant de colle.

— Oh, allons, Gabriel, dit Tante Kate en riant, il avait une fabrique d'amidon.

— Bon, colle ou amidon, dit Gabriel, le vieux monsieur avait un cheval du nom de Johnny. Et Johnny travaillait dans la fabrique du vieux monsieur, tournant en rond à longueur de journée pour faire marcher le moulin. Fort bien ; mais voici où les choses deviennent tragiques pour Johnny. Un beau jour le vieux monsieur se mit en tête de prendre son cabriolet pour aller avec le beau monde assister à une revue militaire dans le parc.

— Que le Seigneur lui pardonne, dit Tante Kate tout attendrie.

— Amen, dit Gabriel. Donc, comme je le disais, le vieux monsieur harnache Johnny, met son plus beau haut-de-forme et son plus beau col cravate et quitte dans un style magnifique la demeure ances- trale, quelque part du côté de Back Lane, si je ne m'abuse.

La manière dont Gabriel présentait les choses fit rire tout le monde, y compris Mrs Malins, et Tante Kate dit :

— Allons, Gabriel, il n'habitait pas vraiment Back Lane. Il n'y avait là que la fabrique.

— Il quitte donc la demeure de ses ancêtres, poursuivit Gabriel, conduisant Johnny. Et tout alla à merveille jusqu'au moment où Johnny arriva en vue de la statue du Roi Billy[1] ; là, on ne sait s'il tomba amoureux du cheval sur lequel est assis le Roi Billy ou s'il se crut de retour au moulin : toujours est-il qu'il se mit à tourner autour de la statue.

Au milieu des rires des autres, Gabriel tournait en rond à pas lents dans le vestibule, chaussé de ses caoutchoucs.

— Il tournait, il tournait, disait Gabriel, et le vieux monsieur, fort pompeux au demeurant, était au comble de l'indignation. *Allons, monsieur ! Que signifie ? Johnny ! Johnny ! Quelle extraordinaire conduite ! Je ne comprends pas ce qui est arrivé à ce cheval !*

Les éclats de rire qui suivirent cette imitation par Gabriel furent interrompus par un coup de marteau

---

1. Guillaume d'Orange (1650-1702), vainqueur des catho- liques irlandais à la bataille de la Boyne en 1690.

retentissant donné à la porte d'entrée. Mary Jane
courut ouvrir et fit entrer Freddy Malins. Celui-ci,
le chapeau rejeté en arrière et les épaules recroque-
villées par le froid, après s'être bien démené soufflait maintenant force buée.

— Je n'ai pu trouver qu'un seul fiacre.

— Oh, nous en trouverons un autre sur le quai,
dit Gabriel.

— Oui, dit Tante Kate. Mieux vaut ne pas laisser
Mrs Malins dans le courant d'air.

Mrs Malins descendit le perron aidée par son fils
et par Mr Browne et, après force manœuvres, fut
hissée dans le fiacre. Freddy Malins grimpa derrière
elle et mit un long moment à l'installer sur son
siège, aidé par les conseils de Mr Browne. Lorsqu'il
eut enfin assuré son confort, Freddy Malins invita
Mr Browne à monter. Il y eut une longue discussion
confuse, et finalement Mr Browne monta dans le
fiacre. Le cocher arrangea la couverture sur ses
genoux et se pencha pour prendre l'adresse. La
confusion s'accrut et il reçut des instructions différentes de Freddy Malins et de Mr Browne, dont
chacun passait la tête par une fenêtre. Le problème
était de savoir en quel point de l'itinéraire on allait
déposer Mr Browne, et Tante Kate, Tante Julia et
Mary Jane du pas de la porte aidaient à la discussion avec des instructions divergentes et des
contradictions, et force rires. Quant à Freddy
Malins, il riait à ne plus pouvoir parler. Il sortait la
tête par la fenêtre à chaque instant, faisant courir
les plus grands dangers à son chapeau, et tenait sa

mère au courant des progrès de la discussion jusqu'à ce que pour finir Mr Browne, dominant les rires de tous, criât au cocher éberlué :

— Connaissez-vous Trinity College ?

— Oui, monsieur, dit le cocher.

— Eh bien, foncez droit sur le grand portail de Trinity College, dit Mr Browne, et une fois là nous vous dirons où aller. Vous saisissez maintenant ?

— Oui, monsieur, dit le cocher.

— Courez, volez droit sur Trinity College.

— Bien, monsieur, s'écria le cocher.

Il fouetta son cheval et le fiacre s'en alla cahin-caha sur le quai au milieu d'un chœur de rires et d'adieux.

Gabriel n'était pas allé à la porte avec les autres. Resté dans un coin sombre de l'entrée il regardait vers le haut de l'escalier. Une femme se tenait presque au sommet de la première volée de marches, dans l'ombre également. Il ne pouvait voir son visage, mais pouvait voir les panneaux terre cuite et rose saumon de sa robe, que l'ombre faisait paraître noirs et blancs. C'était sa femme. Appuyée sur la rampe, elle écoutait quelque chose. Gabriel était surpris de son immobilité et tendit l'oreille pour écouter lui aussi. Mais il ne pouvait guère entendre que le bruit des rires et des débats dont le perron était le théâtre, quelques accords plaqués sur le piano et quelques notes lancées par la voix d'un homme en train de chanter.

Immobile dans les ténèbres de l'entrée, il tentait de saisir l'air que la voix chantait et levait les yeux vers sa femme. Il y avait de la grâce et du mystère dans son attitude, comme si elle était le symbole de quelque chose. Il se demanda ce qu'une femme, debout dans l'escalier, écoutant une lointaine musique, symbolise. S'il était peintre, il la représenterait dans cette attitude. Son chapeau de feutre bleu ferait ressortir le bronze de ses cheveux sur le fond d'obscurité et les panneaux sombres de sa jupe feraient ressortir ceux qui étaient clairs. *Lointaine Musique,* c'est ainsi qu'il appellerait le tableau s'il était peintre.

On ferma la porte d'entrée ; et Tante Kate, Tante Julia et Mary Jane traversèrent le vestibule, riant encore.

— Ah, mon Dieu, on peut dire que Freddy est insupportable ! dit Mary Jane. Oui, vraiment insupportable.

Gabriel ne dit rien, mais leur désigna dans l'escalier l'endroit où se trouvait sa femme. Maintenant que la porte d'entrée était fermée, on entendait plus clairement et la voix et le piano. Gabriel leva la main pour qu'elles fissent silence. La chanson semblait être dans la tonalité de l'ancienne musique irlandaise et le chanteur semblait aussi peu sûr des paroles que de sa voix. Cette voix, rendue plaintive par la distance et par l'enrouement du chanteur, jetait un éclat mourant sur la cadence de l'air, grâce à des mots qui exprimaient la douleur :

> Oh, la pluie tombe sur mes lourdes boucles
> Et la rosée mouille ma peau,
> Mon petit enfant gît glacé...

— Oh, s'exclama Mary Jane. C'est Bartell D'Arcy qui chante, alors qu'il n'a pas voulu chanter de toute la soirée. Oh, je vais lui faire chanter une chanson avant son départ.

— Oh, oui, c'est cela, Mary Jane, dit Tante Kate.

Mary Jane se glissa devant les autres et courut vers l'escalier mais avant qu'elle l'ait atteint le chant cessa et le piano fut fermé brusquement.

— Oh, quel dommage ! s'écria-t-elle. Est-ce qu'il descend, Gretta ?

Gabriel entendit sa femme répondre que oui et la vit descendre vers eux. Quelques marches derrière elle venaient Mr Bartell D'Arcy et Miss O'Callaghan.

— Oh, Mr D'Arcy, s'écria Mary Jane, ça n'est franchement pas chic de vous arrêter comme cela, alors que nous étions tous à vous écouter dans le ravissement.

— Je l'ai harcelé toute la soirée, dit Miss O'Callaghan, et Mrs Conroy aussi, et il nous a dit avoir un affreux rhume et ne pouvoir chanter.

— Oh, Mr D'Arcy, dit Tante Kate, alors là vous racontiez une grosse craque.

— Vous ne voyez donc pas que je suis enroué comme un vieux corbeau ? répondit Mr D'Arcy rudement.

Il pénétra vivement dans l'office et mit son manteau. Les autres, déconcertés par la brusquerie de ses paroles, ne trouvèrent rien à dire. Tante Kate fronça les sourcils et leur fit signe d'abandonner le sujet. Mr D'Arcy restait là à s'emmailloter le cou avec soin, l'air renfrogné.

— Avec ce temps..., dit Tante Julia après une pause.

— Oui, tout le monde prend froid, s'empressa de dire Tante Kate, vraiment tout le monde.

— On dit, fit Mary Jane, que nous n'avons pas eu autant de neige depuis trente ans ; et j'ai lu ce matin dans les journaux que la neige était générale sur toute l'Irlande.

— J'adore voir de la neige, dit Tante Julia tristement.

— Moi aussi, dit Miss O'Callaghan. Je trouve que Noël n'est jamais vraiment Noël s'il n'y a pas de neige sur le sol.

— Mais ce pauvre Mr D'Arcy n'aime pas la neige, fit Tante Kate en souriant.

Mr D'Arcy sortit de l'office, complètement emmailloté et boutonné, et sur le ton du repentir leur fit l'historique de son rhume. Chacun lui prodigua ses conseils, exprima ses regrets et le pressa de prendre grand soin de sa gorge dans l'air de la nuit. Gabriel observait sa femme qui ne se mêlait pas à la conversation. Elle se trouvait juste au-dessous de l'imposte poussiéreuse, et la flamme du gaz illuminait le bronze somptueux de cette chevelure qu'il lui avait vu sécher devant le feu quelques jours auparavant. Elle avait la même attitude et ne semblait pas avoir conscience de la conversation qui se déroulait autour d'elle. Elle se tourna enfin vers eux, et Gabriel s'aperçut que ses joues étaient colorées et ses yeux brillants. Son cœur tout d'un coup déborda d'une joie bouleversante.

— Mr D'Arcy, dit-elle, quel est le titre de cette chanson que vous chantiez ?

— C'est *La Fille d'Aughrim,* répondit-il, mais je n'arrivais pas à me la rappeler correctement. Pourquoi ? La connaissez-vous ?

— *La Fille d'Aughrim,* répéta-t-elle. Je n'arrivais pas à retrouver le nom.

— C'est un air très joli, dit Mary Jane. Je suis désolée que vous n'ayez pas été en voix ce soir.

— Allons, Mary Jane, dit Tante Kate, ne contrarie pas Mr D'Arcy. Je ne permettrai pas qu'on le contrarie.

Voyant que tous étaient prêts à partir, elle conduisit son monde vers la porte, où l'on se souhaita le bonsoir :

— Eh bien, bonsoir, Tante Kate, et merci pour l'agréable soirée.

— Bonsoir, Gabriel. Bonsoir, Gretta !

— Bonsoir, Tante Kate, et merci mille fois. Bonsoir, Tante Julia.

— Oh, bonsoir, Gretta, je ne vous voyais pas.

— Bonsoir, Mr D'Arcy. Bonsoir, Miss O'Callaghan.

— Bonsoir, Miss Morkan.

— Bonsoir, encore une fois.

— Bonsoir, tout le monde. Rentrez bien.

— Bonsoir. Bonsoir.

Le matin était encore sombre. Une lumière jaune et terne planait sur les maisons et sur le fleuve ; et le ciel semblait en train de descendre. On marchait dans de la neige fondue ; et il n'en subsistait que des traînées et des plaques sur les toits, sur les parapets du quai et sur les grilles des courettes. Les réverbères brûlaient encore d'un éclat rouge dans l'air fuligineux et, de l'autre côté du fleuve, le palais des Four Courts[1] se dressait menaçant contre le ciel lourd.

Elle marchait devant lui avec Mr Bartell D'Arcy, serrant sous son bras le paquet brun qui contenait ses souliers et tenant sa jupe à deux mains au-dessus de la neige fondue. Elle n'avait plus la même grâce dans l'attitude mais les yeux de Gabriel brillaient encore de bonheur. Le sang bondissait littéralement dans ses veines ; et les pensées traversaient son cerveau en tumulte, exprimant tour à tour fierté, joie, tendresse, vaillance.

Elle marchait devant lui si légère et si droite qu'il avait un ardent désir de courir derrière elle sans bruit, de la saisir par les épaules et de lui dire à l'oreille quelque chose d'insensé et de tendre. Elle lui semblait si frêle qu'il brûlait du désir de la défendre contre quelque chose et puis d'être seul avec elle. Des moments secrets de leur vie ensemble éclataient en sa mémoire tels des astres. Une enveloppe parfumée à l'héliotrope était posée près de son déjeuner, et il la caressait de la main. Des oiseaux gazouillaient dans le lierre, et la trame ensoleillée du rideau chatoyait sur le sol : le bonheur l'empêchait de manger. Ils se tenaient sur un quai de gare au milieu de la foule, et il glissait un billet dans la paume chaude de son gant. Il était

1. Palais de Justice de Dublin.

avec elle debout dans le froid, regardant par une
fenêtre grillée un homme occupé à fabriquer des
bouteilles devant un four ronflant. Il faisait très
froid. Tout contre le sien, son visage embaumait
dans l'air glacé ; et, tout à coup, elle s'adressait à
l'ouvrier :

— Dites, monsieur, est-ce qu'il est très chaud, ce
feu ?

Mais l'homme ne pouvait pas l'entendre à cause
du bruit du four. C'était aussi bien. Il aurait peut-
être répondu grossièrement.

Une vague de joie plus tendre encore s'échappa
de son cœur et, parcourant ses artères, les inonda
de chaleur. Comme les tendres feux des astres, certains moments de leur vie ensemble, dont personne
n'avait ni n'aurait jamais connaissance, remontèrent en sa mémoire pour l'illuminer. Il brûlait du
désir de lui rappeler ces moments, de lui faire
oublier les années de leur terne existence commune
et se souvenir seulement de leurs moments d'ex-
tase. Car les années, il le sentait, n'avaient point
éteint son âme, ni celle de sa femme. Leurs enfants,
ce qu'il écrivait et, pour elle, les soucis domestiques, n'avaient point éteint toute la tendresse
enflammée de leurs âmes. Dans une lettre qu'il lui
avait alors écrite, il avait dit : *Pourquoi de tels mots
me paraissent-ils si ternes et si froids ? Est-ce parce
qu'il n'est point de mot assez tendre pour être ton
nom ?*

Telle une lointaine musique, ces mots qu'il avait
écrits des années auparavant se portaient vers lui

du fond du passé. Il brûlait d'être seul avec elle.
Lorsque les autres seraient partis, lorsque lui et elle
seraient dans leur chambre d'hôtel, alors ils
seraient seuls ensemble. Il l'appellerait doucement :

— Gretta !

Peut-être n'entendrait-elle pas tout de suite : elle
serait en train de se déshabiller. Puis, quelque chose
dans sa voix la frapperait. Elle se tournerait et le
regarderait...

Au coin de Winetavern Street, ils rencontrèrent
un fiacre. Le vacarme de la voiture lui fit plaisir car
il lui épargnait toute conversation. Elle regardait
par la portière et semblait fatiguée. Les autres ne
prononçaient que quelques mots, signalant un bâtiment ou une rue. Le cheval galopait d'un air las
sous le ciel fuligineux du petit matin, traînant sur
ses talons le vacarme de sa vieille caisse, et Gabriel
se retrouvait dans un fiacre, galopant pour attraper
le bateau, galopant vers leur lune de miel.

Tandis que le fiacre passait sur O'Connell
Bridge, Miss O'Callaghan dit :

— Il paraît qu'on ne passe jamais sur O'Connell
Bridge sans voir un cheval blanc.

— Cette fois-ci je vois un homme blanc, fit
Gabriel.

— Où cela ? dit Mr Bartell D'Arcy.

Gabriel désigna la statue, sur laquelle la neige
restait déposée en plaques. Puis il lui adressa un
signe de tête familier et un geste de la main :

— Bonne nuit, Dan, fit-il gaiement.

Lorsque le fiacre s'arrêta devant l'hôtel, Gabriel

descendit d'un bond et, en dépit des protestations
de Mr Bartell D'Arcy, paya le cocher. Il donna un
shilling à l'homme en plus du prix de la course.
L'homme les salua et dit :

— Bonne année et prospérité, monsieur.

— À vous pareillement, répliqua Gabriel, cor-
dial.

Elle resta un moment appuyée sur son bras en
sortant de la voiture cependant que, sur le bord du
trottoir, elle souhaitait le bonsoir aux autres. Elle
s'appuyait légèrement à son bras, aussi légèrement
qu'elle l'avait fait en dansant avec lui quelques
heures auparavant. Il s'était alors senti fier et heureux, heureux qu'elle soit à lui, fier de sa grâce et de
son maintien d'épouse. En cet instant, pourtant,
après le réveil enflammé de tant de souvenirs, le
premier contact avec son corps, musical, étrange,
parfumé, fit courir dans tout son être la douleur
aiguë de la concupiscence. À l'abri du silence
qu'elle gardait, il pressa son bras tout contre lui ; et,
pendant qu'ils attendaient à la porte de l'hôtel, il
eut le sentiment qu'ils avaient échappé à leurs existences et à leurs devoirs, échappé à leur foyer et à
leurs amis, et qu'ils s'enfuyaient maintenant
ensemble, le cœur fou et radieux, vers une nouvelle
aventure.

Un vieil homme sommeillait dans l'entrée au
fond d'un grand fauteuil à capote. Il alluma une
bougie dans le bureau et les précéda vers l'escalier.
Ils le suivirent en silence, leurs pas ne faisant, sur
les marches recouvertes d'un épais tapis, qu'un

bruit amorti. Elle gravissait l'escalier derrière le portier, montant la tête inclinée, ses frêles épaules courbées comme par un fardeau, la jupe très ajustée. Il était bien près de lui jeter les bras autour des hanches et de l'immobiliser tant ses bras tremblaient du désir de s'emparer d'elle et ce n'est qu'en enfonçant les ongles dans la paume de ses mains qu'il tint en échec la folle impulsion de son corps. Le portier s'arrêta dans l'escalier pour arranger la bougie qui coulait. Ils s'arrêtèrent à leur tour sur les marches, au-dessous de lui. Dans le silence, Gabriel entendait la cire fondue tomber sur le plateau et son cœur battre à coups sourds contre ses côtes.

Le portier les conduisit le long d'un corridor et ouvrit une porte. Puis il posa sa bougie instable sur la toilette et demanda à quelle heure il fallait les appeler.

— Huit heures, dit Gabriel.

Le portier, montrant l'interrupteur, se mit à marmonner une excuse mais Gabriel le coupa net.

— Nous n'avons pas besoin de lumière. Nous avons assez de celle de la rue. Et je dirai même, ajouta-t-il en montrant la bougie, que vous pourriez emporter ce bel objet, ce serait gentil à vous.

Le portier reprit la bougie, avec lenteur cependant, car une idée aussi originale le surprenait. Puis il sortit en marmottant un bonsoir. Gabriel verrouilla la porte.

Une lueur spectrale venue du réverbère s'étendait en un long trait d'une fenêtre jusqu'à la porte. Gabriel jeta son manteau et son chapeau sur un

canapé et, traversant la pièce, se dirigea vers la
fenêtre. Il plongea le regard dans la rue pour permettre à son émoi de se calmer un peu. Puis, se
détournant, il s'appuya contre une commode, le dos
à la lumière. Elle avait ôté chapeau et cape et se
tenait devant une grande psyché, dégrafant sa robe.
Gabriel l'observa quelques instants en silence, puis
dit :

— Gretta !

Elle se détourna lentement du miroir et, suivant
le trait de lumière, s'avança vers lui. Son visage
paraissait si grave et si las que les mots n'arrivaient
pas à franchir les lèvres de Gabriel. Non, ce n'était
pas encore le moment.

— Vous avez l'air fatiguée, dit-il.

— Je le suis un peu, répondit-elle.

— Vous ne vous sentez pas malade, ou faible ?

— Non, fatiguée : c'est tout.

Elle continua jusqu'à la fenêtre où elle resta, à
regarder au-dehors. Gabriel attendit encore et puis,
redoutant de bientôt perdre toute assurance, dit
brusquement :

— À propos, Gretta !

— Qu'y a-t-il ?

— Vous savez, ce pauvre Malins ? dit-il très
vite.

— Oui. Que lui est-il arrivé ?

— Eh bien, le pauvre, c'est un brave type, après
tout, poursuivit Gabriel d'une voix qui sonnait faux.
Il m'a rendu ce souverain que je lui avais prêté et
vraiment je ne m'y attendais pas. Quel dommage

qu'il s'obstine à fréquenter ce Browne, parce qu'au fond ce n'est pas un mauvais bougre.

Maintenant il tremblait de contrariété. Pourquoi paraissait-elle si pensive ? Il ne voyait pas de quelle façon il pouvait commencer. Y avait-il quelque chose qui la contrariait, elle aussi ? Si seulement elle se tournait vers lui ou venait vers lui de son propre mouvement ! La prendre telle qu'elle était là serait digne d'une brute. Non, il fallait d'abord qu'il vît quelque ardeur dans ses yeux. Il brûlait d'être le maître de son étrange disposition.

— Quand lui avez-vous prêté cette livre ? demanda-t-elle après un silence.

Gabriel dut faire un effort pour ne pas exploser et dire en termes brutaux ce qu'il pensait de ce poivrot de Malins et de sa livre. Il brûlait de crier vers elle du fond de son âme, d'écraser son corps contre le sien, de la maîtriser... Mais il dit :

— Oh, à Noël, lorsqu'il a ouvert cette petite boutique de cartes de Noël dans Henry Street.

Telle était la fièvre de sa rage et de son désir, qu'il ne l'entendit pas venir de la fenêtre. Elle s'arrêta devant lui un instant, le regardant d'un air étrange. Puis, se hissant tout à coup sur la pointe des pieds et posant légèrement les mains sur ses épaules, elle l'embrassa.

— Vous êtes quelqu'un de très généreux, Gabriel, dit-elle.

Ce baiser soudain, cette formule étrange donnèrent à Gabriel un tremblement délicieux, et il posa les mains sur ses cheveux et se mit à les lisser,

les effleurant tout juste de ses doigts. Le lavage les
avait rendus fins et brillants. Son cœur débordait de
bonheur. Au moment précis où il le souhaitait, elle
était venue à lui de son propre mouvement. Peut-
être ses pensées avaient-elles suivi les siennes. Peut-
être avait-elle perçu l'impétueux désir qui était en
lui et alors elle s'était sentie tout à coup disposée à
l'abandon. Maintenant qu'elle lui avait cédé si faci-
lement il se demandait comment il avait pu se montrer si peu assuré.

Il était là, lui tenant la tête entre ses mains. Puis,
lui glissant vivement un bras autour du corps et l'attirant à lui, il dit doucement :

— Gretta, ma chérie, à quoi pensez-vous ?

Elle ne lui répondit pas et ne s'abandonna pas
non plus tout à fait à son bras. Il dit encore, doucement :

— Dites-moi ce que c'est, Gretta. Je crois savoir
ce qui ne va pas. Est-ce que je le sais ?

Elle ne répondit pas tout de suite. Puis, éclatant
en sanglots, elle dit :

— Oh, je pense à cette chanson, *La Fille d'Aughrim.*

Elle s'arracha à lui, courut jusqu'au lit et, jetant
les bras sur la barre, se cacha le visage. Gabriel resta
un moment pétrifié de stupeur et puis la suivit. En
passant devant la psyché, il s'entrevit en pied, avec
son large plastron bien rempli, avec ce visage dont
l'expression l'intriguait toujours quand il le voyait
dans une glace, et avec ses lunettes cerclées d'or qui
miroitaient. Il s'arrêta à quelques pas d'elle et dit :

— Eh bien, cette chanson ? Pourquoi cela vous fait-il pleurer ?

Elle releva la tête et se sécha les yeux avec le dos de la main comme une enfant. Il se glissa dans sa voix une note plus bienveillante qu'il n'était dans son intention.

— Pourquoi, Gretta ? demanda-t-il.

— Je pense à une personne d'il y a longtemps qui chantait souvent cette chanson.

— Et qui était cette personne d'il y a long-temps ? demanda Gabriel en souriant.

— C'était une personne que je connaissais quand je vivais à Galway avec ma grand-mère, dit-elle.

Le sourire s'évanouit du visage de Gabriel. Une rage sourde se mettait à s'amasser à nouveau au fond de son esprit, et les feux sourds de sa concu-piscence se reprirent à rougeoyer rageusement dans ses veines.

— Quelqu'un dont vous étiez amoureuse ? demanda-t-il ironiquement.

— C'était un jeune garçon que je connaissais, répondit-elle, il s'appelait Michael Furey. Il chan-tait souvent cette chanson, *La Fille d'Aughrim.* Il était très délicat.

Gabriel resta silencieux. Il ne tenait pas à ce qu'elle pensât qu'il s'intéressait à ce garçon délicat.

— Je le revois avec tant de netteté, dit-elle au bout d'un moment. Quels yeux il avait ! De grands yeux noirs ! Et leur expression : une expression !

— Ah alors, vous étiez amoureuse de lui ? dit Gabriel.

— J'allais souvent me promener avec lui, dit-elle, lorsque j'étais à Galway.

Une pensée traversa l'esprit de Gabriel :

— Peut-être était-ce pour cela que vous vouliez aller à Galway avec la petite Ivors ? dit-il avec froideur.

Elle le regarda et demanda, surprise :

— Pour quoi faire ?

Devant ses yeux, Gabriel se sentit gêné. Il haussa les épaules et dit :

— Est-ce que je sais ? Pour le voir, peut-être.

Son regard se détourna de lui pour suivre en silence le trait de lumière en direction de la fenêtre.

— Il est mort, dit-elle enfin. Il n'avait que dix-sept ans, quand il est mort. N'est-ce pas affreux de mourir aussi jeune que ça ?

— Que faisait-il ? demanda Gabriel, toujours ironique.

— Il était à l'usine à gaz, dit-elle.

Gabriel se sentit humilié par l'échec de son ironie et par l'évocation de cette figure revenue d'entre les morts, un garçon qui était à l'usine à gaz. Tout le temps qu'il avait été plein des souvenirs de leur vie secrète ensemble, plein de tendresse, de joie et de désir, elle l'avait mentalement comparé à un autre. Il prit brutalement conscience de sa propre personne dans la honte. Il se vit, figure ridicule servant de saute-ruisseau à ses tantes, sentimentaliste peureux et plein de bonnes intentions discourant devant des esprits vulgaires et idéalisant ses propres appétits de rustre, l'individu prétentieux et

pitoyable qu'il avait entraperçu dans le miroir.
D'instinct il tourna un peu plus le dos à la lumière,
de peur qu'elle n'aperçût la honte qui lui brûlait le
front.

Il essaya de soutenir le ton de l'interrogation
froide, mais sa voix lorsqu'il parla fut humble et
indifférente.

— J'imagine que vous étiez amoureuse de ce
Michael Furey, Gretta, dit-il.

— J'étais sa grande amie à l'époque, dit-elle.

Sa voix était voilée et triste. Gabriel, sentant
combien il serait vain maintenant de tenter de la
conduire là où il en avait eu dessein, caressa l'une
de ses mains et dit, lui aussi tristement :

— Et de quoi est-il mort si jeune, Gretta ? Phti-
sie, n'est-ce pas ?

— Je pense qu'il est mort pour moi, répondit-
elle.

Devant cette réponse, une terreur vague s'empara de Gabriel, comme si, en cette heure où il
avait espéré triompher, un être impalpable et vindi-
catif se dressait contre lui, rassemblant des forces
contre lui dans le monde vague qui était le sien.
Mais en se raisonnant il parvint à se débarrasser de
ce sentiment et continua à lui caresser la main. Il ne
lui posa plus de questions, car il sentait qu'elle parlerait d'elle-même. Sa main était chaude et moite :
elle ne répondait pas à son contact, mais il continuait à la caresser tout comme il avait caressé la
première lettre qu'elle lui avait envoyée ce matin
de printemps.

— C'était pendant l'hiver, dit-elle, vers le début de cet hiver où j'allais quitter la maison de ma grand-mère pour venir ici au couvent. Et à l'époque il était malade dans sa chambre meublée de Galway et on lui interdisait de sortir et on avait écrit à ses parents à Oughterard. Il déclinait, on disait, ou quelque chose comme ça. Je n'ai jamais su au juste.

Elle s'arrêta un instant et soupira.

— Le pauvre, dit-elle. Il m'aimait beaucoup et c'était un garçon si doux. Nous sortions souvent ensemble, on se promenait, vous savez, Gabriel, comme on fait à la campagne. Il allait étudier le chant, si ça n'avait pas été sa santé. Il avait une très belle voix, ce pauvre Michael Furey.

— Bien ; et alors ? demanda Gabriel.

— Et alors, quand ce fut le moment pour moi de quitter Galway pour aller au couvent, son état avait beaucoup empiré et on me l'a pas laissé voir, alors je lui ai écrit une lettre disant que j'allais à Dublin et que je serais de retour dans l'été et que j'espérais qu'il irait mieux à ce moment-là.

Elle s'arrêta un moment pour affermir sa voix et puis reprit :

— Alors la nuit avant mon départ j'étais dans la maison de ma grand-mère à Nun's Island, à faire mes bagages, et j'ai entendu qu'on jetait du gravier contre la fenêtre. La fenêtre était si mouillée que je n'y voyais rien, alors je suis descendue en courant comme j'étais et je suis sortie par derrière dans le jardin et le pauvre était là à l'extrémité du jardin tremblant de froid.

— Et ne lui avez-vous pas dit de s'en retourner ? demanda Gabriel.

— Je l'ai supplié de rentrer chez lui tout de suite et je lui ai dit qu'il attraperait la mort sous la pluie. Mais il a répondu qu'il ne voulait pas vivre. Je revois ses yeux comme si c'était aujourd'hui ! Il était debout à l'extrémité du mur là où il y avait un arbre.

— Et est-ce qu'il est rentré chez lui ? demanda Gabriel.

— Oui, il est rentré chez lui. Et je n'étais au couvent que depuis une semaine quand il est mort et on l'a enterré à Oughterard ; c'est de là que venait sa famille. Oh, le jour où j'ai appris ça, qu'il était mort !

Elle s'arrêta, étouffant de sanglots, et, vaincue par l'émotion, elle se jeta sur le lit en sanglotant, le visage plongé dans l'édredon. Gabriel tint sa main un moment encore, indécis, et puis, soucieux de ne pas s'immiscer dans son chagrin, il la laissa retomber doucement et se dirigea sans bruit vers la fenêtre.

Elle était profondément endormie.

Gabriel, appuyé sur son coude, regarda quelques instants, sans ressentiment, ses cheveux emmêlés et sa bouche à demi ouverte, écoutant sa respiration profonde. Ainsi il y avait eu dans son existence cet événement romanesque : un homme était mort pour elle. Maintenant il ne souffrait plus guère à la pensée du rôle dérisoire qu'il avait, lui, son mari, joué dans cette existence. Il l'observait dans son sommeil comme s'ils n'avaient jamais, lui et elle, vécu ensemble comme mari et femme. Avec curiosité ses yeux s'arrêtèrent longuement sur son visage et sur sa chevelure : et en pensant à ce qu'elle avait dû être alors, en ce temps de sa première beauté d'adolescente, un sentiment de pitié étrange, plein d'amitié, pénétra son âme. Il ne tenait pas à reconnaître même dans son for intérieur que son visage avait perdu sa beauté, mais il savait que ce n'était plus le visage pour lequel Michael Furey avait bravé la mort.

Peut-être ne lui avait-elle pas raconté toute l'histoire. Ses yeux se dirigèrent vers la chaise où elle avait jeté quelques-uns de ses vêtements. Une bride de jupon traînait jusqu'au sol. Une bottine était debout, la tige retombant mollement : sa compagne gisait sur le côté. Il s'interrogeait sur le tumulte de ses émotions une heure auparavant. De quoi avait-il procédé ? Le souper de sa tante, son discours ridicule, le vin et la danse, la scène joyeuse des adieux dans le vestibule, le plaisir pris à marcher dans la neige le long du fleuve. Pauvre Tante Julia ! Elle aussi serait bientôt une ombre qui tiendrait compagnie à celle de Patrick Morkan et de son cheval. Il avait surpris cet air hagard un moment sur son visage, quand elle chantait *En ses atours de noces*. Bientôt, peut-être, se retrouverait-il assis dans ce même salon, vêtu de noir, son haut-de-forme sur les genoux. Les stores seraient baissés et Tante Kate serait assise auprès de lui, pleurant et se mouchant et lui racontant comment Julia était morte. Il irait pêcher au fond de son esprit quelques mots pour la consoler, et ceux qu'il trouverait seraient gauches et inutiles. Oui, oui : cela n'allait pas tarder à arriver.

L'air de la pièce lui glaçait les épaules. Il s'allongea avec précaution sous les draps et se coucha près de sa femme. Un par un, ils devenaient tous des ombres. Mieux valait passer hardiment en cet autre monde, dans la pleine gloire de quelque passion, que de s'effacer et se dessécher lamentablement au fil des années. Il songea à la façon dont celle qui reposait à ses côtés avait enfermé dans son cœur pendant tant d'années cette image des yeux de son amant à l'instant où il lui avait dit qu'il ne souhaitait pas vivre.

Des larmes généreuses emplissaient les yeux de Gabriel. Il n'avait jamais lui-même rien éprouvé de tel pour une femme, mais il savait qu'un tel sentiment devait être l'amour. Les larmes se pressèrent plus drues, et dans la demi-obscurité il crut voir la forme d'un adolescent debout sous un arbre dégoulinant de pluie. D'autres formes étaient à proximité. Son âme s'était approchée de cette région où demeurent les vastes cohortes des morts. Il avait conscience de leur existence capricieuse et vacillante, sans pouvoir l'appréhender. Sa propre identité s'effaçait et se perdait dans la grisaille d'un monde impalpable : ce monde bien matériel que ces morts avaient un temps édifié et dans lequel ils avaient vécu était en train de se dissoudre et de s'effacer.

Quelques petits coups légers sur la vitre le firent
se tourner vers la fenêtre. Il avait recommencé à
neiger. Il suivit d'un œil ensommeillé les flocons
argentés et sombres qui tombaient obliquement
dans la lumière du réverbère. Le temps était venu
pour lui d'entreprendre son voyage vers l'Ouest.
Oui, les journaux avaient raison : la neige était
générale sur toute l'Irlande. La neige tombait sur
chaque partie de la sombre plaine centrale, sur les
collines sans arbres, tombait doucement sur le
marais d'Allen et, plus loin vers l'Ouest, doucement tombait sur les sombres vagues rebelles du
Shannon. Elle tombait, aussi, en chaque point du
cimetière solitaire perché sur la colline où Michael
Furey était enterré. Elle s'amoncelait drue sur les
croix et les pierres tombales tout de travers, sur les
fers de lance du petit portail, sur les épines dépouil-
lées. Son âme se pâmait lentement tandis qu'il
entendait la neige tomber, évanescente, à travers
tout l'univers, et, telle la descente de leur fin dernière, évanescente, tomber sur tous les vivants et
les morts.

Note de l'éditeur.   9
Préface de Valery Larbaud : *L'œuvre de
    James Joyce.*   11

Les sœurs.   43
Une rencontre.   57
Arabie.   71
Eveline.   82
Après la course.   91
Deux galants.   101
La pension de famille.   118
Un petit nuage.   130
Contreparties.   152
Argile.   170
Un cas douloureux.   181
« Ivy Day » dans la salle des commissions.   197
Une mère.   223
La grâce.   243
Les morts.   280

DU MÊME AUTEUR

Aux Éditions Gallimard

ULYSSE

PORTRAIT DE L'ARTISTE EN JEUNE HOMME

STEPHEN LE HÉROS

LES EXILÉS, théâtre.

LA NUIT D'ULYSSE, théâtre.

FINNEGANS WAKE, fragments adaptés par André du Boucher.

LETTRES :
    I. 1901-1940
   II. 1882-1915
   II. 1915-1931
  IV. 1932-1941

LE CHAT ET LE DIABLE, conte, *Illustré par Jacques Borel* (Enfantimage), *et par Roger Blachon* (Albums Jeunesse).

ESSAIS CRITIQUES

POÈMES

GIACOMO JOYCE

GENS DE DUBLIN (DUBLINOIS *in Collection Folio*).

FINNEGANS WAKE *(nouvelle traduction)*.

Bibliothèque de La Pléiade

ŒUVRES, I

Composé chez Traitex
Impression Maury-Eurolivres S.A.
45300 Manchecourt
le 28 février 1995.
Dépôt légal : février 1995.
1er dépôt légal dans la collection : janvier 1993.
Numéro d'imprimeur : 95/02/M 6170.
ISBN 2-07-038581-7 / Imprimé en France.

72045